G000117653

LAS ALERGIAS Y SU TRATAMIENTO

Cuerpo y salud

1. M. Scheffer - *Terapia original de las flores de Bach*
2. S. Masunaga y W. Ohashi - *Shiatsu Zen*
3. R. Tisserand - *El arte de la aromaterapia*
4. W. H. Bates - *El método Bates para mejorar la visión sin gafas*
5. A. Cormillot - *La dieta del 2000*
6. W. J. Green - *Sin fatiga*
7. S. Fulder - *Cómo ser un paciente sano*
8. J. Heinerman - *El ajo y sus propiedades curativas*
9. S. Hauman - *Guía de los métodos anticonceptivos*
10. F. Matthias Alexander - *La técnica de Alexander*
11. M. Feldenkrais - *El poder del yo*
12. A. J. Rapkin y D. Tonnessen - *El síndrome premenstrual*
13. L. Ojeda - *Menopausia sin medicina*
14. P. Young - *El arte de la terapia de polaridad*
15. G. Vithoulkas - *Homeopatía*
16. D. y K. Zemach-Bersin y M. Reese - *Ejercicios de relajación*
17. Y. Sendowski - *Gimnasia suave*
18. J. Nice - *Hierbas medicinales y recetas caseras*
19. G. Vithoulkas - *Las leyes y principios de la homeopatía en su aplicación práctica*
20. C. Rausch Herscovici - *La esclavitud de las dietas*
21. A. Gillanders - *Reflexología*
22. E. Sharp - *Espalda sin dolor*
23. A. Munné - *El amanecer del cuerpo*
24. S. Blasco - *Una etapa vital. La menopausia*
25. M. Feldenkrais - *Autoconciencia por el movimiento*
26. R. Charles - *Mente, cuerpo y defensas naturales*
27. J. Mckenna - *Remedios naturales para combatir las infecciones*
28. N. Barnard - *Comer bien para vivir más años*
29. P. Nuernberger - *La transformación del estrés en energía vital positiva*
30. T. Bertherat - *Las estaciones del cuerpo*
31. G. Alexander - *La eutonía*
32. M. E. Nelson y S. Wernick - *Mujer fuerte, mujer joven*
33. T. Bertherat - *La guarida del tigre*
34. J. Heinerman - *Las 7 supermedicinas de la naturaleza*
35. M. Bühring y P. Saz - *Introducción a la medicina naturista*
36. G. Vithoulkas - *Esencia de la Materia Médica*
37. N. Barnard - *Alimentos que combaten el dolor*
38. V. Goldsmit - *Las mejores piernas*
39. J. Fitzgibbon - *Las alergias y su tratamiento*
40. A. Munné - *La evidencia del cuerpo*

Joe Fitzgibbon

LAS ALERGIAS Y SU TRATAMIENTO

Cómo saber si realmente es una alergia
Cómo identificar las causas
Medidas preventivas
Medicamentos eficaces

Barcelona
Buenos Aires
México

Título original: *Could it be an Allergy?*
Publicado por Newleaf, un sello de Gill & Macmillan Ltd., Dublín, y publicado en castellano por acuerdo con Gill & Macmillan, Ltd.

Traducción de Cruz Pardo Riaño

Cubierta de Julio Vivas

ISBN: 84-493-0696-5
Depósito legal: B. 10.440/1999

Impreso en A&M Gràfic, S.L.,
08130 Sta. Perpètua de Mogoda (Barcelona)

Impreso en España - Printed in Spain

A Caoimhe, nuestro último destino

Sumario

CUARTA PARTE
INTOLERANCIA A LOS ALIMENTOS

QUINTA PARTE
PROBLEMAS ASOCIADOS

SEXTA PARTE
PRUEBAS DE ALERGIA Y TRATAMIENTO

Agradecimientos

Estoy en deuda con todos los médicos alergólogos que han ejercido antes de mí. Todos sin excepción han sido maestros diligentes y alentadores. Mi mayor agradecimiento para el doctor Sybil Birtwistle, el profesor Jonathan Brostoff, y para los doctores Keith Eaton, Ronald Finn, Alan Franklin, Helen McEwen, Jonathan Maberly, John Mansfield, Joe Miller, Sarah Myhill y Michael Radcliffe. La especial participación del doctor Len McEwen se agradece en el capítulo 18.

Y aunque los que vienen a continuación no son seguramente conscientes de su influencia a la hora de hacerme comprender las enfermedades alérgicas, quisiera dar las gracias al profesor Martin Church y a los doctores Steve Durham, Alan Frankland, Richard Pumphrey y Veronica Varney.

Mi sincero agradecimiento también a los muchos especialistas hospitalarios y médicos de cabecera que han apoyado y animado mi trabajo en la clínica de la alergia. Especialmente al doctor Deirdre Murphy por su confianza.

Una vez más, tengo que estar agradecido a Eveleen Coyle y su equipo de Gill y Macmillan por su experimentado asesoramiento editorial. No hace falta decir que este libro no existiría sin su inestimable ayuda. Gracias también a Peter Lupson, que fue el primero en animarme a escribir.

Finalmente, gracias a Aoife, que asumió con el mejor ánimo muchas responsabilidades mientras yo andaba ocupado en mil cosas. Es una gran y fiel compañera y mi mayor apoyo.

Introducción

Una alergia es una reacción de hipersensibilidad a una sustancia del medio ambiente que de otro modo sería inofensiva. La persona alérgica puede reaccionar de forma adversa a un alimento sano, al polen de la hierba o a la caspa de un animal. Es más, el número de posibles candidatos es infinito, ya que es posible ser alérgico a cualquier cosa bajo el sol, ¡incluido éste! Las propias reacciones son también diversas, yendo desde la simple molestia al potencial colapso fatal. Entre ambos extremos se sitúan numerosas patologías: el «resfriado constante», problemas sinusíticos, erupciones cutáneas, hasta completar una larga lista. La alergia, en el sentido más amplio de la palabra, es parcialmente responsable de otras dolencias, tales como la hiperactividad, la migraña, la artritis y la fatiga crónica, por citar algunas. Además, las reacciones alérgicas pueden variar enormemente de un paciente a otro e incluso en el mismo paciente en diferentes momentos. De este modo, mientras una persona puede estornudar si se acerca a un caballo, otra puede sufrir sibilancias (sensación de ahogamiento). Ambas son alérgicas a lo mismo, pero tienen reacciones diferentes. Igualmente, algunas alergias aparecen de inmediato, a los pocos segundos de exposición al agente responsable de las mismas; en cambio, otras son más lentas y requieren varios días o incluso semanas para desarrollarse. Las primeras son bien conocidas por el paciente, y en cambio estas últimas rara vez se conocen.

La alergia es un campo amplio e interesante, de gran complejidad e intriga. Ésta es, quizá, la razón por la que ha formado parte de tantas controversias y por lo que constituye un problema tanto para los médicos como para los pacientes. El mayor conflicto nace a partir de dos escuelas de pensamiento médico. La primera se basa especialmente en las pruebas objetivas y mantiene que «si no se puede demostrar *el mecanismo* de una alergia (por medio de las punciones subcutáneas o análisis de sangre), no se trata de una alergia». El punto de vista contrario es empírico y mucho más global. No se basa en la teoría, sino en lo que definimos como observación clínica y experimentación: «Si una sustancia inocua le produce un síntoma, usted es (por decirlo de forma sencilla) alérgico a esa sustancia». En este caso, no tiene importancia si comprendemos el mecanismo o no, sencillamente importa el hecho de que observamos un síntoma.

La virtud de la primera postura es que se basa en la «pura ciencia». Pero también reside ahí su debilidad. Como puede imaginarse, es muy tranquilizador disponer de un análisis fiable que dé como resultado una evidencia objetiva de alergia. ¡Hace que el trabajo sea más fácil! Sin embargo, no podemos descartar una sospecha de alergia basándonos en nuestra incapacidad de «probarla» en el laboratorio. Hacerlo sería caer directamente en una trampa científica, esa zona oscura donde incluso las mentes más brillantes son coartadas por las limitaciones de las máquinas. El enfoque puramente científico de las pruebas de alergia conduce a que a ciertos pacientes se les diga que *no* son alérgicos, cuando de hecho *sí lo son*. Contrariamente, la otra propuesta se basa más en el arte de la medicina que en la ciencia. Una vez más, descubrimos su solidez y, a la vez, su debilidad. Se trata de una teoría sólida porque tendrá en cuenta posibilidades más amplias. No dejará de considerar lo que no se comprende, y en consecuencia no «fallará» en caso de alergia. Y es a la vez débil porque no siempre puede probar la veracidad del propio diagnóstico y porque depende de todas las variables de la naturaleza humana. En particular, es vulnerable al efecto placebo: una misteriosa, cautivadora y por lo general eficaz respuesta humana al poder de la sugestión. En este caso, a algunos pacientes se les dirá que son alérgicos cuando, de hecho, *no lo son*.

Aunque estos puntos de vista opuestos se enfrentan a veces con intensidad, creo que ambos tienen algo que aportar al paciente alérgico. En la práctica, es posible conciliar ambas facciones. Con sentido común, podemos servirnos de lo mejor de ambas argumentaciones y utilizarlas a nuestro favor. De esta manera espero que pueda llegar a una clara comprensión de sus propias alergias. La ventaja de ese conocimiento es obvia: poder llegar hasta la verdadera raíz de los síntomas en vez de sufrirlos o atenuarlos con medicamentos. Con este principio, tenemos una nueva e interesante posibilidad para investigar en busca de una eliminación definitiva de síntomas hasta ahora intratables.

Existe, sin embargo, una fuente de confusión que conviene eliminar. Me refiero al verdadero caos creado en los últimos años por alergólogos no cualificados. Se trata de profesionales intrusistas y sin titulación que utilizan «pruebas» dudosas para explicar a pacientes ingenuos que son alérgicos, por lo general a una lista muy amplia de alimentos. Muchos pacientes han seguido regímenes prolongados y austeros en espera de ver cumplidas sus promesas. Los afrontan con grandes expectativas, y a pesar de que experimentan alguna mejora fortuita, la mayoría consigue poco o nada.

El hecho de que tanta gente inteligente se sumerja en estas dietas de castigo sirve de baremo para entender lo desesperados que están por librarse de los síntomas. Los admiro. Son decididos. Asumen la responsabilidad de su propia salud. También muestran una considerable disposición en la búsqueda de una mejor calidad de vida, una vida libre del constante acoso de la enfermedad. Además, es posible que sus propios médicos no hayan sido capaces de ayudarles o que no los hayan atendido suficientemente cuando el paciente les ha preguntado sobre las alergias. ¡Quizás éstas han sido descartadas por un análisis de sangre con resultado negativo! De esta manera, buscan ayuda donde creen que pueden encontrarla. La desesperación, sin embargo, es siempre un estado de ánimo precario. Las dietas «prescritas» sin conocimientos médicos o dietéticos presentan en muchos casos deficiencias nutricionales. Desgraciadamente, se han producido algunas muertes debidas a la malnutrición. Es el peligro de que personas inocentes caigan en manos de gente sin escrúpulos.

La cuestión esencial, entonces, es: ¿*sus* síntomas, sean los que sean, están causados por una reacción de hipersensibilidad a algo «en apariencia inocuo» de su entorno? Y si es así, ¿cómo podemos señalar con exactitud y seguridad cuál es la causa de esa dolencia? Finalmente, una vez definida su alergia, ¿qué podemos hacer para asegurarle un futuro saludable y sin síntomas? El propósito de este libro es ofrecerle respuestas claras a estas importantes preguntas. Además, ¡puede que descubra que no padece ninguna alergia! En ese caso, al menos habrá llegado a la conclusión de que sus respuestas están en otra parte.

Primera parte

¿QUÉ ES UNA ALERGIA?

Capítulo 1

La variedad de síntomas alérgicos

Una de las dificultades a que nos enfrentamos desde el principio al tratar el tema de la alergia es la enorme diversidad de síntomas alérgicos. A primera vista, la lista de posibles síntomas parece demasiado extensa para ser creíble. Sin embargo, si se considera por un momento que prácticamente cualquier órgano del cuerpo puede verse afectado por una reacción alérgica, se entenderá por qué hay síntomas tan diversos. Y si se considera también que esas reacciones pueden ser causadas prácticamente por cualquier factor del entorno, tendrá que admitirse la enormidad de nuestra tarea. Muchas veces el trabajo del alergólogo se compara con el del detective. Hay que seguir la pista alérgica en la historia clínica; tenemos que controlar el entorno de la vivienda, del trabajo o del lugar de ocio, en busca de sospechosos, y debemos aplicar un conocimiento eficaz de los mecanismos subyacentes de la alergia, al menos hasta donde sabemos por el momento. Nuestras dificultades se agravan porque los síntomas de las enfermedades alérgicas también aparecen en otras enfermedades, así que tenemos que asegurarnos de que no existe otra explicación posible a los síntomas que se investigan. De este modo, más que aceptar los síntomas de la alergia por las buenas, debemos analizarlos con el rigor de una evaluación médica. ¡No todo lo que hace estornudar, escuece o altera nuestra respiración es una alergia!

La inmensa mayoría de los que se presentan en una clínica de alergias lo hacen bajo la presión de una pregunta que tienen en mente. Quieren saber si sus síntomas los causa una alergia. Esta pregunta lleva a otras: «Si existe alguna posibilidad de que mis síntomas sean causados por una alergia, ¿qué tengo que hacer para averiguar si padezco o no una alergia?», y «Si tengo una alergia, ¿a qué demonios soy alérgico?». Sin duda muchos lectores ya tienen una idea bastante clara de lo que les causa el problema. Todos queremos confirmar nuestras sospechas y adquirir un mayor conocimiento de la situación. También deseamos, si es posible, seguir un tratamiento efectivo. Otros lectores se sentirán confusos. Quizá hayan sido inducidos a error por cuestionables «pruebas de alergia» y sigan acosados por los síntomas a pesar de seguir rigurosas dietas. La mayoría, sin embargo, estará de acuerdo en que no tiene ni idea de a qué es alérgico o, incluso, si es o no definitivamente alérgico. Existirán síntomas, desde luego, y síntomas demasiado conocidos. También una historia de tratamientos fallidos, tanto ortodoxos como alternativos, y aun así se sigue buscando alivio a las dolencias. O simplemente se sienten incómodos con la eliminación de sus síntomas por medio de medicamentos y mantienen la esperanza de una solución sin tener que recurrir a la química. Todos sabemos por instinto que si se pudiera descubrir la causa que produce los síntomas, recuperaríamos el control de nuestra salud.

Todos sabemos que los ojos, la nariz y los pulmones se ven frecuentemente afectados por enfermedades alérgicas. La piel es también un objetivo preferente de las mismas. Aunque otras partes del cuerpo también pueden verse afectadas, incluyendo los músculos y articulaciones, la vejiga y los riñones, la boca y los intestinos, el corazón y los vasos sanguíneos e incluso el mismo cerebro. Recuérdese, asimismo, que la alergia puede surgir aisladamente, afectando sólo a una parte del cuerpo, o como un problema múltiple que afecta a diferentes órganos a la vez. Como ejemplo permítaseme reconstruir un hipotético «día cualquiera» de una clínica de la alergia. Aunque aporte una visión necesariamente limitada, servirá para transmitir parte de la miríada de síntomas que pueden tener (o no) una base alérgica.

9 de la mañana, Peter

Nuestro primer paciente es un niño de cuatro años al que llamaremos Peter. (Se han cambiado todos los nombres de los pacientes.) Lo enviaba el médico de cabecera con varios problemas. En primer lugar, su madre ya sabía que era alérgico a los huevos. «¡Le aparece una erupción nada más tocarlos!», decía la señora. «Una vez le di una cucharadita, cuando tenía unos seis meses, y se pasó el día vomitando.» Lógicamente, no volvieron a darle huevos. Peter, sin embargo, presentaba también otros problemas. Por ejemplo, tenía una tos permanente y sufría sibilancias cuando se excitaba o corría. Eran los síntomas del asma. Padecía además secreciones nasales que le habían producido el hábito de frotarse la nariz de una manera característica: presionaba la punta de la nariz con el dedo corazón mientras aspiraba con fuerza. Nosotros lo llamamos el «saludo alérgico», y por esa razón mostraba una señal horizontal permanente en la nariz. Además tenía la piel seca e irritada. Se rascaba continuamente y durante los períodos de sueño se producía frecuentemente heridas, porque se arañaba las zonas más afectadas. A esto lo llamamos eccema. Finalmente, y por si no bastaba, era hiperactivo. Su madre había observado que el comportamiento del niño era especialmente difícil cuando comía determinados alimentos. Las naranjas y las galletas, por ejemplo, «lo ponían frenético». Eliminarlos de su dieta ayudaba un poco, pero no resolvía el problema. Sus padres se preguntaban si habría otros alimentos en la dieta que afectaran a su conducta.

Las pruebas cutáneas revelaron que Peter era muy sensible a los ácaros del polvo doméstico. Esta alergia podía tener relación con muchos de sus síntomas, incluyendo el asma, la alergia nasal y el eccema. También hicimos una valoración estándar de su hiperactividad. La puntuación que obtuvimos como resultado sugería la existencia de un problema en este sentido. Es más, había buenas razones para sospechar que la alimentación era un factor importante en su caso: tenía una sensibilidad ya conocida al huevo, su comportamiento era bastante peor después de ingerir determinados alimentos y sufría todas las otras condiciones alérgicas antes mencionadas. No hay, sin embargo, ningún análisis de sangre o prueba cutánea que pudiera servirnos para explicar su hiperactividad. La investigación concienzuda y minuciosa de su dieta es el único camino posible para determinar en todo caso qué alimentos contribuían a empeorar su comportamiento.

9,30 de la mañana, Mark

Nuestro siguiente paciente, Mark, es un granjero de 35 años que ha vuelto a la clínica de alergias para hacerse una revisión. La primera vez que acudió, hace varios meses, se quejaba de «molestias en el pecho y sinusitis». Tenía la nariz constantemente tapada. Algunas veces moqueaba en abundancia, en especial cuando no podía dejar de estornudar. Por la noche le costaba una eternidad conciliar el sueño porque no podía respirar bien. Por las mañanas, al levantarse se notaba la garganta «como si fuera de papel de lija», seca y dolorida: algo común entre quienes (por la razón que sea) respiran por la boca cuando duermen. Siempre había sufrido sibilancias, pero había empeorado en los últimos años y los inhaladores ya no eran tan efectivos como antes. Lo que más le preocupaba, sin embargo, era que su sustento estaba en peligro. «Cuando voy al mercado empeoran todos mis antiguos síntomas y surgen otros nuevos», explicaba. Se le enrojecían los ojos «con un escozor insoportable» a los pocos minutos de acercarse al ganado.

Hacer negocios bajo estas circunstancias se había vuelto enormemente difícil. Después de investigar, se descubrió que Mark era alérgico a los ácaros del polvo y al ganado. Tenía también cierto grado de alergia alimentaria. Respondió correctamente al tratamiento y ahora ya podía respirar sin dificultades, dormir por las noches y acudir al mercado sin presentar apenas síntomas.

10 de la mañana, Karen

Karen es una niña de diez años que viene con sus padres a conocer los resultados de un análisis de sangre. Hace unas semanas había experimentado una alarmante inflamación de la boca y un intenso prurito (picor o escozor) en la lengua después de comer pescado. Su padre nos indicó que la niña había experimentado desde entonces síntomas parecidos después de usar un tenedor que previamente había sido utilizado con el pescado. Y aun así, a pesar de poseer una historia clínica tan clara y espectacular, el análisis de sangre daba un resultado negativo. Seguíamos, por tanto, sin saber a qué atenernos, así que era el momento de proceder a una prueba cutánea. Como medida de precaución, y para no provocar un ataque alérgico en una paciente tan sensible, ¡diluimos el extracto de pescado a 1/15000! Pasados diez minutos, a Karen se le había producido una reacción en la piel a pesar de ingerir una cantidad tan pequeña, confirmando que era extremadamente sensible al pescado. Durante el resto de la visita estuvimos charlando con Karen y sus padres sobre diversos temas importantes. Ahora tiene que evitar todo tipo de pescado y al precio que sea. La próxima reacción alérgica podría ser mucho más seria; en realidad se trata de una alergia potencialmente peligrosa para su vida. Necesitaba aprender autotratamientos de urgencia, y era necesario que comprendiese que nunca podría dejar de tomar precauciones. Éstas forman parte de su vida el resto de sus días.

11 de la mañana, Joyce

A Joyce le ha ido bastante bien. La mala salud la había perseguido la mayor parte de los últimos quince años. Padecía frecuentes ataques de migraña; dolores musculares y de las articulaciones; problemas digestivos (indigestiones, malestar abdominal e inflamación, además de diarreas); asma, problemas sinusíticos crónicos y fatiga. Se sentía tan cansada que a veces se quedaba dormida sobre la mesa de la oficina. Optimista, Joyce pensaba que era imposible que fuera alérgica a los alimentos. «No puede ser la comida, doctor, porque no he comido nada diferente.» Ésta es una confusión habitual. Podemos ser alérgicos a algo si hemos tenido contacto de una manera u otra con ello. Lo confirma el que a Joyce le desaparecieran todos los síntomas a los diez días de seguir una dieta adecuada. Se le despejó la cabeza, las articulaciones mejoraron, se le tranquilizaron los intestinos y recuperó el olfato. Ni se acordaba de cuándo se había sentido tan bien como ahora. A medida que fue ampliando la dieta tuvo reacciones adversas a muchos alimentos, entre ellos la cebolla, las setas, el melón, el trigo, los lácteos y el maíz y la malta. Hoy hemos hablado de un tratamiento que con el tiempo sea efectivo para que Joyce pueda comer esos alimentos sin que se reproduzcan los síntomas.

11,30 de la mañana, Mary

También Mary viene a hacerse una revisión. Es una estudiante de veinte años que había padecido constantes inflamaciones de los ojos y los labios. Las inflamaciones la desfiguraban tanto que le daba vergüenza salir de su habitación. También tenía una erupción con escozor por todo el cuerpo y una larga historia de asma. Se había fijado en que el asma empeoraba cuando la erupción se agudizaba, y que sufría un «resfriado constante». También me comentó un hecho muy interesante: todos los síntomas empeoraban cuando se tomaba una aspirina para combatir el dolor de cabeza. Era una pista muy importante. Aunque Mary no era consciente de ello, cerca del 25% de los alimentos que ingería contienen una sustancia muy similar (pero no idéntica) a la aspirina. Es más, esta «tríada» de erupción con escozor, asma y problemas nasales aparece algunas veces asociada con reacciones adversas a la aspirina. Ahora llevaba un mes con una dieta «baja en aspirina». «Fantástico», decía, «no he de soportar ni inflamaciones ni escozores, así que no he tenido que faltar a clase.» «¿Y qué tal llevas los síntomas nasales y los del asma?», le pregunté apremiándola. «Tan mal como siempre», me contestó. ¡Vuelta a empezar! Los alimentos que contienen aspirina tenían relación con algunos de los síntomas, pero no con todos. Las pruebas cutáneas detectaron reacciones adversas al polen de hierbas y a los ácaros del polvo. Al ser la época del año menos propicia para tratar los síntomas provocados por la alergia al polen, nos concentramos en los ácaros del polvo y en las precauciones que Mary podía tomar para reducir al máximo su exposición a éstos.

12 de la mañana, Sandra

Sandra ha venido a la clínica de la alergia porque está convencida de que ciertos alimentos le están haciendo daño. Tiene una larga y compleja historia clínica, caracterizada principalmente por síntomas de depresión. Hace algunos años estuvo ingresada en un hospital psiquiátrico con un tratamiento que le vino muy bien en aquel momento. El diagnóstico de depresión, no obstante, no cuadraba muy bien con ella entonces, ni tampoco ahora. En este momento está cansada. Su memoria y concentración se ven afectadas, no descansa bien cuando duerme y nota que no respira bien. También se queja de frecuentes dolores de cabeza, pérdida del apetito y dolores musculares. Al cabo de un rato, Sandra reconocía de mala gana que su matrimonio andaba mal y que ya hubo problemas algún tiempo atrás. Es más, se había visto inmersa en una crisis recientemente y habían empezado a hablar de separación. No hace mucho se había acercado a ver a un alergólogo. Allí le dijeron que sus problemas eran debidos a una alergia alimentaria. Desde entonces había eliminado toda una serie de alimentos, con la firme creencia de que padecía una alergia en vez de una depresión. Los síntomas no habían mejorado y por ello se había decidido a venir hoy a la clínica. Estaba segura de que otros alimentos, todavía sin identificar, le estaban haciendo daño.

Después de escuchar con mucha atención su triste historia, tenía varias razones para dudar de la «teoría de la alergia» y se lo hice saber a Sandra. Nos encontramos ahora con un conflicto: el paciente atribuye los síntomas a una razón y, en cambio, el médico, a otra. Se trata de un momento crucial para Sandra. Si insiste en su postura de «no estar deprimida», cuando en realidad está deprimida, no recibirá la ayuda que necesita con urgencia y seguirá con su depresión. Por otra parte, si me equivoco tendrá el mismo problema. La única manera de solucionar el asunto es que Sandra ponga en duda su propia postura. Lo puede hacer si permite que realicemos un estudio cuidadoso de su dieta. El primer paso consiste en ingerir durante dos semanas todos los alimentos que se hayan omitido. Si se agudizasen los síntomas, eso significaría que no estaba equivocada. Por lo tanto podría mejorar espectacularmente al prescribirse una dieta de bajo contenido alérgico. Mi experiencia con pacientes con síntomas parecidos me induce a pensar que Sandra volverá en quince días sin cambios notables en sus síntomas. Mi esperanza es que entonces estará dispuesta a analizar los factores psicosociales profundos que la afectan.

12,30 de la tarde, Margaret

La primera vez que vino Margaret, hace siete meses, presentaba una historia de unos dos años de erupciones y escozor. Entonces sólo tenía once años, pero ya se había fijado en que sus picores aumentaban si ingería cualquier cosa que contuviera colorantes o conservantes. Su observación se confirmaba por la desaparición completa del escozor al someterse a una dieta libre de esas sustancias.

Desde entonces se ha aplicado cuatro inyecciones (de insensibilización) para terminar con la alergia. Hace un mes la envié a probarse a sí misma a una conocida empresa de confitería, ¡un paseo entre sustancias químicas! Me alegré al saber que ahora podía comer de todo sin problemas. No es que quisiera animarla a darse un atracón de comida basura, sino que quería que disfrutara de una mayor libertad de elección.

2 de la tarde, Michael

Michael es un agricultor de cuarenta y dos años cuyo medio de vida desde hace unos años son las lechugas. Tiene varios invernaderos que le producen una buena cosecha. Hace poco le ha surgido una erupción en ambas manos, agravada al manipular las plantas durante la recolección. Estaba bastante seguro de que las lechugas no eran la causa de su problema, ya que llevaba varios años manipulándolas y, además, no le ocurría lo mismo con las plantas jóvenes. Sus sospechas recaen en un moho que vive en las lechugas. Después de una mayor investigación parece ser que Michael sufre sibilancias en los invernaderos, en especial cuando se procede a la carga de la cosecha para transportarla a los mercados. Al igual que Joyce, a la que he visitado previamente, Michael no sabía que podía volverse alérgico a algo cuando menos se lo esperaba. La verdad es que cuanto más a menudo estamos en contacto con alguna sustancia, más probabilidades tenemos de convertirnos en alérgicos a ella. Eso explica por qué aparecen alergias a los guantes de látex entre los cirujanos y enfermeras, por qué los panaderos tienen alergia a la harina, los pintores a la pintura, etc. Además, Michael sabía que las hojas de las lechugas maduras contienen una sustancia que no aparece en las plantas más jóvenes, y era precisamente esa sustancia la que le estaba produciendo la alergia.

Las pruebas cutáneas confirmaron una reacción a la hoja adulta, lo que descartaba una alergia al moho. Ahora tendrá que reconsiderar su futuro. Si continúa con el mismo trabajo, las sibilancias se convertirán en un asma en toda regla. Y si todavía persiste, podría seguir padeciendo asma incluso aunque después cambiara las lechugas por un cultivo diferente.

2,30 de la tarde, Anne

Anne tiene treinta y cinco años, dos hijos, y trabaja en una empresa textil. Presentaba una serie de síntomas desconcertantes. El primero y más importante es una depresión, que no oculta. Es más, tiene una idea bastante clara de qué la ocasiona. No hay duda, sin embargo, de que también padece alguna alergia. El año pasado, por ejemplo, sufrió una erupción poco después de visitar la peluquería. Le afectó primero el cuero cabelludo y la nuca, y luego se le extendió a la parte superior del pecho y a la espalda. Desde luego era bastante desagradable, aunque lo comprendía y veía que disminuía al cabo de poco tiempo. Lo que la extrañaba era que ahora, a pesar de haber evitado los tintes para el pelo, le volvía a aparecer una erupción parecida. Su médico había intentado ayudarla solicitando un análisis de sangre para alergias, que había permitido extraer ciertas conclusiones muy interesantes. Era, según el análisis, alérgica al trigo, los huevos, la leche, la soja y los cacahuetes. Así que Anne procuró evitar dichos alimentos cuanto pudo, aunque de vez en cuando ingería pequeñas cantidades. ¿Serían esas mínimas cantidades las que le estaban causando el problema?

Las pruebas cutáneas confirmaron la alergia a los tintes del pelo. Y también alergia al níquel. Y cabe señalar que los tintes también están presentes en las pieles, y el níquel en los cierres y cremalleras. Anne suele estar en contacto con estas sustancias en el trabajo. La mayoría de los síntomas desaparecieron mediante una dieta cuidadosa. La posterior reintroducción (perfectamente supervisada) de alimentos en la dieta se llevó a cabo sin incidentes. En otras palabras, aunque los análisis de sangre dieron como resultado varias alergias alimentarias, no eran la causa última de sus síntomas. Las consideramos alergias aletargadas o latentes, que pueden seguir igual toda la vida. Este ejemplo me hace recordar las palabras de un anciano colega muy estimado: «Los análisis de alergia no tendrían que servir para indicarnos lo que no sabemos, sino para confirmar nuestras sospechas clínicas». Lo que se descubría con Anne es que la acumulación de productos químicos artificiales en los alimentos, junto con otros elementos a que los que me he referido antes, era la combinación que le producía sus problemas de piel. Se encontró de un humor considerablemente mejor desde que se pudo clarificar su problema.

3 de la tarde, la señora Talbot

La señora Talbot es una mujer de sesenta y cinco años que tiene artritis en las caderas. El dolor ha llegado a ser tan agudo que ha decidido someterse a un trasplante de cadera. Debido a eso, le comentó al cirujano ortopédico que tenía alergia a las joyas y que había tenido una erupción a ambos lados de la cara. Esa clase de erupción suele ser una alergia a la montura de las gafas. Son los síntomas típicos de una alergia al níquel. El cirujano solicitó una evaluación completa de las alergias de la señora Talbot antes de proceder a la operación. Naturalmente, sabía que la mayor parte de las prótesis de cadera contienen níquel, y por lo tanto la nueva cadera metálica no le valía si padecía esa alergia. Las pruebas cutáneas habían comenzado cuarenta y ocho horas antes y ya era momento de conocer los resultados. Como se esperaba, la señora Talbot presentaba una reacción adversa muy notable al níquel. E igualmente fuerte al cobalto, otro metal. Estos metales frecuentemente aparecen juntos en las pruebas: si alguien es alérgico a uno, posiblemente lo sea también al otro. Lo que no nos esperábamos era una fuerte reacción al caucho y a ciertos desinfectantes. Por lo tanto, estábamos en condiciones de comunicarle al cirujano que sus sospechas estaban en lo cierto y que, como consecuencia de ello, debería utilizar una cadera que no contuviera ni níquel ni cobalto. Además se pudo prevenir una desagradable reacción alérgica durante la propia operación, evitando los guantes de goma y los desinfectantes que hemos mencionado.

3,30 de la tarde, David

¡David está mejor! La primera vez que lo visité, hace cuatro semanas, se encontraba en un estado lastimoso. Se trata de un ejecutivo de cuarenta y un años que presentaba una historia de «escozores embarazosos» durante los últimos veinticinco años. Refería pruritos dolorosos e irritantes en el trasero y el recto. Durante todos esos años había probado toda clase de cremas y pociones imaginables, pero sin éxito. Cualquier autocontrol que estableciera durante la vigilia desaparecía durante el sueño. Con frecuencia se despertaba por la noche rascándose por el escozor, pero cuanto más lo hacía, peor se ponía. Las incesantes interrupciones de sus períodos de sueño lo habían llevado a la extenuación, lo que podía ser la razón que se escondía tras sus achaques musculares y la sensación de malestar general. David confirmaba que se encontraba maravillosamente, de hecho no podía creérselo. Desde la primera visita hasta hoy lo único que había tenido que hacer era cambiar de hábitos higiénicos. No era una cuestión de que mejorara su limpieza, ya que era perfectamente cuidadoso: ¡queríamos que dejara de utilizar el papel higiénico! «No se lo dije la otra vez, doctor, porque pensé que era una tontería, pero siempre que el escozor aumentaba, ¡estornudaba sin parar! Ahora ha desaparecido completamente el escozor y ya no tengo la nariz tapada.» Como consecuencia de ello podía dormir bien por primera vez en mucho tiempo, y ya no sufría cansancio ni dolor muscular.

David es alérgico al formaldehído, una fuente bien conocida de síntomas alérgicos. El papel higiénico, así como los demás papeles de cocina, pañuelos, etc., se impregnan de esa sustancia durante su fabricación. Cada vez que su piel entraba en contacto con algún papel que contuviera formaldehído, esto provocaba el prurito alérgico. Sólo con que lo sostuviera en las manos ya era suficiente para que recomenzara su alergia nasal. ¡Parémonos a pensarlo! Cada vez que lo necesitamos tomamos un pañuelo. Entonces se produce una reacción alérgica al papel y esto crea más mucosidad, aunque parezca la original, así que sacamos otro pañuelo. Antes de darnos cuenta, ya padecemos una alergia nasal permanente causada por los propios pañuelos que utilizamos para sonarnos.

4 de la tarde, Paula

Con Paula estamos casi terminando su investigación dietética sobre su alergia alimentaria. Ha padecido artritis reumatoide durante los últimos treinta años. Desde los quince años ha estado sumida en una montaña rusa de rigideces, dolores e inflamaciones. Durante el último año, además, los síntomas se han vuelto más persistentes. También estaba afectada por retención de líquidos (inflamación en los tobillos y el abdomen), problemas sinusíticos y fatiga. Antes de iniciar esta dieta, al levantarse por la mañana sufría rigidez de las articulaciones que le duraban una media hora. Luego se encontraba mejor, pero si se sentaba un momento se le volvían a agarrotar las articulaciones. Después de dos semanas de dieta nos comunicó que ya no padecía la rigidez matutina, tenía menos dolores y había dejado de tomar las pastillas para la artritis cinco días antes, lo que para ella era algo inimaginable. Su diario de síntomas mostraba claras reacciones al pollo, la col, la soja, la levadura y el trigo, y reacciones menores a los plátanos y la ternera. Aparte de esto se encontraba perfectamente. Si lo deseaba, podía ir ampliando la dieta, descubriendo un mayor número de alimentos seguros y eliminando los peligrosos. Sin embargo, Paula quiere probar un tratamiento de desensibilización, porque lleva una vida demasiado ocupada para estar controlando la dieta continuamente.

4,30 de la tarde, Marie

Marie sospecha que padece una candidiasis y que es alérgica a la levadura. Le han molestado diversos síntomas a lo largo de varios años, como un abultamiento del abdomen, estreñimiento, fatiga y dolores de cabeza. Le costaba levantarse de la cama y sus cambios de humor se habían vuelto muy pronunciados, lo que causaba mucha insatisfacción personal y familiar. Marie también me comunicó que había sufrido una tragedia familiar poco antes de empezar a sentirse enferma. Además, había leído un libro sobre candidiasis en el que descubrió muchos de sus síntomas, o al menos eso creía, y se había puesto a dieta desde ese momento. Se había gastado una pequeña fortuna en médicos y en intrusistas. Los síntomas de Marie remitían sólo parcialmente con la dieta, pero eso no había bastado para debilitar su determinación de cumplirla. Me alarmó su peso, menos de 42 kilos... ¡cuando tendría que pesar unos 57! También quedó claro que sus períodos menstruales eran escasos y que su dieta era muy deficiente en calcio. Tres semanas antes le había extraído una muestra de sangre para analizar si sufría de infección por levaduras. Entonces le rogué que volviera a su casa y empezara a comer todo cuanto cayera en sus manos, incluyendo los alimentos que tan tenazmente había evitado. Yo temía que padeciera una afección alimentaria, como la anorexia nerviosa, y que utilizara la candidiasis para disimularla. O que estaba tratando por todos los medios de esconder que había perdido el apetito después de sufrir aquella tragedia familiar, una tragedia de la que todavía no se había recobrado.

Los resultados del análisis de sangre se encontraban ahora en mi poder. Confirmaban la presencia de una leve fermentación de levaduras, pero no tan importante, en ningún caso, para justificar sus síntomas. Entretanto, Marie había disfrutado comiendo toda clase de cosas durante estas pocas semanas, lo que había permitido que aumentara de peso un poco. Un tratamiento corto para las levaduras, sin restricciones dietéticas, le restaurará muy pronto el equilibrio intestinal. Le voy a pedir que vuelva el mes que viene para controlar su evolución. Y entonces, presente los síntomas que presente, no podrán atribuirse a la candidiasis, y seguro que responderá a formas de tratamiento más adecuadas.

5 de la tarde

¡Final de lo que podría llamarse un día intenso! Pero como se puede comprobar, es imposible representar la gama completa de la sintomatología alérgica en el contexto de un único día en la clínica. Por ello, podría llenar este libro con multitud de casos clínicos tan interesantes como los anteriores, y aun así tener más cosas que contar. Sin embargo, tenemos que dejarlo ahora y utilizar nuestro tiempo para analizar el sistema inmunológico. Al hacerlo, se empezarán a comprender los mecanismos a través de los que se producen los síntomas alérgicos. Antes de abandonar el tema de los síntomas, veamos la ilustración de la página siguiente, que resume las posibles manifestaciones de enfermedades alérgicas.

Posibles síntomas de alergia

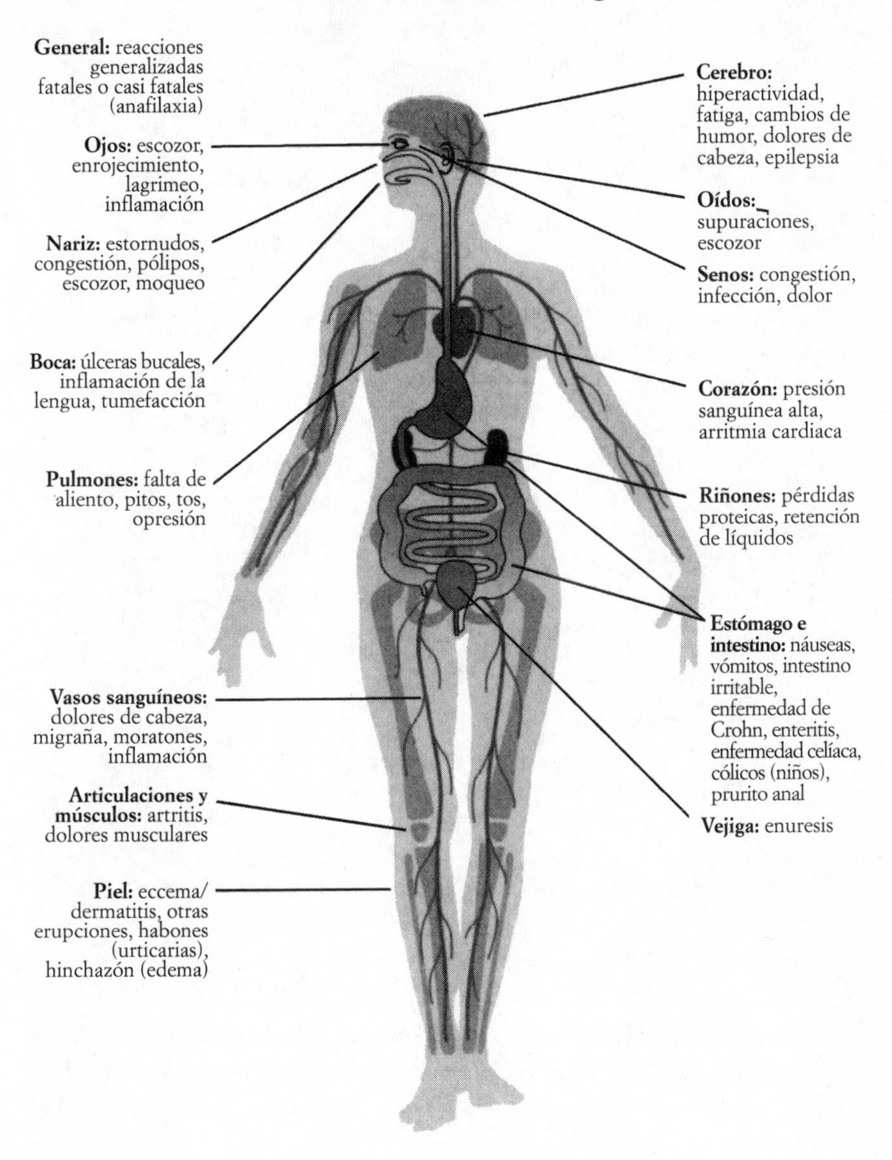

Capítulo 2

La variedad de reacciones alérgicas

No tengo el propósito de escribir un ensayo exhaustivo o complicado sobre los pormenores del sistema inmunológico y estoy seguro de que usted tampoco tiene la intención de leerlo. Pero me gustaría ofrecer una brevísima introducción de la materia. Nos ayudará a comprender el contexto y los mecanismos de la alergia.

El papel del sistema inmunológico en la salud

Protección contra las infecciones

El sistema inmunológico cumple varias funciones muy importantes. En primer lugar, el sistema inmunológico es destacable por cuanto tiene la habilidad de defendernos de los numerosos ataques que recibimos en nuestro entorno. Tiene la habilidad de reconocer lo que pertenece a su «propio» cuerpo y de distinguirlo claramente de todo lo demás que encuentra (lo «no propio»). El sistema está en alerta constante, siempre pendiente ante la posibilidad de una invasión. De este modo, cuando un elemento microscópico, como un virus, intenta infectar nuestro cuerpo, el sistema inmunológico rápidamente lo identifica como «cuerpo extraño» y suena la alarma. La batalla que sigue da lugar a los síntomas de inflamación. La amigdalitis, por ejemplo, es una inflamación (reacción inmune o batalla) de las amígdalas que se produce al enfrentarse a la infección. Una vez que la batalla termina, el sistema guarda en su memoria una línea específica de defensa, para que la próxima vez que haya un intento de invasión del mismo organismo, éste pueda ser dominado más rápida y eficientemente. Éste es el principio en el que se basa la inmunidad a las infecciones y la inmunización (vacunación).

Protección contra el cáncer

En segundo lugar, hay veces en que la invasión surge del propio cuerpo, en la forma de un cáncer. Las células cancerosas surgen de células previamente sanas que se dividen y replican. Si esa réplica funciona mal, la célula inicia una vida propia independiente e ignora las reglas normales de crecimiento y de juego limpio. Estas células solitarias plantean una amenaza, ya que si no son controladas rápidamente, darán paso a un tumor maligno. Afortunadamente, el sistema inmunológico dispone de una especie de «policía militar» que reconoce estas células perniciosas, las clasifica como «no propias» y las convierte en objetivos que hay que destruir antes de que causen una enfermedad.

¿CÓMO FUNCIONA EL SISTEMA INMUNOLÓGICO?

El primer paso de la defensa inmunológica es la **identificación.** Las células especiales que **revelan** la diferencia entre lo propio y lo no propio se llaman linfocitos. Se encuentran principalmente en las glándulas linfáticas y en el riego sanguíneo, donde se localizan unos dieciséis mil millones que circulan sin parar. Todos y cada uno de ellos con los ojos bien abiertos, por así decirlo, para dar la alarma en cuanto localizan material extraño sospechoso o células cancerígenas enfermas. La segunda gran habilidad de la defensa inmunológica es la capacidad de **responder** eficientemente una vez que se ha dado la alarma. La **respuesta** inmunológica afecta a diferentes tipos de células, cada una con su propia función, junto con la ayuda de proteínas especializadas. Algunas de estas proteínas se disponen en cascada, parecidas a una hilera de fichas de dominó: cuando suena la sirena y cae la primera ficha, cae toda la serie. Cada proteína activa la siguiente hasta que la última vence al invasor con un ataque letal. La desaparición completa del enemigo se consigue por medio de un proceso similar a uno de recogida de basura: las células inmunes engullen literalmente y consumen el material extraño aniquilado.

Los **anticuerpos** también desempeñan un papel vital en nuestra protección, tanto en lo que se refiere a la capacidad de identificar materia extraña como por su disposición para sumarse al asalto. Se trata de proteínas altamente especializadas conocidas también como **inmunoglobulinas**, que están divididas en cinco categorías principales: A, D, E, G y M. Nosotros nos interesaremos principalmente por la inmunoglobulina E (IgE), un anticuerpo altamente reactivo, responsable de muchos de los síntomas alérgicos.

¿QUÉ PUEDE FUNCIONAR MAL EN EL SISTEMA INMUNOLÓGICO?

El sistema inmunológico es propenso a tener fallos en varios aspectos. Puede fallar al...

- llevar a cabo una batalla efectiva contra la infección.
- mantener oculto un cambio maligno que puede ocasionar un cáncer.
- equivocarse al discernir entre propio y no propio, causando enfermedades de autoinmunidad.
- reaccionar con exceso a sustancias inofensivas, causando ciertas alergias.

Infección

Algunos microorganismos son capaces de escapar a la atención efectiva de nuestro sistema inmunológico, incluso en un estado de buena salud. Es lo que causa las enfermedades. Los ejemplos incluyen el bacilo que causa la tuberculosis y el parásito que provoca la malaria, pero hay muchos otros demasiado numerosos para citarlos en este momento. Sin embargo, si no tuviéramos un sistema inmunológico, sucumbiríamos a infecciones recurrentes y muchas veces fulminantes de microorganismos con los que podemos entrar fácilmente en contacto. De esta forma, si no somos capaces de producir los suficientes anticuerpos, proteínas inmunológicas o linfocitos, acabaremos en un estado de déficit inmunológico. Se trata de uno de los principales problemas a los que deben hacer frente los portadores del sida (síndrome de inmunodeficiencia adquirida): no pueden autodefenderse contra los ataques externos porque tienen los linfocitos afectados o aniquilados por el virus de la inmunodeficiencia humana (VIH).

Cáncer

Los sucesos potencialmente perniciosos mencionados ocurren regularmente en nuestro cuerpo, y nuestro sistema es por lo general lo suficientemente bueno como para detenerlos. Por consiguinete, el cáncer, cuando aparece, surge a consecuencia de un fallo del mecanismo de vigilancia del sistema.

Enfermedades autoinmunes

Algunas veces el sistema inmunológico se equivoca al discernir entre lo propio y no propio. Así, puede llegar a iniciar un ataque contra las propias células sanas del cuerpo. La respuesta inflamatoria (inmunológica) que sigue es autodestructiva: el cuerpo destruye una parte propia que está sana. Siguiendo con la analogía de la guerra, se trata de la tragedia del llamado «fuego amigo». Las enfermedades que resultan de ello se denominan «enfermedades autoinmunes». Entre otras están algunas formas de artritis y dolencias renales.

Alergia

Finalmente, el sistema inmunológico puede reaccionar en exceso contra una sustancia inofensiva, en la creencia errónea de que supone un peligro para la salud. Esto es lo que ocurre en los casos de alergia. Para decirlo de otro modo, una alergia es un exceso de medios con los que el sistema inmunológico ataca con demasiado rigor alguna sustancia inocente que procede del entorno. La sustancia no causa molestias o dolor, y tampoco invade el cuerpo como un organismo infeccioso. Es, por su propia naturaleza, completamente inofensiva. En cambio, la reacción alérgica, por su violencia, causa un sinnúmero de problemas y lamentablemente puede incluso llegar a provocar la muerte.

Cualquier sustancia capaz de provocar una reacción alérgica se denomina **alergeno**. Así, hablamos del alergeno del ácaro del polvo, los alergenos del polen y del moho, de los cacahuetes, etc. En la práctica clínica, la mayoría de pacientes alérgicos reaccionan a varios alergenos, algunos reaccionan sólo a uno o dos, y unos pocos desafortunados reaccionan a muchos de ellos.

MÁS SOBRE LA ALERGIA

La palabra «alergia» fue acuñada en 1906 por un pediatra vienés, Clemens von Pirquet. La utilizaba para describir las violentas reacciones de algunos de sus jóvenes pacientes ante las vacunas. Estos pacientes, decía, tenían una respuesta anómala al suero utilizado corrientemente en las vacunas de aquellos tiempos. Estaban en un estado que denominó «reactividad alterada» (del griego *állos érgon),* es decir, presentaban una alergia. Aunque los profesionales de la medicina pronto identificaron esos estados de reactividad alterada entre sus pacientes, se mostraban bastante perplejos ante los síntomas. Así, hasta la década de los años veinte no se empezó a denominar a las enfermedades alérgicas como «atopia», que traducido literalmente significa «enfermedad extraña». Atopia se utiliza aún en la práctica clínica actual para referirse a las personas alérgicas y sus familias; y algunas veces para describir enfermedades específicas, tales como las dermatitis atópicas (eccema).

El descubrimiento de la IgE

Nuestra comprensión de todas estas alergias avanzó considerablemente por el descubrimiento en 1967 del anticuerpo altamente reactivo al que antes nos hemos referido, es decir, la IgE. En la salud, la IgE nos protege de la invasión de parásitos intestinales. Tiene la habilidad de identificarlos e iniciar una apropiada respuesta inmunológica contra ellos. Desafortunadamente, en las personas más sensibles, también identifica material inofensivo del exterior, como polen, caspa animal, ciertos alimentos, etc. En otras palabras, estos pacientes son hipersensibles: su IgE presta demasiada atención a lo que debería pasar por alto. La respuesta inmunológica que resulta de ello es inapropiada, lo que da lugar a los síntomas de alergia. Es más, los pacientes alérgicos producen por regla general una cantidad excesiva de IgE, lo que agrava el problema.

El descubrimiento de la IgE también creó la estimulante perspectiva de poder encontrar un método de análisis sencillo para las alergias. Los médicos podrían medir el nivel total de IgE en la sangre del paciente (para ver si era elevado) y entonces determinar ante qué alergenos reaccionaba la IgE y cuáles identificaba. Aún más, los investigadores empezaron a desentrañar los misterios de cómo actuaba la IgE ante el alergeno, de tal manera que hoy en día comprendemos una gran parte del mecanismo. Sin embargo, nuestro entusiasmo decayó al comprobarse que algunos individuos desarrollaban síntomas alérgicos sin presentar cambios sensibles en su nivel de IgE. También se daba el caso inverso: algunas personas poseían un nivel de IgE que reconocía elementos a los que todavía no eran alérgicas, pero ante los que podrían reaccionar al cabo del tiempo. Así que, aunque está claro que la IgE es el factor más importante de las enfermedades alérgicas, es igualmente cierto que todavía queda mucho por averiguar.

Diferentes tipos de alergia

Parte de la comprensión de los fenómenos de estas alergias no debidas a la IgE se consiguió con la observación de que otros anticuerpos también podían reaccionar de forma negativa ante alergenos inofensivos, si bien es cierto que de manera muy diferente. Por cuestiones de conveniencia, clasificamos las diferentes reacciones de hipersensibilidad en cuatro tipos diferentes. Somos conscientes de que tales distinciones son absolutamente artificiales, especialmente cuando salimos del laboratorio y nos colocamos frente a un paciente. Sin embargo, nos ayudan a apreciar la variedad de mecanismos alérgicos que se producen en el sistema inmunológico. Los cuatro tipos de hipersensibilidad se relacionan brevemente a continuación:

Hipersensibilidad de tipo 1: aparece inmediatamente o casi de inmediato después del contacto con el alergeno. Son generalmente producidas por la IgE. Las alergias del tipo 1 van asociadas a alergias de pecho (asma), piel (dermatitis y urticaria), nasales (fiebre del heno y problemas sinusíticos) y oculares (conjuntivitis). También son responsables de la mayor parte de las reacciones fatales o casi fatales (anafilaxia).

Hipersensibilidad de tipo 2: producida por anticuerpos IgG e IgM. Se adhieren a las paredes de la célula y la destruyen. En un buen estado de salud, esta reacción nos protege de parásitos invasores. Los anticuerpos rodean al parásito (que después de todo, no es más que una célula) y lo preparan para que pueda ser destruido por otros componentes del sistema inmunológico. Pero cuando los anticuerpos se adhieren a las células después de una transfusión de sangre o tras un trasplante de riñón, provocan un desastre, causando reacciones a la transfusión o el rechazo del trasplante. Por último, si se adhieren a nuestros propios tejidos, producen enfermedades de autoinmunidad, como la nefritis (inflamación de los riñones).

Hipersensibilidad de tipo 3: también producida por anticuerpos IgG e IgM. En este caso, sin embargo, no se adhieren a las paredes de las células, sino a los alergenos que vagan libremente por nuestro riego sanguíneo. Cuando el alergeno queda así ligado al anticuerpo, forma un «complejo inmune», un grupo microscópico de basura inmunológica. Por regla general son eliminados por el sistema de «recogida de basura» de las células del sistema inmunológico; pero si son demasiado numerosos o bien si el sistema inmunológico no puede controlarlos, por la razón que sea, se amontonan en otros tejidos, causando importantes lesiones. Es lo que ocurre en el caso de la artritis reumatoide y en las alergias relacionadas con los mohos, las verduras, la pintura y la madera.

Hipersensibilidad de tipo 4: con reacciones únicas. Son *reacciones retardadas* en las que las células del sistema inmunológico (no los anticuerpos) reaccionan en contra de un alergeno en *horas extras*. Éste es el mecanismo básico de las alergias por contacto de la piel.

Por cuestiones de tipo práctico he dividido el libro en varias partes. Aquí termina la primera de ellas. En la segunda abordaremos los problemas alérgicos más comunes y en la tercera las alergias fatales o casi fatales. Ambas partes están relacionadas principalmente con las reacciones de hipersensibilidad descritas anteriormente. Luego, en la cuarta y quinta parte, seguiremos con otros tipos de alergias (estados de reactividad alterada) que, hoy por hoy, no han sido aún valorados ni comprendidos completamente. También examinaremos el polémico tema de la candidiasis, la sensibilidad a los productos químicos, y prestaremos una atención obligada a la importancia de las interacciones mente-cuerpo-mente. Por último, en la sexta parte, nos fijaremos en los análisis alérgicos que son fiables y en los tratamientos eficaces de las alergias.

Segunda parte

PROBLEMAS ALÉRGICOS MÁS CORRIENTES

Capítulo 3.1

La alergia y la piel: eccema

La piel sana

Aunque quizá no sea muy evidente de inmediato, la piel es un órgano muy importante. Es más, es el mayor órgano corporal y cumple varias funciones vitales.

La piel...

- es una barrera de protección contra las sustancias nocivas del entorno.
- es impermeable al agua y nos protege contra la pérdida de nuestros propios líquidos.
- desempeña un papel muy importante en la regulación de la temperatura corporal.
- ayuda a eliminar las toxinas del cuerpo y materiales de desecho a través del sudor.
- nos permite percibir la diferencia entre el frío y el calor, lo áspero y lo liso, entre el dolor y el placer, etc.
- finalmente, y quizá sorprenda, la piel es parte integral del sistema inmunológico. Contiene muchas células que pertenecen al sistema inmunológico y que nos iremos encontrando a medida que vayamos viendo cómo afectan las alergias a la piel.

HISTORIA CLÍNICA

Dermot, de diez años, se presentó en la clínica de la alergia porque sufría una fuerte erupción con escozor. Se le había detectado por vez primera cuando tenía menos de cuatro meses de edad. En aquel momento sólo le afectaba a la cara, y el tratamiento que le recetó el médico a base de cremas tuvo éxito. A medida que crecía le fue reapareciendo la erupción y se fue extendiendo a otras partes del cuerpo: cuello, brazos, piernas y tobillos. El resto de la piel, aunque no se veía afectada directamente por la erupción, tenía un aspecto seco y escamoso.

Durante los últimos meses había empeorado bastante la erupción, y por rascarse intensamente le habían aparecido ciertas zonas de piel escoriada y con supuración que le dolían. También se encontraba mal porque la erupción le había alterado el sueño las últimas semanas, y porque sus compañeros de la escuela se burlaban de su aspecto. Dermot padece **eccema.**

¿QUÉ SIGNIFICA ECCEMA?

Eccema es un término bastante vago que se aplica a una amplia gama de situaciones de inflamación crónica de la piel. Deriva de una palabra griega que significa «desbordar» o «lodo». Hay numerosos tipos diferentes de eccema, pero el más corriente, con diferencia, es el eccema atópico, también conocido como dermatitis atópica. En la práctica, nos referimos simplemente al eccema. La característica principal de éste es la piel seca e inflamada. El desarrollo de los acontecimientos es fácil de entender: la piel seca e inflamada produce escozor; éste induce a rascarse; la piel, al rascarse, se abre, supura, y además pueda infectarse. Cuando la piel abierta se va curando, pasa por una fase de escozor, lo que provoca de nuevo la necesidad de rascarse. Rascarse y frotarse de forma crónica lleva en definitiva al engrosamiento de la piel. La piel más gruesa adquiere un brillo rojo o plateado que llamamos liquenificación. También pueden darse otros cambios de color en función de la acumulación o pérdida de pigmentos. Esto da lugar a la aparición de manchas de piel oscura en medio de la piel más clara (hiperpigmentación) o de manchas claras en la piel oscura (hipopigmentación).

¿Quién lo sufre?

El eccema es una enfermedad cada vez más habitual en la temprana infancia y la niñez. Se ha extendido tanto desde la Segunda Guerra Mundial que podemos asegurar que casi el 20% de todos los niños van a verse afectados por ella en algún momento. De éstos, el 60% la desarrollarán durante el primer año de vida. La mayoría la sufrirán antes de haber cumplido los cinco años.

¿Desaparece por sí solo?

Se dice a menudo que el eccema desaparece por sí solo. Es cierto, pero hay que explicarlo. Dos tercios de los niños de menos de un año con eccema estarán libres de síntomas cuando lleguen a los cinco años; y la mitad de los niños que desarrollan el eccema después del primer año de vida ya no presentarán síntomas de este tipo en la pubertad. En los estudios más optimistas, cerca del 90% se verán libres de todo síntoma en su vida adulta. Sin embargo, casi todos los pacientes seguirán con la piel seca durante su vida adulta. Esto los predispone a sufrir ataques ocasionales de eccema. También pueden tener cierta predisposición a la dermatitis irritativa (véase el capítulo 3.II). Algunos individuos seguirán con eccema durante toda la vida.

¿Cuál es su causa?

No conocemos cuál es la causa del eccema, pero sí sabemos que hay factores genéticos implicados en el proceso. Por ejemplo: si un gemelo idéntico padece eccema, el otro gemelo tiene un 86% de probabilidades de desarrollarlo a su vez. En otras palabras, la tendencia a sufrir eccema se transmite genéticamente. También sabemos que el eccema se complica por causas alérgicas y no alérgicas. Sin embargo, no es correcto asumir que la alergia esté presente en todos los casos de eccema. Así que nos encontramos con un doble origen. Hay que identificar a las personas con eccema causado por una alergia y distinguirlas de los casos en que la alergia no tiene una importancia fundamental. Los primeros, por tanto, sabrán que son alérgicos y podrán en consecuencia tratar o evitar su alergia. Los otros sabrán que no son alérgicos, por lo que no se agrava su situación en función de lo que comen o tocan. En las alergias hay tres causas fundamentales que vale la pena tomar en consideración:

1. Alergia a los alimentos que consumimos.
2. Alergia a las partículas del aire que respiramos (ácaros del polvo doméstico y polen).
3. Alergia a las cosas que tocamos (alergia por contacto).

1. Alergia a los alimentos y eccema

No hay duda de que la alergia a los alimentos desempeña un papel importante en muchos casos de eccema. Algunos investigadores sugieren que al menos un 70 % de los niños que sufren eccema mejoran con dietas apropiadas. Otros sugieren que la realidad se sitúa en torno al 30 %. En cualquier caso, está claro que la posibilidad de alergia alimentaria debe considerarse, especialmente si el paciente no responde a otras formas de tratamiento. El diagnóstico de una alergia alimentaria en caso de eccema puede ser propiciado por análisis de sangre y pruebas cutáneas. Sin embargo, la mejor prueba de todas la constituye la dieta de bajo contenido alérgico. Explicada brevemente, la dieta de bajo contenido alérgico consiste en la introducción de entre diez y doce alimentos que el paciente raramente ha ingerido hasta el momento presente. El paciente consume cuanto desee de esos alimentos durante un período de diez días. Los enfermos con alergia alimentaria notarán una espectacular reducción de los escozores mientras mantengan la dieta y una reaparición no menos espectacular de los síntomas cuando se reintroducen en la dieta los alimentos más propensos a provocar síntomas alérgicos (véase en el capítulo 17 una completa descripción de la dieta de bajo contenido alérgico).

2. Ácaros del polvo doméstico, polen y eccema

Los ácaros del polvo doméstico no causan eccema, pero está claro que pueden empeorarlo. Esto es cierto solamente si el paciente con eccema es alérgico a los ácaros. Así es como funciona: el lector recordará que la piel con eccema está seca e inflamada; que la piel seca escuece; que la piel cuando escuece induce a rascarse y que entonces se agrieta. Una vez que la superficie de la piel se quiebra de esta manera, el alergeno del ácaro del polvo entra en contacto directo con el sistema inmunológico, que a su vez provoca una reacción alérgica. El papel de la alergia al ácaro del polvo en el eccema es, por tanto, secundario. Lo primero que sucede es el agrietamiento de la piel, la barrera defensiva natural del cuerpo. Después, en el caso de los alérgicos al ácaro del polvo doméstico, sobreviene la reacción alérgica provocada en la piel ya inflamada.

Una situación idéntica tiene lugar cuando el polen de las plantas o de otro tipo entra en contacto con la piel agrietada y el eccema de personas alérgicas al polen. Este fenómeno alérgico secundario complica enormemente el proceso de cicatrización. De ahí se deduce, por tanto, la necesidad de que los que son alérgicos a estos alergenos adopten medidas para reducir su exposición a estos agentes. Se verán recompensados por una significativa reducción de sus síntomas. Resulta igualmente obvio que las medidas adoptadas para evitar ciertos alergenos son una pérdida de tiempo y esfuerzo si no se es alérgico a ellos. En el apéndice se reflejan todas las medidas posibles para reducir la exposición a los ácaros del polvo doméstico.

¿Qué tengo que hacer para saber si soy o no alérgico a los ácaros del polvo doméstico o al polen?

El diagnóstico de la alergia al polen o a los ácaros es muy sencillo. Se coloca una gotita del alergeno en el antebrazo y se hace una pequeña punción en la piel a través de la gota. Se detectará un intenso escozor en el punto de punción en menos de quince minutos en los pacientes alérgicos. Cuanto mayor sea el escozor, más sensible es el paciente y mayor la importancia de la alergia. No notarán escozor los pacientes que no sean alérgicos al alergeno. El diagnóstico puede confirmarse por medio de un análisis de sangre llamado RAST, aunque las pruebas cutáneas son más rápidas, de mayor amplitud y probablemente más fiables (véase el capítulo 17).

3. Alergias de contacto y eccemas

Algunas personas desarrollan una erupción alérgica simplemente tocando (o «contactando») con las cosas a las que son alérgicas. Hay dos formas de alergia por contacto: la que se desarrolla en pocos segundos o minutos después del contacto y la que se desarrolla lentamente durante varios días o semanas. Estas dos formas de alergia se distinguen con facilidad entre sí por su apariencia. La primera consiste en padecer una serie de escozores, y nos referimos a ella como urticaria de contacto (véase el capítulo 3.III). La última, conocida como dermatitis alérgica por contacto, adopta un aspecto idéntico a la erupción del eccema. Ésta es la razón que hace que resulte tan importante para los pacientes con eccema. ¿Cómo pueden estar seguros de que su eccema no es en realidad una dermatitis alérgica por contacto? No se puede asegurar simplemente examinando la erupción, y a veces ni siquiera lo puede dictaminar el médico. Además, la erupción de la dermatitis por contacto puede extenderse a una zona alejada del punto de contacto. De este modo, la alergia al níquel (que afecta de un 5 a un 10 % de las mujeres) puede partir desde la piel que queda debajo de la cadena de un reloj que contenga níquel hasta extenderse a todo el brazo. Es fácil imaginar lo que le ocurre a un paciente así, que sufre una amplia y, aparentemente, aleatoria aparición de erupciones por el cuerpo provocadas por el contacto con objetos que contienen níquel, tales como cremalleras, hebillas, botones, pendientes, llaves, monedas, etc. Muy raramente el eccema se produce por una oscura alergia por contacto, como podría ser el caso de la alergia al mercurio de los empastes dentales. El diagnóstico de las dermatitis por contacto tiene que confirmarse o descartarse por medio de pruebas efectuadas con parches. Esto es, se aplica un cierto número de alergenos susceptibles en la piel de la espalda durante un período de cuarenta y ocho horas. Las reacciones alérgicas que eventualmente se produzcan son observadas por el médico. (Véanse más detalles sobre esta prueba en el capítulo 17.)

Provocan eccema los siguientes desencadenantes no alérgicos:

1. Falsa alergia alimentaria
2. Contacto con sustancias irritantes (véase el capítulo 3.II)

Eccemas y falsa alergia alimentaria

Algunos alimentos contienen potentes sustancias químicas que ejercen una acción en el cuerpo parecida a la de un medicamento. En relación con el eccema hay que considerar la histamina que se produce naturalmente. Los alimentos que la contienen o que estimulan que el cuerpo libere la histamina conservada en sus propios depósitos internos pueden provocar un recrudecimiento del eccema. Para comprenderlo con claridad, pensemos por un instante en los antihistamínicos, el medicamento que utilizamos para tratar las alergias. Los antihistamínicos trabajan bloqueando la emisión de histamina en el cuerpo. Cuando lo consiguen, se reduce el escozor y otros síntomas. Pues bien, nos encontramos ahora con un grupo de alimentos que producen el efecto contrario: los picores. Esto ocurre no por alergia a esos alimentos, sino porque éstos son portadores de un potente productor de escozor, la histamina. Estas reacciones farmacológicas surgen por lo general en función de la dosis. Es decir, una pequeña cantidad del alimento en cuestión no causará reacción alguna o bien ésta será prácticamente inapreciable. A mayores dosis, mayores reacciones. La mayoría de los pacientes con eccema toleran, por lo tanto, cantidades pequeñas de alimentos que contienen histamina. Sin embargo, vamos a imaginarnos la siguiente comida, rica en histamina. Comienza por un cóctel de gambas con mayonesa, luego carne de cerdo con guarnición de tomates, y para acabar fresas frescas con merengue. Todo ello regado con unos cuantos vasos de vino. Finalmente, no hay quien se resista a uno o dos trozos de buen chocolate. Debido a este efecto acumulativo, el consumo coincidente de alimentos ricos en histamina produce un empeoramiento del eccema. De igual manera, una «sobredosis» de cualquiera de estos alimentos causará el mismo problema. Esto explica por qué mucha gente experimenta pruritos por Pascua: ¡sobredosis de chocolate! Véanse detalles completos sobre los alimentos con histamina y sus síntomas en el capítulo 10.

¿HAY COMPLICACIONES?

Aparte de la molestia que provocan el escozor constante, las infecciones ocasionales, el insomnio y los problemas sociales, hay dos complicaciones serias del eccema que hay que constatar. Ambas se refieren al eccema generalizado y fuera de control. La primera (y más oculta) complicación esun problema de desarrollo durante la infancia. Se trata de niños que sufren problemas de crecimiento y que necesitan un tratamiento urgente y efectivo para mantenerlos dentro de los límites de la curva del crecimiento. Puede imaginarse la enorme pérdida de energías que padece el cuerpo al tratar de controlar una inflamación generalizada de la piel. Una energía que en situaciones normales se canalizaría hacia el crecimiento se desvía a la reparación de amplias áreas de piel dañada. La complicación equivalente en los adultos es la fatiga constante.

La segunda complicación importante surge cuando el eccema crece severamente y se extiende hasta afectar a casi todo el cuerpo. Lo denominamos eritrodermia (de *erythro*: rojo o escaldado, y *derma*: piel). Se trata de una urgencia médica hospitalaria que requiere una atención especializada para controlarla.

Hay que hacer hincapié en que estas complicaciones son muy raras y en que una atención continuada y cuidadosa del eccema subyacente es la mejor manera de evitarlas.

¿Qué se puede hacer?

Para combatir un eccema es necesario:

1. Identificar los alergenos implicados y reducir la exposición a los mismos.
2. Conocer los elementos no alérgicos que lo agravan.
3. Reducir la inflamación con la medicación y tratar las complicaciones en caso de que surjan.
4. Considerar el uso de suplementos nutricionales.
5. Valorar la posibilidad de un tratamiento de desensibilización para acabar con la alergia.

El control de los desencadenantes alérgicos y no alérgicos

- Cualquier niño o adulto con eccema que no responda a las medidas más sencillas tendría que ser considerado como un posible candidato a la dieta de bajo contenido alérgico. En los niños, la investigación dietética debe llevarse a cabo exclusivamente bajo la supervisión de un médico con experiencia en la materia. Los adultos pueden llevar a cabo su propia averiguación siguiendo las líneas maestras expuestas en el capítulo 17.
- Todos los pacientes con eccema que no respondan a las medidas más sencillas deberían realizar una prueba cutánea de alergia al polen y a los ácaros del polvo.

- Todos los pacientes con eccema deberían estar al corriente de la lista de alimentos que contienen histamina. Tienen que consumirlos con moderación y evitarlos en momentos de agravamiento de los síntomas.
- Los jóvenes o adultos con eccema que no respondan a las medidas más sencillas tendrían que someterse a las pruebas de parches, especialmente los que sufren cuadros ocasionales de pruritos o por su profesión presentan mayor situación de riesgo. (Las dermatitis alérgicas por contacto se tratan específicamente en el capítulo 3.II.)
- La dermatitis alérgica por contacto no es corriente entre los niños. No hay razón, por tanto, para llevar a cabo una prueba de parches, a menos que padezcan manifestaciones muy problemáticas o síntomas no *típicos* del eccema atópico.

Otras medidas prácticas son las siguientes:

- Las uñas deben mantenerse cortas y limpias. Ello minimizará la posibilidad de dañarse durante el sueño. En caso necesario, habrá que colocar guantes a los niños por la misma razón.
- La ropa que está en contacto con la piel tiene que ser de algodón puro. Es menos irritante que la lana y las fibras sintéticas. La lana es además un alergeno potencial. Lavar la ropa con jabón neutro.
- Acortar los baños hasta un máximo de quince minutos. El agua no debería estar muy caliente porque el calor excesivo reseca la piel. Utilizar un emoliente durante y después del baño: secar el cuerpo con una toalla sin frotar y «precintar» la piel de inmediato con una crema hidratante o un emoliente, incluso si aún está húmeda.
- El jabón y el champú deben evitarse. Tienen un efecto detergente que elimina los aceites naturales de la piel. Utilizar cremas hidratantes y emolientes en su lugar; el médico o farmacéutico nos aconsejará convenientemente.

Medicación

El propósito del tratamiento médico es:

1. Mantener la piel hidratada en todo momento.
2. Reducir la inflamación.

3. Mantener al mínimo el escozor.
4. Tratar la infección cuando se produzca.

Si se respetan las medidas prácticas expuestas anteriormente se mantendrá la piel hidratada. Además, la aplicación regular de cremas acuosas o emolientes evitará que la piel pueda secarse. Hay que aplicarlas hasta cuatro veces por día si es necesario. La inflamación tiene que controlarse por medio de cremas con esteroides tópicos (directamente sobre la piel) o pomadas. Ahora bien, ya sé que «esteroide» es una palabra fea, de la que los pacientes (y los padres) recelan. La decisión de utilizar un tratamiento a base de esteroides se basa en la evaluación de los posibles riesgos y beneficios para el paciente. El riesgo de efectos secundarios de las cremas a base de esteroides es mínimo, en especial si se utilizan correctamente. Las ventajas para el paciente son considerables. Es más, la propia enfermedad no está exenta de riesgos, y negar el tratamiento más adecuado resulta, por sí mismo, potencialmente peligroso.

Maureen era un caso extremo. Tenía seis años cuando sus padres la trajeron a la clínica. Estaban radicalmente en contra de utilizar cualquier forma de medicamento para tratarle el eccema. Tenían la esperanza de que se pudiera hallar «la causa» del problema y por lo tanto evitar la medicación. Llegó a la consulta muy encorvada. Apartaba los brazos de su cuerpecito, como si la acabaran de sacar del agua, con toda la ropa húmeda. No podía doblar las piernas ni levantar la cabeza porque tenía la piel completamente inflamada. Preguntó si podía quedarse de pie, porque decía que sentarse era más incómodo que la postura que adoptaba. Tenía las ropas pegadas al cuerpo, que supuraba. Una mirada me bastó para ingresarla de inmediato en el hospital para poder tratarla. Tenía problemas de crecimiento debido a que había estado demasiado tiempo sin cuidar el eccema, estaba «intoxicada» por la extensa inflamación de la piel y a punto de sufrir una infección seria. Claramente, el sufrimiento de Maureen podría haberse evitado con un tratamiento adecuado.

Los esteroides de aplicación tópica están disponibles en diversas concentraciones, que oscilan de los medianamente concentrados a los muy concentrados. Hay que utilizar siempre el menos concentrado de los *efectivos.* A veces es necesario comenzar con uno muy concentrado para lograr controlar el eccema, que puede luego reducirse a una preparación moderadamente concentrada, para acabar después con los de tipo medio. Todos pueden adquirirse en cremas o pomadas. La piel absorbe las primeras con más rapidez; las segundas son más grasas y son las indicadas si la piel está muy seca o inflamada.

El prurito sólo responde en última instancia a los tratamientos con esteroides. El uso adicional de antihistamínicos ayudará a asegurar un sueño más tranquilo mientras se logra dominar el problema, y para prevenir efectos secundarios (heridas al rascarse) en la piel. Las infecciones se tratan con antibióticos, tanto en forma tópica como por vía oral.

SUPLEMENTOS NUTRICIONALES

La piel sana se mantiene hidratada gracias a los aceites naturales. Estos aceites se denominan ácidos grasos esenciales (AGE). Los AGE tienen un papel crucial en nuestro sistema inmunológico, ayudándonos en la prevención de infecciones virales. Podría esperarse, por tanto, que una deficiencia en el nivel de AGE pudiera dar lugar a una piel seca, y por tanto a frecuentes infecciones virales. Es exactamente lo que ocurre con los niños que sufren eccema. Además, algunas infecciones virales sabotean el uso que hace el cuerpo de los AGE, prolongando de esa manera sus propias posibilidades de supervivencia. En el proceso, el paciente infectado puede sufrir una agravación del eccema. Una de las cuestiones importantes en el tratamiento del eccema es asegurar un suplemento dietético adecuado de AGE mediante una forma tal que no pueda ser saboteado por los virus. El ácido gammalinolénico (AGL) es una de tales formas. También son buenas fuentes del mismo el aceite de prímulas, el aceite de trientalis y el AGE concentrado.

Las investigaciones han demostrado que los pacientes con eccema que toman estos suplementos mejoran, aunque la mejoría no es notoria hasta pasados dos o tres meses. También puede ser bueno tomar un suplemento de aceite de pescado, que aporta otro AGE llamado ácido eicosapentaenoico (AEP). El AGL y el AEP se combinan proporcionando a la piel su humedad natural. Me gusta pensar en ello como un sistema para humedecer la piel desde «dentro hacia fuera», antes que intentarlo desde «fuera hacia adentro».

Desensibilización

Los pacientes con una alergia conocida a los alimentos y/o a la inhalación de alergenos pueden beneficiarse de un tratamiento de desensibilización como el que se describe en el capítulo 18.

¿Podría ser otra cosa?

Sí. Veamos los otros tipos de dermatitis en el capítulo 3.II.

Capítulo 3.II

La alergia y la piel: dermatitis alérgicas por contacto

Historia clínica

Róisín era una enfermera de treinta y cinco años que sufría una erupción muy peculiar. Era extraño, debido al lugar donde aparecía: una gran zona a la derecha del cuello, justo debajo de la oreja y otra en la parte externa del brazo izquierdo. No le había afectado nada más. La erupción duraba ya varios meses, por lo que había probado diversas cremas con diferentes grados de mejoría. Estaba preocupada por su persistencia. «¿Siempre se sienta así?», le pregunté. «¿Así cómo?», contestó. «Con la mano derecha debajo de la barbilla durante un minuto, y luego acariciando el brazo izquierdo al siguiente.» Siempre se sentaba en la misma postura. Cuando le dije que dejara de utilizar laca de uñas desapareció la erupción. Róisín padecía una **dermatitis alérgica por contacto**. En su caso era una alergia a algo que contenía el barniz de las uñas.

¿Qué es la dermatitis alérgica por contacto?

Como el propio nombre sugiere, se refiere a una inflamación alérgica de la piel en respuesta al contacto con un alergeno: en otras palabras, una reacción a algo que tocamos. La reacción es de hipersensibilidad del tipo 4: un proceso lento y engorroso. Se inicia cuando el alergeno penetra en la piel. Las moléculas pequeñas, como el níquel, penetran más que las grandes. Las células inmunológicas, que residen normalmente en la piel, recogen el alergeno y lo transportan a los ganglios linfáticos. Este desplazamiento dura cerca de veinticuatro horas. Estas células especiales presentan entonces el alergeno al sistema inmunológico y le piden su dictamen: ¿«toleramos» este alergeno o lo «rechazamos»?

Ciertas personas están genéticamente predispuestas a rechazar más de lo que toleran, y son esas personas las que desarrollan las dermatitis alérgicas por contacto. El sistema inmunológico envía una señal hostil al lugar del contacto original. Enseguida se produce una auténtica inflamación alérgica de la piel. Es más, ahora que el sistema inmunológico ha sido alertado contra ese alergeno, enviará células a todo el cuerpo programadas específicamente para buscarlo. Ésa es la razón de que una alergia de contacto, una vez iniciada, pueda tener lugar dondequiera que se encuentre el alergeno y no sólo en el punto de contacto original. Christine, por ejemplo, desarrolló una erupción con pruritos en la muñeca izquierda. Poco tiempo después le apareció en los lóbulos de la oreja y, por último, en la época en que acudió a la clínica de la alergia, presentaba una erupción justo debajo del ombligo. Christine era alérgica al níquel, por lo que presentaba dermatitis dondequiera que entrara en contacto con este alergeno, es decir, con la correa del reloj, los pendientes y la hebilla del cinturón.

Volvamos otra vez un momento a esa noción de «contacto original». El alergeno puede haberse fijado en un punto, pero las células inmunológicas no. De este modo, una alergia al níquel de la correa del reloj afectará a la piel de la muñeca, pero la reacción alérgica puede extenderse por el brazo e incluso por el hombro. El níquel, como digo, no se mueve, pero sí lo hacen las células inmunológicas. Ahora considere tal migración de la alergia desde el punto de contacto con la correa del reloj, los pendientes, el collar, las hebillas y los cierres del sujetador. Ya puede imaginarse lo rápido que desaparece el modelo de «contacto original» en este cuadro. Pero no tema. Las pruebas de alergia (parches) revelarán la verdad.

¿Quién la sufre?

La dermatitis alérgica por contacto aparece en todos los grupos de edad, desde la más tierna infancia a la vejez. Sin embargo, es mucho más común entre los jóvenes y los de mediana edad, pero especialmente entre las mujeres, por su mayor exposición al níquel, que se encuentra presente en los tintes de pelo, perfumes, cosméticos, etc. La piel normalmente actúa como una barrera contra el mundo exterior, pero dicha barrera puede ser traspasada. Cuando la integridad de la piel se ve comprometida por heridas o enfermedades, la solución de continuidad puede ser mayor, y mayores son las cantidades de alergenos que pueden introducirse. De este modo, las alergias por contacto se producen con más facilidad en pacientes con alteraciones de la piel, por ejemplo, los que sufren eccema, otras enfermedades de la piel y úlceras en las piernas (véase más adelante).

¿Se cura sola?

En una palabra, no. Pero hay un fenómeno curioso que ha sido observado en algunos individuos. Se vuelven alérgicos a alguna cosa de su trabajo, pero siguen trabajando en contacto con el alergeno y entonces, por alguna razón desconocida, vuelven a desarrollar la tolerancia a éste. Esto es importante para todo aquel que esté considerando su futuro en un trabajo que implique el contacto con un alergeno. Puede –sólo puede– que desaparezca la alergia por sí sola.

¿Cuál es su causa?

Podemos desarrollar una alergia por contacto prácticamente con cualquier cosa que toquemos. Sin embargo, como se ha explicado antes, las moléculas pequeñas, como la del níquel, tienen más posibilidades de penetrar en la piel. Otro factor que determina nuestra propensión a la alergia por contacto a un alergeno determinado es la frecuencia con la que entramos en contacto con el mismo. Los pacientes, invariablemente, encuentran difícil aceptar que pueden llegar a ser alérgicos a cualquier cosa de este mundo. Y es el propio manejo del alergeno lo que predispone a desarrollar la alergia. Esto se aprecia con más claridad en los casos de alergia profesional, cuando se está en contacto regular con los alergenos del lugar de trabajo muchos años antes de que se desarrolle una alergia.

Estas alergias inesperadas ocurren con regularidad en otras ocasiones. Carol, por ejemplo, se encontraba en un estado desastroso. Tenía el cuero cabelludo, el cuello y la cara enrojecidos, con edema y ampollas. Había ido a la peluquería dos semanas atrás y empezó a sentir unos picores alarmantes en la cabeza esa misma noche. Cuando se levantó por la mañana se horrorizó ante lo que veía en el espejo. Imaginó que era algo que le había hecho el peluquero: «Pensé que me habían echado demasiado de alguna cosa», decía. Se lavó varias veces la cabeza durante los siguientes días, pero ahora tenía dolores y se encontraba mal. «Está claro que no es una alergia, porque ya me había puesto este tinte con anterioridad.» «¿Cómo le fue la vez anterior que se lo puso?», le pregunté. «Me picó un poco –admitió–, pero sólo unos días». Carol se había vuelto alérgica al tinte. Los primeros picores habían sido una alarma a la que no había hecho caso. Y las pruebas de parches confirmaron que era muy sensible a uno de los componentes del tinte.*

La lista de alergenos que pueden causar una dermatitis alérgica por contacto es verdaderamente increíble. Por ello tenemos una deuda de gratitud con los que han compartido con nosotros sus conocimientos y recursos facilitando la relación de los más corrientes. Son los que utilizamos cuando hacemos una prueba de alergia a nuestros pacientes (véase la lista completa en el capítulo 17).

¿Hay complicaciones serias?

La dermatitis alérgicas por contacto es, por lo general, una afección de fácil tratamiento. El aspecto más complicado del tratamiento es el de acertar el diagnóstico a la primera. Algunos pacientes han sufrido largos años de inconvenientes, porque no se les detectaba la alergia como tal. Las verdaderas complicaciones son raras, aunque se pueden producir serias implicaciones en las personas cuyo medio de vida dependa del contacto continuado con alguna sustancia a la que sean alérgicos. Una cosa es que una joven no pueda utilizar perfumes, y otra muy diferente, que un panadero sea alérgico a la harina.

Unas líneas sobre la dermatitis alérgica por contacto en los niños

Los niños muy pequeños son propensos a padecer diferentes enfermedades de la piel, muchas de ellas sin relación alguna con las

* Todos estos problemas se hubieran evitado si el peluquero hubiera seguido las instrucciones del fabricante: realizar una prueba de sensibilidad en una pequeña zona cutánea antes de aplicarlo.

alergias. La costra láctea y el exantema del pañal sirven de ejemplo de ello. Sin embargo, los niños pueden volverse alérgicos o sufrir irritaciones producidas por las cremas y aceites para bebés que se utilizan para protegerles la piel. La alergia por contacto en este caso se parece a los picores por fiebre miliar.

Los bebés y los niños pueden desarrollar alergias por contacto a:

- la cinta de vinilo de identificación que les colocan en los hospitales.
- la hebilla de la cinta.
- el desinfectante del termómetro.
- los aceites perfumados, jabones y talcos.
- alimentos o zumos de fruta: pruritos en las mejillas.
- cosméticos utilizados por la madre: pruritos en las mejillas y en la frente.
- ceras y abrillantadores para suelos: pruritos en las manos y piernas debidos al gateo.
- ceras, pintura de dedos, juegos de química, etc.: pruritos en las manos y la boca.
- tapas de inodoro: pruritos en las nalgas y muslos.
- goma: en los zapatos, lápices, pelotas, etc.
- chicle: pruritos alrededor de la boca.

Algunas de estas situaciones pueden parecerse a los picores de las dermatitis irritantes por contacto. Por ejemplo, las zapatillas de goma, deportivas o de tenis, pueden producir unas irritaciones muy desagradables por el roce con los pies sudados. De igual manera, las niñas que lavan frecuentemente la ropa de las muñecas pueden sufrir una dermatitis irritante en las manos. El mismo efecto producirían demasiados baños de espuma.

UNAS PALABRAS SOBRE LA DERMATITIS ALÉRGICA POR CONTACTO EN LAS PERSONAS DE EDAD

¡El anciano señor Cole era un gruñón! Había estado gruñendo setenta y cinco años y no le quedaban muchos por delante. Era un tipo duro que había trabajado (y bebido) en el mar la mayor parte de su vida. En su último ingreso hospitalario «por un ataque al corazón, o algo parecido» (le quitaba importancia, haciendo un gesto con la mano) le habían recetado una crema para la piel seca. «Pues claro, doctor, está curtida. Por la noche me rasco porque me escuece.» El problema era que el anciano señor Cole era alérgico a la crema. Tenía los brazos y la espalda muy irritados, y también él lo estaba. Seguía con la piel seca, pero ahora, además, presentaba una dermatitis alérgica por contacto en todas las partes donde su sufrida mujer tan cuidadosamente le había aplicado la crema. Las pruebas de parches confirmaron la alergia e identificaron con exactitud cuál de los componentes de la crema le había producido la reacción. Además, las pruebas revelaron otros problemas potenciales por contacto con otros alergenos, en concreto los perfumes. «¡No me los pongo ni loco!», decía con aprensión en la mirada. Pero no se daba cuenta de que muchas cremas medicamentosas contienen perfume. Al menos ahora podíamos informar a su médico sobre las cremas que podía utilizar con seguridad y cuáles no. ¿Sabe usted de algún anciano gruñón que quede satisfecho?

La piel de los ancianos difiere de la de los jóvenes en que pierde su elasticidad e hidratación. A lo largo de los años ha sufrido la exposición a los dañinos rayos ultravioletas del sol. En consecuencia, la piel de los ancianos es más vulnerable a la irritación, a la aspereza y a la sequedad, así como a sufrir heridas. Como hemos visto, una piel dañada se vuelve «supersensible» y puede reaccionar ante cualquier tipo de sustancias, incluso con aquellas que normalmente consideraríamos anodinas. El prurito de la dermatitis alérgica por contacto, cuando aparece, también es diferente en la piel vieja: la escamación es mayor, la piel se vuelve más gruesa, aparecen manchas pigmentadas oscuras y el escozor es intenso. Son por lo general difíciles de tratar, incluso si se conoce el alergeno que la provoca.

Aparte del riesgo universal de la alergia por contacto, las personas mayores presentan algunos problemas que son específicos de su grupo de edad y que requieren una especial mención. Se trata de la *dermatitis por estasis, úlceras en las piernas* y la *dermatitis profesional.* Tenemos también que ser conscientes de que determinadas enfermedades cutáneas pueden ser la manifestación de una dolencia subyacente (en todos los grupos de edad), así que si se tiene una erupción sin diagnosticar, hay que hacerla examinar.

Dermatitis por estasis, úlceras en las piernas y alergias por contacto

Algunos pacientes de edad sufren una falta de riego sanguíneo en la piel, los tobillos, o la parte inferior de las piernas. Este flujo inadecuado de la sangre produce erupciones en la piel que denominamos «dermatitis estasis» (estasis, en este caso, refiriéndose a un flujo demasiado lento). La piel sufre entonces el riesgo de desgarrarse totalmente, de formar una úlcera. Tal como se ha mencionado, la pérdida catastrófica de la integridad de la piel predispone a la sensibilización. *El caso más corriente de dermatitis alérgica por contacto en los ancianos se produce como reacción a las cremas aplicadas contra la dermatitis por estasis y para tratar las úlceras de las piernas.*

Vamos a tomarnos un minuto para considerar otra de las importantes complicaciones de la dermatitis por estasis. Tomemos el caso del señor O'Donnell, que acudió recientemente a la clínica de la alergia y constituye un caso extremo. Se había presentado con una erupción con pruritos muy extendida. Le impedía dormir por la noche y estaba desesperado. Su médico le había recetado varias cremas, algunas de las cuales eran muy fuertes, pero cada vez estaba peor. Creía que el azúcar agravaba la erupción, así que, por lo tanto, asumía que sufría una alergia. Sin embargo, en la evaluación inicial quedó bien claro que su problema no era alérgico. «¿Dónde le comenzó esa erupción?», le pregunté. «¡Aquí!», me decía, mientras se subía las perneras del pantalón. «Unos meses después me empezó a escocer todo el cuerpo». Había sufrido una dermatitis por estasis fulminante en ambas piernas que se le extendió hasta cubrirle todo el cuerpo.

Estamos ante una situación potencialmente complicada en la que toda la piel del cuerpo se inflama de forma grave como *efecto secundario de la dermatitis por estasis.* No sabemos por qué ocurre, pero algunos creen que es el resultado de una alergia a la propia piel. Sería algo así: la piel inflamada (estasis) está abierta y dañada. El sistema inmunológico considera que la piel dañada es diferente, por lo que provoca una reacción hostil en su contra. La respuesta inmunológica es torpe. Le falta especificidad. En consecuencia, la piel sana se encuentra en medio de un fuego cruzado. Por esa razón lo llamamos «autosensibilización» (volverse sensible a uno mismo). El señor O'Donnell fue enviado de urgencias al hospital para tratarle su dermatitis por estasis. Estaba tan extendida que corría el riesgo de sufrir una enfermedad grave. Tuvo suerte, y a los pocos días le dieron el alta con un tratamiento para las piernas.

¿Y su alergia al azúcar? En realidad no era una alergia, sino una racionalización. Estaba desesperado por encontrar una causa y una curación para el prurito. En su frustración se preguntaba constantemente: «¿Podría ser esto?, ¿podría ser esto otro?».

Su mujer también participaba: «Yo creo que es tal cosa» (fuera «tal cosa» lo que fuera). Esta búsqueda es perfectamente comprensible, pero es desesperada, y conduce a callejones sin salida o bien otra vez al principio.

El trabajo y la alergia por contacto en los mayores

Para finalizar, hay que hacer notar que los pacientes mayores no están libres de otras alergias por contacto. En particular, es posible que el anciano que trabaja se vuelva alérgico a alguna cosa con la que ha tenido contacto durante muchos años. Los constructores y los panaderos son los que corren mayores riesgos, pero cualquier alergeno puede causar problemas similares. Es más, puede que sea difícil mantener una situación de riesgo bajo control incluso después de la jubilación.

Un comentario sobre las dermatitis alérgicas por contacto en los sexualmente activos

Es importante, en la búsqueda de posible alergenos, considerar la posibilidad de ser alérgicos a la pareja, o al menos a alguna cosa que use. ¿Alergia a su perfume (o loción para después del afeitado), a su bronceador, a una medicación por vía tópica, o a su anticonceptivo? De igual manera también la pareja puede reaccionar ante alergenos que se hayan llevado a casa en las ropas, como por ejemplo serrín, aceites o fibra de vidrio.

Una líneas sobre la dermatitis alérgica por contacto en el trabajo

La dermatitis alérgica por contacto es la enfermedad laboral más común relacionada con el puesto de trabajo. Ello es debido al gran número de alergenos con los que entramos en contacto diariamente en nuestras ocupaciones. Los albañiles, por ejemplo, pueden reaccionar al cromo del cemento, los encaladores a la lechada, los pintores a la pintura, los jardineros a las plantas, los médicos y enfermeras a los guantes de látex, las amas de casa a los guantes de goma y los trabajadores de una fábrica a una legión de alergenos tales como resinas, metales, enzimas, colas y muchos, muchos más (véase el capítulo 8).

¿Qué se puede hacer?

Lo primero, establecer el diagnóstico. Se consigue con la historia clínica y una prueba de parches.

¿A quién debería hacerse una prueba de parches?

A todo aquel que sufra una dermatitis no diagnosticada o que no responda a los tratamientos habituales.

Se incluye a los pacientes que sufran dermatitis atópicas, irritantes, por psoriasis o de cualquier otra clase. (Véase el capítulo 17.)

El tratamiento de las dermatitis alérgicas por contacto

Una vez establecido el diagnóstico, la única opción realista es evitar el alergeno responsable de la misma. Es la mejor solución para llevar adelante un tratamiento «agresivo» y rápido que vuelva a controlar la erupción lo antes posible. También servirá para prevenir que se produzcan nuevas alergias. En estos casos las cremas de esteroides tópicas son la única solución real. Sin embargo, hay que verificar la efectividad de la crema si se produce un empeoramiento o la curación es muy lenta. Se puede producir una alergia por contacto a una crema que se esté utilizando para tratar las dermatitis alérgicas por contacto.

Desafortunadamente, algunos pacientes, y en especial los ancianos, descubren que su alergia por contacto se cura con lentitud incluso aunque se haya detectado y eliminado el contacto con el alergeno. Es posible que estén expuestos al alergeno de forma encubierta, pero también es posible que su enfermedad sea verdaderamente rebelde. Quizá hayan desarrollado ahora una dermatitis «primaria», que aparece por su cuenta.

¿Podría ser otra cosa?

¡Sí! Las dermatitis alérgicas por contacto no tienen que confundirse con:

- Las dermatitis irritantes por contacto
  Esta erupción no se diferencia en su aspecto del de la dermatitis alérgica. Como el propio nombre sugiere, surge del contacto con un irritante. Las manos, por ejemplo, están expuestas con frecuencia al jabón. Es un irritante muy conocido. Otros irritantes son los detergentes, los antisépticos, los abrillantadores, las lejías e incluso algunos alimentos crudos. Los pacientes que sufran o hayan sufrido un cuadro de eccema tienen un gran riesgo de contraer una dermatitis irritante. Esto puede ser una fuente de confusión: buscarán de inmediato una explicación alérgica a lo que parece ser una reaparición del eccema. Sin embargo, si se les pone al corriente de los mecanismos de la irritación estarán en mejores condiciones de evitarla.
- Urticaria por contacto
  Granitos enrojecidos con escozor (urticaria) de la piel en el lugar del contacto. Generalmente de origen alérgico, producidos por la IgE. En otras palabras, son por lo general un caso de reacción de hipersensibilidad de tipo 1, y en consecuencia se desarrollan y desaparecen con mucha mayor rapidez. Podría ser el presagio de una alergia más seria. Véanse los capítulos 3.III y 9.
- Otras enfermedades de la piel
  Las dermatitis alérgicas por contacto puede ser difíciles de distinguir de otras enfermedades de la piel, incluyendo las infecciones por hongos, psoriasis y otras formas de dermatitis. Es de especial interés el caso del paciente con psoriasis al que se le agrava la enfermedad precisamente en un punto que sufre traumatismos repetidos: por ejemplo, el cortador de metal laminado al que se le produce una psoriasis en las palmas de las manos tras muchos meses de sujetar firmemente la herramienta de corte. Puede parecer una alergia por contacto, especialmente si va acompañada de un pricipio de psoriasis en otra zona. Pero es un caso de psoriasis, no de alergia.

Capítulo 3.III

La alergia y la piel: urticarias y edemas

(Urticaria y angioedema)

Prestemos ahora atención a uno de los problemas de la piel más complicados. Lo denominamos urticaria, pero al hacerlo así, nos enfrentamos a un primer reto: la urticaria no es en realidad un diagnóstico definitivo, sino un término descriptivo. ¿Qué describe? Habones, ronchas, manchas, granos enrojecidos con escozor... ¡llámelos como quiera! Pueden afectar a una parte o a todo el cuerpo. Unas veces son pequeños, otras, grandes. Pueden estar esparcidos o agrupados, ser lisos o rugosos, redondos o irregulares, aunque algunas veces producen formas vivas y sorprendentes. Algunos desaparecen en menos de una hora (sólo para ser reemplazados por nuevos) y otros persisten varios días. En los casos más graves (y extremadamente raros) el paciente puede entrar en estado de shock y fallecer.

La urticaria por lo general viene acompañada de extensas tumefacciones de la piel que denominamos angioedema: como resultado de extravasaciones (*edema)* de los vasos sanguíneos (*angio*). Estos edemas, por su parte, a veces son pequeños, otras, enormes, algunas son dolorosos, a menudo desfigurantes y ocasionalmente, si obstruyen las vías aéreas, pueden causar la muerte. Lo único que prácticamente tienen en común todas las urticarias es esto: producen *mucho* escozor y son *muy* problemáticos.

¿Qué es la urticaria?

Para ayudarle a entender lo que ocurre en la urticaria tengo que hablar de una célula muy especial, el mastocito. Estas células se encuentran en diferentes partes del cuerpo, incluyendo las paredes de la nariz, el pecho, los ojos, la piel, el intestino, etc. Esta amplia distribución explica, al menos parcialmente, algunos de los diversos síntomas alérgicos. A todos los efectos y propósitos, si los mastocitos empiezan a desgranular de repente en los bronquios, se padece asma, si ocurre en la nariz, rinitis, si en los ojos, conjuntivitis, etc. Si ocurre en la piel, se trata de una urticaria.

Decir que desgranulan de repente es un poco exagerado y algo simplista, pero hace que se entienda bien el mensaje. Cada mastocito, cuando se lo observa por el microscopio, parece un racimo de uvas. Cada uva, en esta analogía, representa una vesícula o una ampolla. Estas vesículas están llenas de productos químicos muy fuertes, como la histamina. Cuando esas vesículas desgranulan, si lo hacen, liberan su histamina, y entonces aparece el escozor.

Para ir un poco más allá, se podría precisar que si desgranulan cerca de la superficie de la piel, aparece una especie de escozor. Si ocurre en las capas más bajas de la piel, aparece un angioedema. Ésa es la razón por la que se sufren pruritos e inflamaciones al mismo tiempo, ya que son el resultado de un mismo hecho. Finalmente, la urticaria puede ser aguda, con una duración de menos de ocho semanas, o crónica, persistiendo más allá de ocho semanas y algunas veces varios años.

¿Quién la sufre?

Cualquiera. Y cerca de un 20 % de la población habrá experimentado algún brote de urticaria antes de llegar a los cuarenta años. Las urticarias agudas son más corrientes en los adultos jóvenes con historia alérgica. Las variedades crónicas son más corrientes en mujeres de mediana edad. En casos puntuales afecta a familias enteras.

¿Cuál es su causa?

Urticaria aguda

Anne tiene veinticuatro años y nunca hasta ahora había tenido motivos para visitar a un médico. Hace cuatro semanas le surgió una erupción con tumefacciones y escozor. Le apareció por todo el cuerpo, y no mostraba señal alguna de remitir. Le estuve haciendo preguntas sobre su dieta, si se había o no medicado, dónde había estado, etc. Pero no descubría nada. Aparte de los inconvenientes del picor irritante, se encontraba perfectamente. Le dije que padecía una urticaria aguda, no en el sentido de que fuera peligrosa, sino en el de que era de corta duración. Las urticarias agudas vienen y se van misteriosamente, por regla general en un plazo de entre seis y ocho semanas. También le dije que probablemente jamás descubriríamos la causa de la erupción y que tampoco hacía falta. Con toda probabilidad, remitiría dentro de las próximas cuatro semanas, por lo que no volvería a molestarle más. Entretanto, podía tomar un antihistamínico para aliviarle el escozor mientras esperaba que remitiera espontáneamente.

La mayoría de las urticarias agudas desaparecen sin mayores explicaciones, sin dejar rastro sobre lo que las ha causado y sin especiales riesgos de repetición. Una vez dicho esto, si padece una urticaria aguda, hágase algunas preguntas muy sencillas, por ejemplo ¿recientemente...

- he tenido alguna infección?
  Las infecciones virales, fúngicas o por parásitos pueden causar urticaria. Trate la infección, la urticaria desaparecerá.
- me he medicado?
  La aspirina, la penicilina y muchas otras medicinas pueden causar urticaria. Hay que dejar de consumirlas, porque la alergia podría empeorar. Consulte con su médico.
- he hecho algún exceso al comer?
  Algunos alimentos pueden causar urticaria en ciertas personas cuando se consumen en exceso. Por ejemplo el chocolate y el alcohol (véase el capítulo 10).
- he estado en contacto con...
  cítricos, fresas, pescado, medusas, ciertas plantas, productos químicos del trabajo, etc.?
- he consumido...
  algún alimento al que soy alérgico? Si sufre una urticaria aguda por

la comida, seguramente podrá darse cuenta de ello usted mismo. La aparición de los síntomas es rápida: «¡Cada vez que como esto y aquello tengo urticaria!».

Si no puede contestar sí a alguna de estas preguntas, olvídelas. Tómese un antihistamínico cada día y vuelva a visitarse si los síntomas no desaparecen en ocho semanas. Una vez dicho esto, busque ayuda médica de inmediato si...

- presenta síntomas asociados, como dolor de articulaciones, fiebre, sibilancias o problemas respiratorios, etc.
- nota hinchada la garganta, lo que le dificulta la respiración y la acción de tragar.
- tiene ronquera, que es un síntoma de inflamación de la laringe.

Urticaria crónica

George es un profesor de arte que se presentó hace varios meses con una larga historia de pruritos e inflamaciones. También tenía el intestino irritble. Era un dato importante, porque el intestino irritable está por lo general asociado con reacciones a la comida. Por lo tanto, era posible que su urticaria tuviera un origen alimentario. Le había afectado de manera tan intensa que tomaba siete u ocho pastillas de antihistamínicos cada día para tratar de lograr una cierta mejoría. Se trata de una práctica peligrosa, y se le había avisado de que la abandonara de inmediato. (Le podía producir una parada cardiaca.) Todas las pruebas cutáneas habían dado resultados negativos, así que nos volcamos en una dieta de bajo contenido alérgico. En menos de siete días habían desaparecido los picores. Y felizmente también las molestias intestinales. Pero por desgracia descubrimos que sufría intolerancia a muchos alimentos, demasiados para eliminarlos de la dieta y continuar sano. Por lo tanto iniciamos un tratamiento de desensibilización que funcionó muy bien. *Sufría una urticaria crónica, asociada con una intolerancia alimentaria múltiple.*

La pobre señora Brennan también padecía urticaria crónica. De hecho llevaba nueve años de condena con sus tremendos picores. Me aseguraba que en todo ese tiempo jamás había tenido un momento sin síntomas. Tenía la impresión de que la luz solar la afectaba, y que las molestias se acentuaban justo antes del período menstrual. Sin embargo, las pruebas cutáneas revelaron que era alérgica a la *candida*, una levadura que todos tenemos en el intestino. En menos de dos semanas de tratamiento antifúngico, se había librado del escozor.

Desafortunadamente no todos los pacientes tienen tanta suerte. Puede que jamás descubran lo que les causa la urticaria. Kate, por ejemplo, se visitó por primera vez hace dos años, con una historia parecida: picor. Tenía urticaria crónica, no había ninguna duda, pero por mucho que lo intentamos no hallamos los motivos. Bien ¿y qué hacer en este caso? Si bien no pudimos encontrar las causas, eso no quiere decir que haya que aguantarse, desde luego. Primero lo intentamos con las medidas más sencillas, luego utilizamos las complejas. Más tarde las sublimes, y por fin las sofisticadas. Pero por mucho que lo intentamos no conseguimos casi nada. ¡Qué frustración!

Las urticarias crónicas son una verdadera molestia, pero antes de seguir permítaseme unas palabras de ánimo: hay un porcentaje muy alto de remisión espontánea. De hecho, hay un 50% de posibilidades de que la urticaria desaparezca misteriosamente dentro de los seis meses siguientes a su aparición. Sin embargo, las estadísticas tenían poca importancia para Kate y le servían de poco consuelo. Aun así, es importante recordar este fenómeno. ¿Por qué? Pues porque si se renuncia a una comida o a una actividad, o se deshace uno del gato, y desaparece la urticaria, se asumirá que el diagnóstico era acertado, cuando en realidad no lo es. Hay que hacer siempre una doble prueba para asegurarse de que no hubiera remitido igualmente.

Y a continuación la parte negativa. Las inmensa mayoría de las urticarias crónicas son urticarias de las que no conocemos las causas. Cuando los médicos no conocen la causa de algo lo denominan «idiopático». Se cree que entre el 80 y el 90 % de las urticarias crónicas son idiopáticas. Sin embargo, es preciso actuar con un poco de precaución. La señora Brennan padecía una urticaria idiopática hasta que establecimos la causa de la misma. Así que si sufre de una urticaria idiopática crónica, *hágala examinar.*

Comience por llevar un diario y no se preocupe si no encuentra ninguna pauta: en sí mismo eso podría ser una información importante. Eche una mirada a las causas de la urticaria aguda y compruebe si es que se encuentra expuesto de forma prolongada a una de sus causas. Fíjese también en la época del año, el lugar, las actividades y la dieta seguida en los momentos de empeoramiento. Hágase ahora las siguientes preguntas:

¿Me ocurre sólo cuando...

- he estado sometido a vibraciones?
  Movimientos bruscos y repetitivos pueden conducir a la urticaria. Por ejemplo al utilizar martillos neumáticos, taladros, etc.
- he estado haciendo ejercicio?
  Es muy importante distinguirla de la anafilaxia inducida por el ejercicio (véase capítulo 9).
- me he aplicado presión?
  La presión aplicada a la piel puede dar como resultado una urticaria inmediata o de aparición tardía. No se olvide de los zapatos muy apretados, los tirantes del sujetador, pulseras, etc.
- me he expuesto al calor?
  El hecho de «sulfurarse», trabajar con fuentes de calor, baños o duchas con agua caliente.
- me he expuesto al frío?
  El aire frío que entra por la ventana del coche, el agua fría o el mal tiempo.
- me he expuesto a la luz?
  Me refiero a los rayos solares, naturales o artificiales.
- he estado en contacto con agua?
  Independientemente de la temperatura, algunas personas cogen urticaria cuando la piel está expuesta a la humedad.
- he estado preocupado?
  A menudo la urticaria es una respuesta a situaciones de estrés. Los mastocitos tienen una conexión nerviosa que puede hacerles desgranular en momentos de cólera o de profunda pena.

Habrá notado que la mayoría de las urticarias crónicas no tienen nada que ver con la alergia. Las denominamos «urticarias físicas». Aunque pueden ser tan problemáticas y tan alarmantes como las alérgicas. Y si no, que se lo pregunten a Pamela. Es una profesora de gimnasia de treinta y dos años que hace poco volvió de las vacaciones con una historia elocuente. Notó un poco de escozor un día, justo después de nadar un rato, pero enseguida le desapareció la molestia y no volvió a pensar en ello. Unos días más tarde se dio otro baño y esta vez empezó a sentir el escozor cuando aún se encontraba en el mar. Se vio metida en un buen problema en pocos minutos. Le faltaba la respiración y experimentó un dolor que le hacía estallar la cabeza. El corazón comenzó a latirle con fuerza y estuvo a punto de no poder llegar a la orilla. En ese momento se fijó en que tenía el cuerpo cubierto de señales de urticaria. Pamela había sobrevivido a un episodio grave de urticaria inducida por el frío. Si en el futuro quiere nadar, tendrá que ser en una piscina cubierta climatizada, e incluso así tendrá que ir con cuidado.

Así que, como se puede ver, las urticarias son extremadamente diversas. Sin embargo, esta diversidad puede explicarse fácilmente: cualquier cosa que pueda hacer que desgranule un mastocito puede producir una urticaria. De esta forma, los mastocitos de algunos pacientes desgranulan al contacto con el frío, el calor, al presionar, al hacer vibrar, sacudir o exponer la piel a la luz solar, etc. De igual manera, y por mecanismos completamente diferentes, también pueden desgranular cuando se exponen a un alergeno o incluso a causa de una situación emocional extrema.

¿Se cura sola?

En la mayoría de los casos sí. Sin embargo, dependerá mucho de que se localice la causa y pueda evitarse. Incluso las variedades idiopáticas crónicas tienden a desaparecer por sí solas. En algún caso poco afortunado persiste durante años.

¿Hay complicaciones?

La mayoría de las urticarias son más una molestia que un riesgo. Pero no hay duda de que la urticaria crónica puede ser desmoralizadora. También puede afectar gravemente el sueño, y por eso puede llegar a convertirse en una obsesión. De hecho muchos pacientes se han obsesionado más con la causa que les provocaba las molestias que con el propio escozor. Muchos invierten una gran cantidad de tiempo y dinero en la búsqueda de la raíz del problema, sólo para frustrarse cada vez más por la falta de éxito.

En algunos pacientes la urticaria puede evolucionar hasta afectar seriamente a otros sistemas del cuerpo cercanos a la piel. Los síntomas que siguen son debidos a los efectos directos del aumento de histamina debido a los mastocitos de otras partes del cuerpo. Los pacientes afectados notan dolor en las articulaciones y de tipo abdominal.

También pueden experimentar un aumento de la temperatura corporal. La liberación de histamina de forma continuada y general puede conducir a una anafilaxia fatal o casi fatal. Esto sucede no sólo en el caso de la urticaria alérgica, sino también en las otras urticarias (físicas). Para ser exactos, Pamela estuvo a punto de morir por la urticaria inducida por el frío.

Raramente un angioedema (inflamación) puede producirse en la garganta o en la laringe. El espacio es reducido en estas zonas, así que incluso una inflamación moderada puede obstruir los conductos respiratorios. Es lo que le ocurrió a Imelda el día que cumplía cincuenta años. La fiesta estaba muy animada y sobraba la comida. De repente, Imelda empezó a ahogarse. Ni aspiraba ni expulsaba aire. Estaba de pie, ligeramente inclinada hacia adelante, boquiabierta y con la lengua fuera. Sus amigos la miraban asustados mientras el rostro de ella se ponía lívido. Uno de ellos, que pensó que se estaba atragantando, le dio una fuerte palmada en la espalda. De inmediato expulsó el aire que tenía retenido en los pulmones, pero sin poder inspirar a continuación. Imelda, desde luego, estaba aterrorizada. Echó a correr hacia la calle desesperadamente y se cayó al suelo. Tenía una completa obstrucción de las vías aéreas provocada por un edema. Afortunadamente remitió por sí solo tan rápidamente como se había desarrollado e Imelda pudo volver a respirar otra vez. Se salvó por los pelos. Tras un período de investigación, conseguimos dar con la causa: había reaccionado ante los sulfitos, conservantes que se usan en algunas bebidas refrescantes. Hallará más información sobre la obstrucción de las vías aéreas en el capítulo 7.

¿QUÉ SE PUEDE HACER?

Podemos tratar las urticarias con medicación. A menudo es la opción más fácil: se ingiere la pastilla y se sigue con la vida normal mientras se espera la remisión espontánea de los síntomas. Los medicamentos, cuando se utilizan correctamente, son bastante seguros. La primera medicina que se debe probar es un antihistamínico. Si en las dosis adecuadas no resulta efectivo, el médico le prescribirá otro medicamento más. Lo lógico es intentar estabilizar los mastocitos para que no desgranulen en la menor ocasión. Si esto falla, existen otras opciones, en función del tipo de urticaria que se tenga. Por ejemplo, los betabloqueantes son muy efectivos con una forma específica (adrenérgica) de urticaria, pero inútiles en otros casos. Si la medicación no produce mejoras, o si simplemente no se quiere medicación en un futuro inmediato, habría que investigar un poco más el caso. Una vez más, dependiendo de su urticaria, hay que tener en cuenta los síntomas asociados y la propia elección.

Las punciones cutáneas o las pruebas de parches pueden ser una ayuda. Si se identifica el alergeno específico, evítelo o elimínelo (antifúngicos). Si esas pruebas no dan resultado, continúe con las restricciones dietéticas. Hay dos dietas que pueden ser de gran ayuda.

La dieta de bajo contenido alérgico (descrita en el capítulo 17) es muy interesante, *en especial si se tienen síntomas de alergia a los alimentos o intolerancia.*

La dieta de bajo contenido en salicilatos también resulta de interés, *en especial si se es alérgico a la aspirina y/o se sufre rinitis, asma o pólipos nasales.* Esta dieta elimina un 30 % de las urticarias. Es dura, pero también lo es vivir con un escozor inaguantable.

La dieta baja en salicilatos

Los salicilatos son sustancias naturales que pueden causar reacciones «alérgicas» que van desde la rinitis, el asma, los pólipos nasales y la urticaria hasta la hiperactividad (en niños). La aspirina está compuesta de ácido salicílico, un salicilato. Si en una persona concurre alguna de las situaciones alérgicas mencionadas, en especial si se es alérgico a la aspirina, puede ser de gran utilidad una dieta que evite los salicilatos naturales. Es preciso no apartarse de la dieta al menos durante un mes.

Los siguientes alimentos tienen un alto contenido en salicilatos y deben, por tanto, evitarse:

- la mayoría de las hierbas y especias.
- la mayoría de la fruta, pero véase más adelante.
- la mayoría de las verduras, pero véase más adelante.
- los frutos secos.
- el café y el té.
- la Coca Cola y el té de menta.
- los zumos de frutas (excepto los de las frutas mencionadas más adelante).
- las bebidas alcohólicas –excepto la ginebra y el vodka.

- la miel y los caramelos de regaliz y menta.
- los cubitos de caldo, Bovril y productos ricos en levaduras.
- las salsas de tomate y la salsa Worcester.
- las comidas preparadas e instantáneas: conservantes, colorantes, olores, etc.

Los siguientes son bajos en salicilatos y se pueden consumir a placer:

- las carnes de todo tipo.
- el pescado de toda clase.
- la leche, el queso y los huevos.
- el trigo, el centeno, la cebada y el arroz.
- frutas permitidas: plátano, pera pelada, limón, granada, papaya, fruta de la pasión y mango.
- verduras permitidas: repollo, coles de Bruselas, judías verdes, apio, puerros, lechuga y guisantes; la piel de la patata tiene un contenido alto en salicilatos, pero pelada no presenta ningún inconveniente.
- también se permiten: la algarroba, el coco y el anacardo.

Evítese la aspirina y cualquier medicina que la contenga. Los medicamentos antiinflamatorios no esteroides también deben evitarse. Los síntomas del salicilato deberían desaparecer al cabo de un mes de seguir esta dieta. A partir de ese momento se puede ir ampliando para comprobar lo que puede consumirse. Por favor, infórmese adecuadamente si piensa seguir esta dieta o cualquier otra durante más de un mes.

¿Podría ser otra cosa?

No hay que confundir la urticaria con:

- picaduras de insectos (mosquitos, piojos, pulgas, chinches, etc.)
- sarna
- otras enfermedades. Algunas veces la urticaria forma parte de otra enfermedad, como la hepatitis, el lupus y otras. Una buena historia clínica, junto con el examen físico y los análisis de sangre permiten al médico dictaminar de qué se trata en cada caso.

¡ESCUECE Y NO HAY ERUPCIÓN!

El escozor generalizado puede significar una enfermedad subyacente o una enfermedad de la piel, incluso con ausencia de una inflamación visible. Hágale una visita al médico y, mientras tanto, vigile:

- la sarna.
- los piojos.
- el contacto con la fibra de vidrio: causa escozor antes de aparecer la erupción.
- el contacto con lana, pelos, suavizantes de la ropa y productos antiestáticos de lavandería.
- las plagas de insectos: pulgas, sarna de animales, ácaros.
- baja humedad del aire de la calefacción, o del aire acondicionado en verano, que pueden contribuir a la sequedad de la piel y a sentir escozor.
- algunas medicinas prescritas.

Capítulo 4

Alergia en la nariz y los senos

NARIZ Y SENOS SANOS

La nariz tiene una importante función de protección en las vías aéreas. Es como un centinela en una puerta. Sirve para humedecer y filtrar el aire que inspiramos. La nariz está expuesta a más agentes infecciosos que cualquier otro órgano del cuerpo. Este efecto «acondicionador del aire» asegura que cuando llega a los bronquios y pulmones esté en las mejores condiciones. La mayor parte de esa función de portero la realizan estructuras especiales de la nariz llamadas cornetes. Son unos huesos de forma alargada como una salchicha forrados por un tejido muy rico en sangre. Hay tres en cada ventana nasal. Pasan por ciclos de periódica congestión y descongestión, primero hinchándose con la sangre (congestión) y luego contrayéndose (descongestión), dejando en el proceso residuos de la filtración. Esta acción se realiza en su mayor parte de forma inconsciente, pero si tomamos conciencia de su funcionamiento puede llegarse a sentir la obstrucción cuando en realidad no está obstruida. Puede hacer la prueba mientras lee. Tapone suavemente una de las ventanas nasales con un dedo y respire por la otra; sentirá que una está «más abierta» que la otra. Haga la prueba más tarde y ocurrirá lo contrario.

Las ventanas nasales están separadas una de otra por una pared de cartílago llamada tabique nasal. Entre los cornetes y el tabique queda muy poco espacio libre. Hay que considerar que se trata de un diseño deliberado, ya que una mayor amplitud hubiera dado lugar a un efecto acondicionador del aire menos eficiente.

Los senos son espacios huecos (llenos de aire) situados en medio de los huesos que rodean la nariz. De este modo, hay senos en los pómulos (senos maxilares), en los huesos situados por encima de los ojos (senos frontales) y en los huesos que se sitúan entre los ojos (senos etmoidales). Todos éstos drenan en la cavidad nasal y son una continuidad de ésta. Por esta razón, la nariz y los senos tienen que ser considerados en conjunto: son un solo órgano. Finalmente, la cavidad nasal también se conecta (y recibe secreciones) con el oído medio a través de un conducto denominado trompa de Eustaquio.

Tanta sofisticación en tan poco espacio tiene un precio, y es el siguiente: los espacios pequeños se obstruyen con facilidad. De este modo, incluso una pequeña deformidad del tabique nasal, un mínimo pólipo o cualquier clase de inflamación de la nariz produce rápidamente síntomas de obstrucción nasal. Las obstrucciones, ocurran en la parte del cuerpo donde ocurran, provocan frecuentemente una infección. Por lo tanto, una trompa de Eustaquio obstruida, por ejemplo, puede conducir a una infección del oído medio. De igual manera, la obstrucción de los puntos de drenaje de los senos también provocará una infección en éstos. Nos referimos a estas infecciones como fenómenos secundarios: es decir, secundarios con respecto a la obstrucción.

Historia clínica

Ciara es una niña de diez años. «Lleva dos años con un resfriado tras otro», explicaba su madre. Le pregunté qué era lo que quería decir con aquello. «Siempre está con la garganta y los oídos doloridos. No para de sorber por la nariz y tiene que respirar por la boca», decía. La niña era el retrato del sufrimiento. «Y ¡fíjese!», continuó, señalando al labio superior de la niña, «tiene la piel de la cara casi en carne viva por culpa de los pañuelos». No me hizo falta mucho tiempo para suponer que el problema de Ciara era que los tejidos internos de la nariz estaban inflamados. Aparecían completamente enrojecidos. Había, además, una abundante secreción nasal de mucosidad clara, como si fuera clara de huevo. Los cornetes estaban inflamados hasta el punto de obstruir ambas ventanas nasales. Respiraba por la boca. Además, uno de sus oídos estaba lleno de líquidos, como podía comprobarse al apreciar un tímpano opaco y sin brillo. Las pruebas cutáneas demostraron que Ciara era altamente alérgica a los ácaros del polvo doméstico, el polen de las hierbas y a algunos mohos. Ciara sufre, salvo prueba en contra, una **rinitis alérgica**.

¿Qué es la rinitis alérgica?

La rinitis alérgica es una inflamación de los tejidos de la nariz causada por una alergia (*rhin,* ¡como en rinoceronte!). Los síntomas son:

- moqueo.
- estornudos, por lo general muy frecuentes y repetitivos.
- escozor en la nariz.
- escozor del velo del paladar (el «techo» de la parte posterior de la boca).
- escozor en los oídos.
- obstrucción nasal.

La inflamación de la rinitis alérgica no es poca cosa. Los tejidos de la nariz, normalmente limpios y brillantes, se llenan de células que llegan del flujo sanguíneo. Son células del sistema inmunológico, que acuden por una «alerta alérgica». Unas células especiales de la nariz, denominadas mastocitos, se liberan al contacto con una sustancia a la que son alérgicos. Cuando se liberan, su contenido (sustancias químicas muy activas) se esparce por los tejidos circundantes. Se trata del primer paso de la «cascada alérgica». Esas sustancias químicas son responsables de los primeros síntomas de alergia, es decir: picor, estornudos y moqueo. Son también el SOS que hace acudir a otras células a la batalla. A medida que todas estas células se acumulan en los estrechos espacios de la cavidad nasal, causan la obstrucción. Por lo tanto, la obstrucción es un síntoma posterior a la alergia.

¿Quién la sufre?

La rinitis alérgica es muy corriente. Un 10% de los niños y el 30% de los adolescentes están afectados por ella. Sin embargo, puede producirse en la primera infancia o en cualquier momento de la edad adulta, incluida la vejez. En general, cuanto mayor se es al padecer rinitis por primera vez, menos probable es que sea de origen alérgico (más adelante se tratará el tema de las rinitis no alérgicas).

¿Se cura sola?

La rinitis alérgica es una enfermedad de larga duración, en la que los pacientes presentan síntomas durante muchos años. Los síntomas fluctúan en función de la exposición al alergeno, el tiempo, etc. Se producen ocasionalmente remisiones espontáneas, ¡pero más vale que espere sentado!

¿Cuál es su causa?

La causa de la rinitis alérgica es por lo general una alergia a algún elemento del aire que respiramos. Por el hecho de inhalarlos, nos referimos a éstos como «alergenos por inhalación». Es menos corriente un problema de alergia alimentaria o un alergeno del trabajo.

Causas de la rinitis alérgica:

1. Alergenos por inhalación
   - polen: de hierbas, árboles y maleza.
   - ácaros del polvo doméstico.
   - esporas del moho.
   - caspa de animales y plumas.
2. Alergenos por ingestión
   - comidas y bebidas.
3. Alergenos profesionales.

1. Alergenos por inhalación

El modelo de los síntomas dependerá enteramente de a qué se es alérgico. Por ejemplo, si se es alérgico al polen de hierbas, sólo se notarán síntomas cuando haya cantidades significativas de polen de esa clase en el aire. Los síntomas comienzan en mayo y continúan durante todo el verano, decreciendo gradualmente a finales de agosto. De igual manera, si se es alérgico al polen de los árboles, o de la maleza, los síntomas aparecerán en primavera y en otoño respectivamente.

La tabla siguiente muestra los alergenos más habituales transmitidos por el aire, en relación con el calendario. Se aprecia que el moho, al igual que los ácaros del polvo, es uno de los alergenos perennes (presentes todo el año).

Naturaleza perenne y estacional de los alergenos corrientes

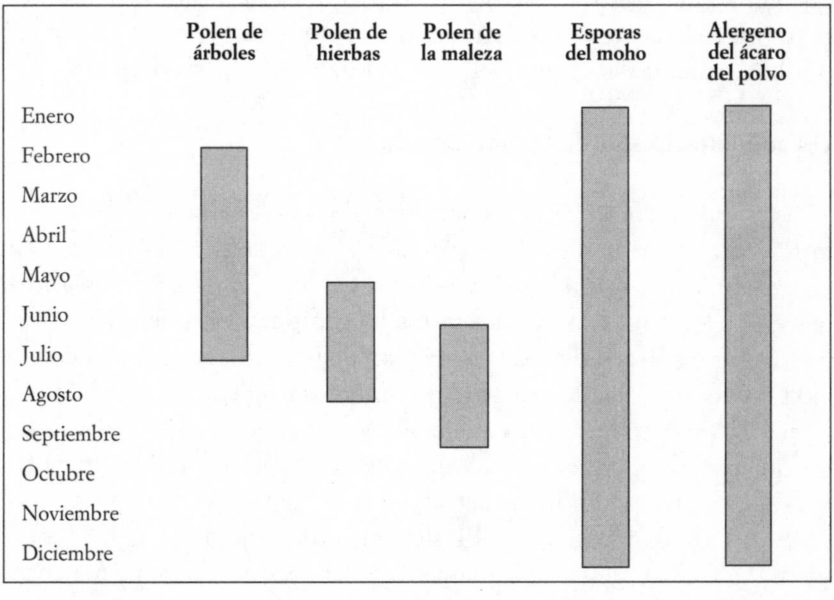

Polen de árboles | **Polen de hierbas** | **Polen de la maleza** | **Esporas del moho** | **Alergeno del ácaro del polvo**

Enero
Febrero
Marzo
Abril
Mayo
Junio
Julio
Agosto
Septiembre
Octubre
Noviembre
Diciembre

Unas líneas sobre la «fiebre del heno»

Fiebre del heno es el nombre corriente que recibe la rinitis alérgica estacional. Los síntomas son los de la rinitis alérgica, con el añadido de que también se padece escozor en los ojos y lagrimeo (conjuntivitis alérgica); los ojos pueden hincharse y doler. Es más, estos síntomas pueden venir acompañados de tos, sibilancias y asfixia. Lo llamamos «asma del heno». Aunque relacionamos estos síntomas con el heno, pueden ser producidos por cualquier otro alergeno que el aire pueda transmitir. Es interesante constatar que la fiebre del heno, al igual que las demás alergias, cada vez es más corriente. El primer caso fue descrito en 1812, y los médicos necesitaron doce años para describir los veinte casos siguientes.

No todas las alergias estacionales se deben a alergenos de temporada. En un caso muy bien documentado, se le indicaba a un joven que padecía «asma del heno» porque sufría sibilancias cada verano, especialmente durante los días más secos y calurosos. Y, en efecto, no sufría sibilancias el resto del año. Un perspicaz compañero intuyó que las sibilancias estaban relacionados con el consumo de una bebida elaborada a base de una disolución concentrada de naranja, de la que consumía cantidades considerables en los días calurosos del verano. La bebida contenía tartracina, un colorante. Al dejar de consumir la tartracina, su «asma del heno» desapareció por completo.

Un comentario sobre el polen del abedul

Hay que mencionar especialmente el polen del abedul. Lo transmite el aire a principios de la primavera, y algunas veces incluso en enero, causando erupciones en los individuos alérgicos. De esta forma, estos pacientes presentan todos los síntomas de una «fiebre del heno», pero sufren además la aparición de una urticaria. A esta colección completa de síntomas la denominamos «polenosis del abedul». Hay otro aspecto destacable de la alergia al abedul: más del 60% de los que son alérgicos a él notan una sensación de cosquilleo en los labios y la lengua cuando comen manzanas. Es lo que denominamos una «reactividad cruzada». El sistema inmunológico, obviamente, piensa que el alergeno de la manzana y del abedul son la misma cosa. El abedul también tiene una parecida reactividad cruzada con las patatas, la chirivía, la zanahoria y las avellanas (aunque estos alimentos no causen necesariamente cosquilleo en los labios). Se trata de una reminiscencia del síndrome de alergia oral, en la que algunos individuos reaccionan a casi todas las frutas y verduras (véase el capítulo 7).

Unas líneas sobre los ácaros del polvo doméstico y el moho

Como puede apreciarse, la alergia al polen transmitido por el aire es una cuestión estacional. Los síntomas aparecen y desaparecen con el polen. La alergia al ácaro del polvo doméstico, por otra parte, es bastante diferente. Los síntomas son perennes, porque nuestra exposición al ácaro es permanente. Los síntomas pueden disminuir un poco durante el verano y empeorar levemente en invierno, aunque eso sólo refleja nuestra mayor o menor exposición al alergeno. El moho es similar, o mejor dicho, los mohos (en plural) son similares. Tan pronto como una especie acaba de echar sus esporas al aire empieza el mismo proceso en otra. El resultado final es que estamos práctica y continuamente expuestos a las esporas del moho de una especie u otra.

Un comentario sobre los productos químicos

Los pacientes con rinitis alérgica a menudo se quejan de que los olores de tipo químico (como el humo del tabaco, los perfumes o el desodorante) les agravan los síntomas. Así que creen que son alérgicos a las sustancias químicas en sí mismas. Sin embargo, la mayoría son reacciones irritantes. Es decir, irritan una nariz ya inflamada. Trátese la alergia subyacente y no habrá que preocuparse de los ocasionales olores químicos. Al tratar la alergia ocupacional se verá la necesidad de diferenciar entre las reacciones alérgicas y las irritantes, porque es posible, después de todo, ser también alérgico a las sustancias químicas.

2. Alergenos por consumo de alimentos

La rinitis y la alergia alimentaria

Es muy poco habitual que la alergia a un alimento *ingerido* cause rinitis sin producir también algún otro síntoma alérgico. Sin embargo, los alimentos también pueden causar rinitis asociada o no a otros síntomas. Así, en caso de sufrir rinitis junto con otros síntomas, si las pruebas cutáneas son negativas a los alergenos que transmite el aire, habría que considerar la posibilidad de una alergia alimentaria. La dieta de bajo contenido alérgico es la única prueba fiable para este propósito (véase el capítulo 17).

La rinitis y la falsa alergia alimentaria

Hay que tener en cuenta que:

- el masticar alimentos muy calientes o picantes puede causar moqueo.

- el alcohol produce congestión nasal.
- la cafeína puede causar rinitis: estornudos, moqueo y obstrucción nasal.

La rinitis y la sensibilización a la aspirina

Existe otra causa interesante de la rinitis: la sensibilidad a la aspirina. No se trata de una alergia en el sentido estricto de la palabra, ya que no interviene la IgE, el anticuerpo de la alergia. Una pista de que se padece una cierta sensibilización a la aspirina es, desde luego, un repentino empeoramiento de los síntomas inmediatamente después de tomarla. Sin embargo, un 25% de nuestros alimentos contienen salicilatos, sustancias muy similares a la aspirina (ácido salicílico). Por tanto, un paciente sensible a la aspirina está expuesto a esas sustancias de forma frecuente e inadvertida en la dieta diaria. La sensibilización a la aspirina se manifiesta frecuentemente por la presencia de rinitis, pólipos, urticaria y asma. Si se padece alguno de estos tres síntomas, siga la dieta de bajo contenido en salicilatos de las páginas 73 y 74. La mejora de alguno de los síntomas significaría que se es, efectivamente, sensible a los salicilatos.

3. Rinitis profesional

Es posible desarrollar síntomas de rinitis (y de otro tipo) por la inhalación de un alergeno o irritante en el trabajo, o practicando una actividad determinada.

Por ejemplo:

- Comida (panaderos y molineros alérgicos al polvo del trigo y del centeno).
- Polvo de la madera (roble, palisandro, teca, caoba, pino o cedro rojo, etc.).
- Semillas (que contienen diferentes alergenos, incluyendo polen, moho, ácaros, etc. El maíz es especialmente problemático).
- Enzimas (en laboratorios).
- Anhídridos (resinas plásticas y de epoxi).
- Látex (guantes médicos y paramédicos, productos de goma).

Hallará información mucho más detallada sobre las alergias ocupacionales en el capítulo 8. Entretanto, explico a continuación un ejemplo de lo que puede ocurrir en el trabajo. James, un transportista de treinta y cinco años, se quejaba de sentir «una opresión en el pecho»: «No continuamente, doctor, viene y se va. Llevo así diez años». No le veía ninguna explicación a sus síntomas, pero en cuanto se empezó a indagar, aparecieron datos significativos. El primer síntoma era inevitablemente «un bulto en la garganta». Enseguida seguía el moqueo, con accesos violentos de estornudar. Finalmente, las sibilancias. Siempre había pensado que era un resfriado y nunca había prestado demasiada atención a los síntomas. Era un hombre resistente, más preocupado por los inconvenientes que otra cosa. «¿Qué es lo que transporta en el camión?», le pregunté.

«Piensos para animales», dijo. «Granos de soja y otros.» Acordamos realizar una prueba cutánea y, efectivamente, era sensible a los mismos. Lo sometimos a un programa de desensibilización, junto con una medicación para superar los momentos peores. También empezó a utilizar una máscara cuando manipulaba la carga. Al cabo de unos meses de tratamiento había mejorado considerablemente. En la última revisión me dijo que ya no tenía síntomas de ninguna clase, «excepto un resfriado que me empezó la semana pasada». Sin embargo, cuando observamos con el microscopio su secreción nasal, comprobamos que estaba llena de células alérgicas. Estaba claro que James todavía estaba expuesto accidentalmente a algún alergeno que le afectaba de vez en cuando.

¿Hay complicaciones?

A primera vista, los síntomas de la rinitis alérgica no parecen excesivamente problemáticos, incluso pueden trivializarse. Sin embargo, tienen un peso importante en la calidad de vida de los pacientes. Además de las obvias incomodidades y los problemas sociales de los propios síntomas de la rinitis, los pacientes también tienen que soportar:

- Los efectos secundarios de los trastornos del sueño:
  - problemas de concentración
  - cambios de humor

  – fatiga
  – dolor de cabeza.
- Los efectos secundarios de la obstrucción nasal:
  – infecciones sinusíticas repetidas
  – garganta irritada reiteradamente
  – problemas repetidos en los oídos.

Observemos con mayor detenimiento los síntomas de Ciara, la joven a la que nos referimos al principio de este capítulo. La inflamación de la nariz le estaba provocando una rinorrea y obstrucción nasal. La obstrucción le bloqueaba una de las trompas de Eustaquio, dando lugar a una acumulación de líquidos en el oído medio de ese lado. La presión que se le producía en el interior de oído le dolía. La obstrucción nasal también la obligaba a respirar por la nariz, lo que le resecaba en exceso la garganta, especialmente en los períodos de sueño. No había duda de que tenía una irritación en la garganta. Es más, al no poder respirar con facilidad, el sueño era irregular e intranquilo, lo que contribuía a provocar su cansancio y otros inconvenientes.

Rinitis y asma

También existe una relación directa entre la rinitis y el asma. De hecho, se relacionan por dos hechos distintos. En primer lugar, existe una conexión nerviosa entre la nariz/senos y los bronquios. La irritación de los primeros produce una reacción asmática en el segundo. En segundo lugar, las rinitis alérgicas no tratadas conllevan la inspiración de aire de poca calidad. Con la nariz tapada, el aire se toma a través de la boca, por lo que no pasa por el acondicionamiento de una nariz sana. El aire que llega a los pulmones es relativamente seco, a la vez que se encuentra polucionado con partículas microscópicas de polvo y otros alergenos. Y esto no resulta bueno para el asma. Es importante, por ello, tratar las rinitis (si están presentes) al tiempo que se trata el asma.

Rinitis y pólipos

Las rinitis suelen complicarse con pólipos nasales. Se trata de estructuras parecidas a un racimo, que «crecen» como un racimo en una rama. Por lo general, se encuentran fuera de la vista, en el interior de la nariz. El cuerpo del pólipo puede llegar a ser bastante grande, lo suficiente como para empujar la cara externa de las ventanas hacia afuera, dando a la nariz la apariencia de estar inflamada y deformada. El problema de los pólipos es que causan muy rápidamente una obstrucción. Incluso los más pequeños, si están situados estratégicamente, pueden bloquear un seno. Una vez más, la obstrucción lleva a la infección. La aplicación tópica de esteroides puede ayudar a reducir el pólipo, pero por lo general se requiere una intervención quirúrgica. Los pólipos tienden a reaparecer, así que vale la pena procurar que las alergias subyacentes se traten de manera adecuada.

Rinitis y otras alergias

Finalmente, los pacientes con rinitis alérgica (y asma), en conjunto, son más propensos a desarrollar ciertas alergias a los alimentos (véase el capítulo 7).

¿Qué se puede hacer con las rinitis alérgicas?

En el tratamiento de las rinitis alérgicas se pretende:

1. Identificar los alergenos implicados y reducir la exposición a los mismos.
2. Comprender los mecanismos no alérgicos.
3. Reducir la inflamación nasal con medicación.
4. Tratar las complicaciones si se presentan.
5. Considerar la posibilidad de un tratamiento de desensibilización para acabar con las alergias.

Controle las alergias

La investigación que resulta de mejor ayuda para el paciente que sufre de rinitis es la de la historia clínica muy detallada y la exploración física de la nariz, junto con una prueba cutánea. Así se tendrá información fidedigna de las alergias a ciertos elementos transmitidos por el aire. Los alergenos que suelen incluirse en las pruebas cutáneas son los del ácaro del polvo doméstico, el polen, los mohos y la caspa animal. Una vez se sabe qué alergenos causan el problema se pueden tomar medidas para reducir la exposición a los mismos. El culpable más habitual es, con diferencia, el ácaro del polvo doméstico. Si se es alérgico a ese alergeno, sería conveniente tener en cuenta las medidas de precaución que se detallan en el apéndice.

TRATAMIENTO MÉDICO DE LA RINITIS

1. Descongestivos nasales
   - Hay que tratar de evitarlos a toda costa (véase más adelante).
   - Una vez dicho eso, pueden utilizarse durante unos días al principio del tratamiento para permitir que los esteroides tópicos puedan penetrar en la nariz que está obturada.
2. Antihistamínicos
   - Reducen los síntomas inmediatos de la alergia (picor, moqueo, estornudos y molestias en los ojos).
   - Con una notable excepción (Zirtek), no tendrán consecuencias en los síntomas posteriores de la alergia, es decir, la obstrucción nasal.
   - Puede conseguirlos de inmediato en la farmacia. Solicite aquellos que no tengan efectos sedantes.
3. Nebulizadores nasales de esteroides tópicos
   - Resultan muy efectivos.
   - Son muy seguros.
   - Debe continuarse el tratamiento al menos *dos semanas* antes de decidir que no han hecho efecto.
   - Hay que usarlos *todos los días* para conseguir los mejores resultados, con independencia de los síntomas.
4. Inyecciones intramusculares de esteroides
   - Son la opción para los pacientes con enfermedades graves que no responden a todo lo anterior.
   - Pueden utilizarse en pacientes que tengan que enfrentarse a acontecimientos de relevancia, por ejemplo, exámenes, una boda, etc.
5. Desensibilización
   - Mi opción preferida; véase el capítulo 18.

¿PODRÍA SER OTRA COSA?

¡Sí! ¡No todo lo que hace estornudar es una alergia!

- Rinosinusitis infecciosa (viral)

  La mayoría de las infecciones respiratorias son «resfriados corrientes» causados por el rinovirus y el coronavirus humano. Estos virus fuerzan el paso a las células de la mucosa nasal y, en consecuencia, provocan una respuesta inflamatoria (inmunológica) en su contra . Afortunadamente, son infecciones autolimitadas, incapaces de prolongarse más allá de unos cuantos días. Tales infecciones virales son muy comunes entre los niños, que llegan a padecer quizás entre cinco o seis infecciones al año en la primera infancia. Hace falta subrayar un hecho: los «resfriados» nunca son *constantes*. Por el contrario, son brotes *autolimitados* de la enfermedad, que no duran más que unos pocos días. Los antibióticos, por cierto, no tienen absolutamente ningún efecto sobre los virus. No hay, por tanto, ninguna razón para medicarse (o medicar al niño) con un antibiótico ante el resfriado común.

- Rinosinusitis infecciosa (bacteriana)

  Algunas veces las bacterias sacan provecho de los problemas y las obstrucciones causadas por un virus. Estas infecciones bacterianas «secundarias» o «superpuestas» suelen ser más problemáticas y requieren muchas veces el tratamiento con antibióticos. Los pacientes con rinitis alérgica sin tratar sufren el riesgo de padecer infecciones bacterianas recurrentes por la misma razón. El adecuado tratamiento de la alergia subyacente reduce en gran medida el riesgo. Algunos pacientes desafortunados sufren infecciones bacterianas recurrentes de la nariz y los senos nasales que *no somos capaces de explicar*. Algunos pueden sacar algún beneficio de un tratamiento de mejora de su sistema inmunológico.

- Rinitis no infecciosa y no alérgica (RNINA)

  ¡Un nombre precioso! Se trata de un tipo de rinitis de la que desconocemos su causa, pero que sabemos que «no se trata ni de una infección ni de una alergia». Una vez dicho esto, recordemos que los nervios de la mucosa nasal están trabajando a toda máquina. Son la fuerza que está tras la inflamación, pero la razón por la que lo hacen es un misterio. También sabemos que este proceso está relacionado en cierta manera con la edad: cuanto mayor se es la primera vez que se padece una rinitis, más probabilidades hay de no ser alérgico. Se trata en muchos sentidos de un diagnóstico por exclusión: se ha descartado la infección y la alergia, por lo tanto lo denominamos RNINA. Los síntomas, sin embargo, son prácticamente iguales a los de la alergia (y provocan tantos problemas como ésta).

- **Vigile**... los efectos secundarios de la medicación. Algunas medicinas recetadas causan rinitis. La pueden producir sin que se dispomonga de ninguna otra pista que indique que se es «alérgico» a esas medicinas. Compruebe la lista y asegúrese de que no está tomando ninguna de las que aparecen en ella. Si toma alguna, consulte con su médico un tratamiento alternativo.

  Medicinas que causan rinitis:
  Reserpina
  Guanetidina
  Hidralacina
  Betabloqueantes
  Metildopa
  Inhibidores de la ECA
  Prazosin
  Fentolamina
  Aspirina y otros antiinflamatorios no esteroides
  Anticonceptivos orales
  Descongestivos nasales

- **Vigile...** los descongestivos nasales. Otro problema muy común está relacionado con el uso de nebulizadores nasales y gotas. Lo que ocurre muchas veces es que un paciente con rinitis empieza a utilizar un descongestivo durante los momentos de mayor molestia de los síntomas. Nota un gran alivio en la obstrucción nasal (porque inducen a una semipermanente contracción de los cornetes). Sin embargo, una vez que el efecto del descongestivo desaparece, hay un rebrote de la inflamación de los cornetes que produce mucha incomodidad. Una nueva aplicación de descongestivo volverá a producir un alivio inmediato, pero el paciente se acostumbrará a utilizarlo. Para salir de esta trampa, utilícese un esteroide tópico nasal como se indica a continuación:

Deshabituación a los descongestivos nasales

- Aplicar un esteroide nasal tópico (prescrito por el médico) en cada ventana nasal cada mañana y tarde durante la fase de renuncia.
- Continúese utilizando el descongestivo como antes.
- Después de dos semanas, deje de utilizar el descongestivo en una de las ventanas de la nariz y soporte las molestias o la obstrucción que se le producirá durante unos días.
- Continúe aplicando el descongestivo en la otra ventana como antes y el nebulizador de esteroides en ambos.
- Al cabo de una semana, deje de utilizar el descongestivo y, una vez más, notará molestias en la otra ventana durante unos días. Continúe aplicando el nebulizador de esteroides en ambas ventanas.
- A partir de ese momento, trate la rinitis adecuadamente.

• **Vigile**... las hormonas femeninas. La obstrucción nasal y el moqueo pueden aparecer durante el embarazo, en especial durante el segundo y tercer trimestre. Los síntomas suelen desaparecer de inmediato tras el parto. Los pacientes con una rinitis alérgica conocida antes del embarazo pueden notar una mejora o un empeoramiento de los síntomas. La rinitis también puede presentarse antes o poco después de la menopausia. Muchas mujeres se quejan de que la rinitis y el asma se acentúan en los períodos premenstruales. Todos estos fenómenos son de naturaleza hormonal. No es sorprendente por ello que las mujeres que utilizan anticonceptivos orales corran un mayor riesgo de sufrir rinitis: otra rinitis «hormonal» que se resuelve evitando la píldora.

• **Vigile**... otras enfermedades. Muy raramente, la rinitis puede ser un primer síntoma de una enfermedad subyacente, como un problema de hipotiroidismo o una granulomatosis de Wegener.

CONSEJOS PARA LA FIEBRE DEL HENO

Si sufre de alergia al polen de las plantas, tome las siguientes medidas para reducir los síntomas:

1. Manténgase informado de los recuentos sistemáticos de polen
   - Los síntomas aparecen cuando hay recuentos de 50 granos por metro cúbico.
   - Los síntomas son importantes cuando se alcanzan los 300 granos por metro cúbico.
   - En los campos de heno se sobrepasan los 4.000 granos por metro cúbico.
   - Hacia el final de la temporada de polen descubrirá que incluso recuentos bajos (en torno a 30 granos por metro cúbico) pueden causarle problemas. Esto es debido a que su sistema ha quedado condicionado por la exposición al polen de los meses de verano.
2. Quédese en casa cuando el recuento sea alto
   - Los recuentos son mayores en los días secos y ventosos.
   - Los recuentos aumentan por la tarde y la noche debido a la acción de los vientos.
3. Evite las zonas de mucho polen
   - Pase las vacaciones en la playa. El aire procedente de tierra lleva polen. El aire que viene del mar, no.
4. Dúchese y cámbiese de ropa tan pronto como entre en casa
   - Así, eliminará el polen de la piel.
5. Viaje con las ventanas cerradas, mejor en un coche con filtros para polen
6. Utilice gafas de sol
7. Si lo desea, puede utilizar una máscara con filtro de aire
8. Utilice la medicación con prudencia
   - Antihistamínicos, como antes se ha descrito.
   - Nebulizadores de esteroides tópicos
     – debe empezar a utilizarlos dos semanas antes de la época de polen
     – y debe continuar con ellos durante toda la estación.
   - Colirios para la alergia (bajo prescripción)
     – son muy seguros
     – actúan muy rápidamente
     – son efectivos para los síntomas oculares
     – deben usarse cuando se tengan síntomas.

9. Considere la posibilidad de iniciar un tratamiento de desensibilización
   - Es la opción que prefiero; véase el capítulo 18.

- Hay que ponerse una inyección al menos cuatro semanas antes de que empiece la estación del polen.
- Incrementará su resistencia al polen.
- Eliminará los síntomas por completo durante toda la estación.
- También reducirá la necesidad de utilizar la medicación que se ha mencionado anteriormente.

Capítulo 5

La alergia y los pulmones: asma

Los pulmones sanos

¿Se ha fijado usted en que nunca pensamos en la respiración excepto cuando nos cuesta respirar? Funciona automáticamente. En un estado de buena salud, nuestro cerebro envía un mensaje subconsciente a los músculos del pecho: «¡Inhalar!». Los músculos se contraen y el aire penetra. Como hemos visto en el capítulo anterior, el aire se acondiciona cuando pasa a través de la nariz, lo que asegura que a partir de ese punto el aire se ha filtrado y humedecido y tiene la temperatura adecuada. Entonces el aire pasa a través de la garganta a las vías aéreas: la laringe, la tráquea y los bronquios, para llegar finalmente a los pulmones.

La laringe, órgano de la fonación, está en el cuello. Puede distinguirse la nuez a medio camino entre el mentón y el pecho. Es más prominente en los hombres, lo que les confiere una voz más grave. La tráquea va desde la laringe hasta el pecho dividiéndose en dos grandes ramas. Una hasta el pulmón derecho y la otra hasta el izquierdo. Éstas se dividen a su vez en ramas más pequeñas, siguiendo el modelo de un árbol. El aire pasa a través de estos conductos, para llegar finalmente a su destino: las microscópicas bolsas de aire llamadas alveolos. Se trata de los elementos que trabajan en los pulmones. En realidad, *son* los pulmones. Ahí es donde se produce todo el proceso, donde el dióxido de carbono pasa de la sangre a los alveolos y se distribuye el oxígeno en sentido contrario.

Si cada uno de los alveolos se dispusieran uno al lado de otro (en vez de estar agrupados en los dos pulmones), ocuparían una superficie de setenta metros cuadrados, bastante más que una pista de *squash*. Esto sirve para comprender la capacidad pulmonar y el trabajo que realizan los pulmones. Una vez se han intercambiado los gases, los músculos del pecho se relajan y el aire usado se expulsa. Si a pesar de la filtración que hace la nariz, penetra algún cuerpo extraño o polvo, quedará atrapado en la mucosa del árbol bronquial. Estos tejidos están provistos de unos cilios, pequeños pelos que se mueven con el aire y llevan metódicamente los restos hacia la laringe. Cuando se acumula suficiente cantidad, se produce una tos refleja y el polvo acumulado se expulsa de las vías aéreas. Esta capacidad de autolimpiarse puede dejar de funcionar fácilmente en caso de una polución elevada, como el humo del tabaco o los coches.

Imagínese por un instante que corre para coger un autobús. Cuando lo consigue ya se ha quedado sin respiración. Se sienta, resoplando y jadeando, y nota una cierta incomodidad. Afortunadamente lleva un pase para mostrárselo al conductor, ya que no le queda resuello para decirle hasta dónde va. Podría pensar «No estoy en forma, debería volver al gimnasio». Sea como sea, el jadeo es automático, guiado por un grupo especializado de células del cerebro. Son las que deciden si se tiene suficiente oxígeno o no. Cuando el centro de la respiración ya está satisfecho y considera que ya se ha jadeado lo suficiente, se reducirá su intensidad y la respiración volverá a su estado normal de reposo. Durante todo el día, de forma menos espectacular, la intensidad de nuestra respiración aumenta y disminuye de esta manera, dependiendo de nuestra actividad física (y mental). Durante la noche, cuando estamos sumidos en períodos de sueño, la respiración se hace más lenta. Alcanza su punto más bajo sobre las cuatro de la madrugada. Pero algo falla cuando aparece el asma.

Historia clínica

Adrian es un muchacho de trece años al que le encanta hacer deporte. Sufre asma desde la infancia. Utilizaba tres inhaladores diferentes cada día, pero seguía con síntomas. Es más, se levantaba a medianoche para inhalar unas cuantas veces. Cuando la situación se le escapaba de las manos, lo que ocurría varias veces al año, necesitaba tomar pastillas de esteroides orales. Además, ocasionalmente sufría ataques graves que hacían indispensable su ingreso en el hospital. Estos ataques venían acompañados por infecciones la mayoría de las veces. Su médico creía que podía existir una causa alérgica en su asma, por lo que lo envió a la clínica de la alergia. Adrian decía que no tenía problemas si se tomaba las cosas con tranquilidad, pero que era un deportista y no deseaba una forma de vida sedentaria.

Estaba muy frustrado por no poder correr sin toser y sufrir sibilancias (sensación de ahogamiento). Inhalar antes de un partido de fútbol no le servía. Además tenía fiebre... ¡y un gato!

Las pruebas cutáneas dieron como resultado que era altamente alérgico a diferentes alergenos que se propagan por el aire, incluidos el polen, los ácaros del polvo y los mohos. También era alérgico al gato. Lo primero que hizo fue limpiar completamente su casa. Luego tomó las medidas adecuadas para evitar los alergenos (véase el apéndice). También buscó a alguien que pudiera adoptar al gato. Su asma mejoró a las pocas semanas, pero aún le quedaba un cierto camino por recorrer. Iniciamos entonces un tratamiento de desensibilización. Cuando llegamos a la cuarta dosis, su función pulmonar había mejorado considerablemente, dormía bien por la noche, jugaba al fútbol con el equipo de su escuela y había pasado todo el verano sin sufrir fiebre del heno. Ahora intentamos deshabituarlo a los inhaladores.

¿Qué es el asma?

El asma es una enfermedad crónica de las vías aéreas tan antigua como la propia historia. Se dice que el emperador chino Huang Di (2697-2598 a.C.) ya se refiere a esta enfermedad; los egipcios la mencionan en los papiros Ebers; Hipócrates creía que la causaba algo del ambiente; y Plinio el Viejo ya refería casos provocados por el polen. El nombre lo hemos heredado de los griegos: asma significa «jadear» o «respirar con dificultad».

En resumen, el asma es una situación inflamatoria de los bronquios, que los convierte en hiperreactivos. Con eso quiero decir dos cosas. En primer lugar, los bronquios están *siempre* (crónicamente) inflamados, *incluso en los casos de episodios de asma muy leve.* Segundo, las vías aéreas inflamadas son muy sensibles a los cambios. Están agitadas, si se prefiere, y reaccionan con exageración a los estímulos ambientales. En esos casos, sufren espasmos y todavía aumenta más la inflamación. Aquí, una vez más, los mastocitos desempeñan un papel importante. La secuencia de lo que ocurre se comprende fácilmente:

1. Los tejidos de los bronquios se inflaman y se hinchan.
2. Los tejidos inflamados segregan mucosidad espesa hacia las vías aéreas.
3. Los músculos que rodean los bronquios se contraen y sufren espasmos.

Cada paso de este proceso se caracteriza por una reducción del calibre (tamaño) de las vías aéreas. Vamos a verlo de otro modo. Está usted en una película y huye de un enemigo. Está armado y usted no. Llega hasta un río, demasiado ancho para cruzarlo en un momento. Se vuelve y ve al malo en plena persecución, así que de un salto se esconde entre los juncos. Afortunadamente el director le da un trozo de manguera y se sumerge debajo del agua respirando a través de ella. Todo va bien hasta que el director decide que una cañita daría un efecto más dramático. Hace el cambio. Ahora hay que respirar a través de un calibre más pequeño. No sólo tiene que aspirar el aire con mayor fuerza, sino que también tiene que expulsarlo con intensidad. Respirar es mucho más difícil. Es lo que ocurre con el asma: exige respirar por un conducto más estrecho.

Los síntomas del asma son el resultado directo de unas vías aéreas inflamadas y de menor calibre. Los pacientes experimentan:

1. dificultad para respirar/falta de respiración (disnea)
   y/o
2. opresión en el pecho
   y/o
3. sibilancias (pitos)

y/o

4. tos.

Aunque la mayoría de los pacientes experimentan estos síntomas, otros pueden no padecerlos. Es más, algunos pacientes sólo se quejan de la aparicion de uno de los síntomas, como la tos crónica o la fatiga. Es una de las cuestiones que hay que tener en cuenta: una tos que no desaparece o que no aparece durante el día y vuelve por la noche. *Todos los que sufran de tos durante más de cuatro semanas tienen que asegurarse de que no tienen asma.* No espere sibilancias, ¡puede que no las sufra nunca!

El señor Dunne era un caso interesante. Tenía sesenta y dos años y se quejaba de fatiga. No era nada específico, simplemente una pérdida de energía. Le había comenzado gradualmente unos dos años antes aproximadamente. Sí, se sentía un poco deprimido, y sí, estaba harto del trabajo. Había pensado en jubilarse, pero no tenía ni idea de lo que haría durante todo el día. La única cosa anormal del examen era la presencia de un silbido en el pecho. No lo oía, ni yo tampoco sin el estetoscopio, pero lo tenía. Tras unas cuantas comprobaciones más, se confirmó que tenía asma. Después de un mes de tratamiento con dos inhaladores ya se sentía mucho mejor, ¡había recuperado la energía! La fatiga puede ser el único síntoma del asma.

¿Quién la sufre?

Cualquiera puede tener asma. Puede comenzar a cualquier edad, pero es más frecuente en los niños, en especial por debajo de los cinco años. En este grupo de edad, el número de niños que la sufren duplica al de las niñas, seguramente porque tienen las vías aéreas más estrechas. Sin embargo, sobre los diez años, el número de niñas afectadas alcanza al de los niños. Y cuando el asma se presenta por vez primera en edad adulta, los hombres y las mujeres resultan afectados por igual.

Se ha hablado mucho en los últimos años sobre el hecho de que parece que han aumentado los casos de asma. Sin embargo, quienes han analizado los datos ofrecen informaciones contradictorias, que van desde un «leve aumento» hasta un «aumento del 500 % del número de casos». La verdad seguramente se sitúa entre esos dos extremos, pero no hay duda: el asma es cada vez más corriente, y ahora mismo se calcula que cien millones de personas en todo el mundo padecen esta enfermedad. Finalmente conviene señalar que ciertas ocupaciones pueden aumentar el riesgo de sufrirla. Véase el capítulo 8.

¿Se cura sola?

¡Quizá sí! Más del 50% de los niños afectados se curan completamente. Sin embargo, el asma que aparece por primera vez en la madurez tiende a ser más persistente.

¿Cuál es su causa?

No conocemos la causa del asma, pero sí conocemos algunas circumstancias que la desencadenan. Unas son de naturaleza alérgica, pero otras no. También sabemos que el asma se transmite por carácter familiar. En concreto, es la tendencia genética hacia la alergia la que pone a los niños en riesgo de padecer asma (aunque no todos los niños alérgicos desarrollan la enfermedad). También existe una relación entre el riesgo de sufrir asma y...

- la polución medioambiental (interior y exterior)
- el humo del tabaco
- padecer otras alergias
- tener un peso muy bajo al nacer
- la exposición a muchos alergenos durante el primer año de vida

Asma: los desencadenantes alérgicos

Los desencadenantes alérgicos del asma son:

1. Alergenos por inhalación
   - ácaros del polvo doméstico
   - polen: de hierbas, árboles y maleza
   - esporas de mohos
   - caspa de animales: caballos, gatos, perros, etc.
   - plumas
   - otros
2. Alergenos por ingestión
   - comida y bebida
   - aditivos de la comida y la bebida
   - algunas medicinas pueden provocar asma. Los betabloqueantes y la aspirina son dos importantes ejemplos. Consulte con su médico si los está tomando y se agrava el asma
3. Alergenos profesionales
   - numerosos

1. *Algunos ejemplos de asma provocados por una alergia por inhalación*

James tenía ocho años la primera vez que acudió a la clínica de la alergia. Su historia es bastante clásica, e ilustra mucho de lo que se ha escrito sobre el tema. En primer lugar, tenía antecedentes alérgicos en su familia. Su madre y varios primos habían padecido fiebre del heno. Y él tenía una historia de eccema cuando era bebé, aunque le había desaparecido tiempo atrás. «Se ahoga y estornuda», comentó su padre. «Y tose. Vaya si tose, especialmente por la noche cuando intentamos dormir.» Seguía utilizando los inhaladores habituales, pero los inconvenientes no desaparecían. Como muchos niños asmáticos, empezó con sibilancias leves que luego aumentaron. Su padre, por desgracia, era un fumador empedernido, lo que estaba claro que complicaba las cosas. Las pruebas cutáneas indicaron que James era alérgico a los inevitables ácaros del polvo doméstico y tenía una sensibilización menor al polen del abedul. Su padre se comprometió a fumar exclusivamente en el jardín y a tomar medidas para reducir el alergeno de los ácaros de la habitación del niño según nuestras indicaciones. Entonces le dimos a James una dosis de desensibilizante y mejoró tan espectacularmente que su madre creyó que ya estaba curado. Sin embargo, hicieron falta varios meses (como se esperaba). En este momento se encuentra perfectamente, sigue con las inyecciones y va camino de la curación. *Muchas veces el asma se desencadena por culpa de los ácaros del polvo.*

Declan era un empresario de treinta y muchos años. Había tenido asma de joven unos años, pero le había desaparecido. Sin embargo, había vuelto a tener síntomas durante el último otoño, junto con rinitis. No se encontraba especialmente mal, decía, se trataba más de una incomodidad que de otra cosa. Una vez más, las pruebas cutáneas confirmaron su alergia a los ácaros del polvo. No padecía ningún otro tipo de alergia. La desensibilización le produjo una gran mejoría. La última vez que lo visité para suministrarle una dosis de refuerzo, me comentó que había dejado de utilizar los inhaladores. *El asma en los adultos también puede estar provocada por los ácaros del polvo.*

Helen es una estudiante universitaria a punto de hacer los exámenes de fin de curso. Hoy está «harta» porque sufre asma. De hecho, me dice que la sufre cada año en esta misma época, dificultando sus estudios. También padece otros síntomas de la fiebre del heno.

Una vez que llegan las vacaciones, se acaba el asma. Las pruebas cutáneas confirman su alergia al polen de hierbas, pero no es alérgica a otras sustancias. Padece una especie de «asma del heno». *A veces se provoca el asma por alergenos estacionales.*

Nuala es ama de casa y tiene dos hijos. Por culpa del asma se ha venido encontrando mal los últimos años. También ha tenido reiterados episodios de infecciones sinusíticas y pulmonares. Además, fue ingresada dos veces en un hospital con síntomas de neumonía y también para extirparle un pólipo nasal. No era sorprendente que hubiera que hacer algún comentario sobre su sistema inmunológico. Las pruebas cutáneas resultaron en extremo interesantes, por decirlo con discreción. Era muy sensible a los ácaros del polvo y al polen de hierbas, moderadamente sensible a varias especies de mohos (*Aspergillus, Alternaria, Candida*, etc.), y medianamente reactiva a los perros. Luego, me comento que su casa era un desastre como entorno. Tenía problemas de humedades y la bodega (¡tenía bodega!)estaba completamente húmeda y mohosa. Mientras pasaba todo esto, estaban decididos a cambiarse de casa, así que al buscar la casa nueva se fijaban mucho en que no tuviera humedades. Mejoró considerablemente a las pocas semanas del traslado y sigue bien hasta hoy (tres años después). *El asma puede estar provocada por una alergia a los mohos.*

Bartley es un contable que lo olvida todo a lomos de su caballo en campo abierto. Así que sintió una gran preocupación cuando empezó a estornudar cada vez que se acercaba a su caballo. Estaba perfectamente el resto del tiempo. Las pruebas cutáneas confirmaron su alergia: a los diez minutos de aplicarle en el brazo el alergeno del caballo, éste provocaba una respuesta desmesurada. No era alérgico a nada más. El alergeno de los caballos es bastante potente, y además es el responsable de desencadenar ataques graves y rápidamente progresivos de asma. *Los animales pueden provocar asma.*

John Hamilton era arzobispo de San Andrés en el siglo XVI. Sufría de asma. Y tenía mucho dinero. Descontento con el tratamiento que le aplicaban, hizo llamar a un médico, Jerónimo Cardan de Pavía. Jerónimo viajó desde Italia a Escocia con poca cosa más aparte de su bolsa. Observó al preocupado eclesiástico, que jadeaba y se ahogaba en su cama. «¡Quítenle esa colcha de plumas!», exclamó, volviendo sobre sus pasos hacia su alojamiento. Puede que haya sido la consulta más corta de la historia, pero la recuperación del clérigo fue tan completa que recompensó al buen médico con mil cuatrocientas monedas de oro, además de un collar de oro. *El asma puede producirse por alergia a las plumas.*

2. *Algunos ejemplos de asma provocada por los alimentos*

Kevin era un niño de cuatro años que sufría muchas alergias. Su padre y su madre sabían que era alérgico a los huevos. Éstos afectaban seriamente a su salud. A los diez minutos de comerlos, sobrevenía una erupción y violentos vómitos. También sufría eccema, asma y rinitis. Finalmente, y era la razón por la que sus padres lo habían traído a la clínica de alergias, se había vuelto hiperactivo desde hacía pocos meses. «Siempre ha sido un niño activo», decían, «pero ahora ya es absurdo. Tiene cambios de humor, pierde los estribos y molesta en su clase en Montessori.» Le recomendamos la dieta de bajo contenido alérgico, con la esperanza de que mejoraría su carácter y comportamiento. A los diez días experimentó una mejoría importante de los síntomas. «Está mucho mejor y es más afable», me dijeron sus padres. «Y no sólo eso: el asma, el eccema y la rinitis están más controlados que nunca.» *El asma puede ser producida por una alergia a la comida, especialmente cuando están presentes otros síntomas de alergia alimentaria.*

Bernard era un poco mayor que Kevin la primera vez que lo visité. Tenía una larga historia de asma y también presentaba otros síntomas de alergia alimentaria. En particular, se quejaba con frecuencia de dolores de cabeza y de vientre. Cada día utilizaba dos inhaladores y una pastilla para el asma. A pesar de la medicación, tenía tos constantemente. Además, cada año sufría varios ataques de gravedad que requerían un tratamiento a base de esteroides. Le preparamos un programa de diez días con la dieta de bajo contenido alérgico. Al séptimo día, la función pulmonar había mejorado ostensiblemente. Así que nos propusimos ir ampliándole la dieta hasta reintroducir la mayor parte de los principales alimentos sin inconveniente ninguno... hasta que llegamos a los refrescos. Menos de treinta minutos después de haber bebido un conocido refresco de limón, sufrió un ataque asmático agudo. La bebida contenía metabisulfito, un conservante, y un problema ya conocido para algunos asmáticos. *El asma puede iniciarse por una alergia a los aditivos de los alimentos.*

3. *Un ejemplo de asma desencadenada por algo del trabajo*

Permítame que le recuerde a Michael, el agricultor del que hablábamos en el capítulo 1. Tenía una alergia a las lechugas, un alergeno con el que se encontraba cada día en su trabajo. Padecía un asma profesional. Este tema se trata en profundidad en el capítulo 8, así que lo dejo aquí. Sin embargo, si se tiene asma, recuerde que *el asma puede ser desatado por algo relacionado con su trabajo.*

ASMA: LOS DESENCADENANTES NO ALÉRGICOS

Ya hemos visto que el asma se caracteriza por la inflamación de unas vías aéreas hiperreactivas, que son muy sensibles a los cambios. Esto incluye todo tipo de cambios, no sólo la presencia de un alergeno. Los desencadenantes no alérgicos son:

1. *Ejercicio:* puede desencadenar los síntomas en casi todos los pacientes asmáticos. Puede que para algunos éste sea el único desencadenante. Estos pacientes, como todos los asmáticos, tienen una inflamación crónica de las vías aéreas, pero sólo notan los síntomas cuando hacen ejercicio.
2. *Cambios de temperatura*: son un desencadenante habitual de los síntomas de asma, especialmente detectable cuando se sale de una casa muy cálida al aire frío del exterior. Golpeados por el aire frío, los bronquios sufren un espasmo.
3. *Emociones:* Es difícil imaginar que el asma puede producir alguna ventaja a los que la sufren. Pero tuvieron al menos la suerte, en la época del Imperio Romano, de estar exentos de la tortura. Los soldados sabían que la tensión podía provocarle un ataque a la víctima, imposibilitando que hablara. Aparte de este caso aislado, el asma no tiene ninguna utilidad para sus víctimas. Los pacientes del presente saben muy bien que la «tortura» del estrés en las vidas de algunas personas, aunque sea menos truculenta que la de la cámara de los horrores, puede agravar su situación. No se trata de decir que el asma «es una cuestión mental», porque no lo es. Es una enfermedad de las vías aéreas. Si las vías aéreas no se inflamaran, se podría torturar a los asmáticos como a cualquiera sin que se desencadenara un ataque de asma.

4. *Infecciones:* También pueden desencadenar el asma. Lo hacen de dos maneras. En primer lugar, la respuesta inflamatoria al agente de la infección agrava la inflamación subyacente de las vías aéreas asmáticas. En segundo lugar, el sistema inmunológico algunas veces se vuelve alérgico a ciertas partículas virales.
5. *Indigestión:* El reflujo gastro-esofágico es otro desencadenante. Se produce cuando la unión de la garganta (esófago) y el estómago (gastro-) está relajada, lo que significa que el contenido ácido del estómago puede pasar a la garganta e irritar los bronquios. Hay que tratar la indigestión si se padece asma.
6. *Hormonas:* Por último, muchas mujeres coinciden en que es más difícil controlar su afección asmática en los momentos premenstruales. Además, en los hospitales ingresan más mujeres que hombres con síntomas agudos de asma, y la mayoría de esos ingresos se producen antes o durante la menstruación (cuando los niveles de estrógenos son más bajos). En cambio, con suerte, el asma puede mejorar durante el embarazo.

¿Hay complicaciones?

Las complicaciones se producen por varias razones:

1. No se detecta el asma o no se trata adecuadamente.
2. Pacientes con ataques graves de asma.
3. Pacientes con asma «lábil» (que es extremadamente difícil de controlar).

Los pacientes con tratamientos inadecuados o con asma no detectada pueden sufrir problemas de insomnio, pérdida de la concentración, fatiga y una reducción general de la calidad de vida. Afortunadamente, en esta época de mayor responsabilidad y mejores medicinas, las raras complicaciones de deformidad del pecho y retraso del crecimiento se ven muy pocas veces. Los adultos asmáticos también pueden sufrir fatiga, e incluso, en algunos casos, quizá sea éste su único síntoma.

Las exacerbaciones de asma son espectaculares y alarmantes. El paciente es, en definitiva, incapaz de respirar. Pueden llegar al extremo de no poder hablar ni poder beber un sorbo de agua. Adoptan una posición típica, inclinados hacia adelante, para facilitar la respiración. A medida que el ataque se agudiza, van adquiriendo una tonalidad azulada. En ese punto necesitan, desde luego, ayuda médica urgente. Si un ataque así no se trata, o no se responde al tratamiento, la vida corre peligro.

El asma lábil es muy poco habitual. Se trata de un proceso caracterizado por ataques muy graves y frecuentes.

Asma y muerte

Antes de proseguir, permítame dejar claros unos cuantos aspectos sobre el asma y la muerte. Sí, también hay gente que muere de asma, pero no tenemos que perder de vista el hecho de que esas muertes son raras. Es más, debemos luchar para reducir la mortalidad por asma. Los pacientes siempre tienen que acudir al médico si no notan una mejoría con la medicación habitual, incluso –y quizás especialmente– si esa situación se da por la noche. *Los ataques asmáticos más graves pueden controlarse si el paciente acude al médico a tiempo.*

Los asmáticos tienen un mayor riesgo de perder la vida si...

1. No toman la medicación.
2. Su asma es grave y difícil de controlar, incluso con medicación.
3. No tienen acceso a un tratamiento médico adecuado.
4. No acuden a tiempo al médico cuando tienen un ataque.

Hay que tener presente que el asma es extremadamente común. Es más, se trata de la enfermedad crónica más corriente entre los niños. Es también una enfermedad con una amplia variación de la gravedad, que fluctúa desde la insignificante a la que puede causar la muerte. Por ejemplo, el 11% del equipo olímpico norteamericano de 1984 padecía asma, aunque esto no interfería en sus carreras. De igual manera, otros grandes campeones del deporte de este lado del Atlántico llevan siempre un inhalador. Así que, si se tiene asma, puede llevarse una vida normal. Como hace la gran mayoría de los asmáticos. No hay ningún motivo para que los pacientes, y sus familiares, teman por su vida continuamente.

¿Qué podemos hacer con el asma?

Al tratar el asma, lo que se pretende es:

1. Identificar los alergenos implicados y reducir la exposición a los mismos.
2. Identificar los desencadenantes no alérgicos.
3. Reducir la inflamación de las vías aéreas por medio de la medicación.
4. Tratar sin demora las complicaciones, si aparecen.
5. Considérese un tratamiento de desensibilización para acabar con las alergias (es mi opción predilecta).

¡Controle las alergias!

El trabajo de investigación más rentable para un paciente asmático es una historia clínica detallada, junto con un reconocimiento físico del pecho y una serie de pruebas cutáneas (véase el capítulo 17). Ello nos proporcionará información veraz sobre las alergias a los alergenos que se transmiten por el aire. Los alergenos que normalmente se incluyen en las pruebas cutáneas son los de los ácaros del polvo doméstico, el polen, los mohos y la caspa de los animales. Una vez se conoce el alergeno que causa el problema, se pueden tomar medidas para reducir la exposición a los mismos. El más común de los transmitidos por el aire es, una vez más, el ácaro del polvo. Si se es alérgico a ese alergeno, lo mejor es seguir las instrucciones y medidas que se detallan en el apéndice 1. Los pacientes asmáticos que no dan resultados positivos en las pruebas cutáneas pueden plantearse una dieta de bajo contenido alérgico. Los asmáticos tienen que esforzarse por llegar a conocer sus desencadenantes no alérgicos.

Tratamiento médico del asma

Existen muchas líneas de actuación para el tratamiento del asma. La que yo sigo la he tomado de la *Global Initiative for Asthma,* un informe en colaboración publicado por los Institutos nacionales de salud de EE.UU. y por la Organización Mundial de la Salud. El propósito del tratamiento es controlar el asma, lo que implica: a) que no haya sintomatología o síntomas mínimos; b) que se requiere una mínima medicación o que ésta no haga falta; c) que no haya necesidad de tratamientos de urgencia y d) que no haya restricción de actividades, incluido el ejercicio. Como opción más recomendable, la medicación puede tomarse en dosis diarias para mantener controlada la enfermedad. Si ese fuera el caso, el otro propósito de la medicación es minimizar los efectos secundarios. Tenemos a nuestra disposición medicamentos muy efectivos, tanto en aerosol, para inhalaciones, como en pastillas o jarabe.

Inhaladores

Para resumirlo, hay dos categorías de inhaladores: una que alivia los síntomas cuando se presentan y otra que previene su aparición. Los llamamos «broncodilatadores» y «antiinflamatorios», respectivamente. Si se vuelve otra vez a los problemas que inciden en los pulmones asmáticos, se comprueba que estas medicinas tienen una lógica clara. El broncodilatador reduce los espasmos de los músculos bronquiales. Por lo tanto, dilata inmediatamente (abre) las vías aéreas y facilita la respiración. Los antiinflamatorios, por otra parte, tratan de suprimir la inflamación crónica del asma, reduciendo la hiperreactividad bronquial y la posibilidad de que se desarrollen los síntomas asmáticos. Los inhaladores pueden ser algo difíciles de manejar. Asegúrese de que conoce bien su uso; consulte a su médico. Los niños y jóvenes pueden necesitar un nebulizador para asegurarse de que el producto llega a su destino final en el pulmón.

Medicinas por vía oral

Las pastillas y jarabes utilizados en los tratamientos contra el asma también se dividen en dos categorías: broncodilatadores y antiinflamatorios. Algunas veces un producto puede tener ambas propiedades, lo que implica que puede resultar muy útil para el tratamiento de los casos más difíciles.

Escoger la medicación

A la hora de decidir qué medicación utilizar, su médico valorará la gravedad de su dolencia y la tratará adecuadamente. Hay cuatro niveles de gravedad, cada uno con un tratamiento propio recomendado. Se resumen a continuación, pero lo mejor es que comente las dosis con su médico.

1. Asma intermitente
   Definida como:
   - Los síntomas aparecen menos de una vez por semana, con breves exacerbaciones y casi ningún problema por las noches.

   Se trata con:
   - Broncodilatadores: inhaladores de actuación inmediata, utilizándolos cuando hace falta, aunque debería ser menos de una vez diaria.
   - Antiinflamatorios: no se requieren.
2. Asma leve persistente
   Definida como:
   - Los síntomas acontecen más de una vez por semana, pero no todos los días, con cierta limitación para hacer deporte y algún problema de interrupción del sueño (menos de dos veces por mes).

   Se trata con:
   - Broncodilatadores: inhaladores de acción inmediata, utilizados cada vez que hace falta, hasta un máximo de cuatro veces diarias.
   - Antiinflamatorios: por inhalación u orales, diariamente. Hay que escoger entre inhaladores a base de esteroides, cromoglicato o nedocromil; o bien un preparado oral a base de teofilina.
3. Asma persistente moderada
   Definida como:
   - Los síntomas son diarios. Afectan a la actividad y al sueño, con sintomatología nocturna que aparece más de una vez por semana.

   Se trata con:
   - Broncodilatadores: inhaladores de acción inmediata cuando hace falta, hasta cuatro veces diarias.
   - Antiinflamatorios: inhaladores de esteroides antiinflamatorios y broncodilatadores de acción prolongada (inhalados o ingeridos) para tomar diariamente.

4. Asma grave persistente
   Definida como:
   - Los síntomas son continuos. Se producen agravamientos de los síntomas frecuentes. Los síntomas nocturnos son habituales y la actividad se ve limitada.

   Se trata con:
   - Broncodilatadores: inhaladores de acción inmediata, incluso más de cuatro veces diarias.
   - Antiinflamatorios: inhaladores de esteroides antiinflamatorios de acción prolongada (inhalados o ingeridos) tomados diariamente. Pueden requerirse también esteroides de forma oral y continuada.

La *Global Initiative for Asthma* señala, en cada uno de sus puntos, la importancia de evitar o controlar los desencadenantes, sean alérgicos o no. Por lo tanto, si se padece asma intermitente y se comienza a utilizar un broncodilatador de acción inmediata más de una vez por semana, habría que controlar los posibles desencadenantes antes de que haya que pasar al siguiente nivel de tratamiento. Esto es válido para todos los niveles de asma. Y no me canso de repetirlo: si se empieza a perder el control de la enfermedad, conviene revisar los desencadenantes.

¿Podría ser otra cosa?

¡Sí! Otras enfermedades pueden parecerse al asma, en tanto que presenten problemas respiratorios, tos o sibilancias. El diagnóstico del asma se establece al demostrar que se trata de una limitación *reversible* del flujo de aire. Su médico puede demostrárselo fácilmente. Entre los adultos hay que diferenciar entre asma y...

- bronquitis crónica y enfisema, pero la limitación del flujo de aire en este caso es *irreversible*. En otras palabras, la medicación que se utiliza para el asma no sirve en este caso. Es posible, desde luego, padecer una enfermedad combinada de asma y bronquitis.
- enfermedades del corazón, que pueden presentar problemas respiratorios y sibilancias.

- rinitis o sinusitis crónica, que producen moqueo posnasal y tos crónica.
- enfermedades alérgicas del pulmón, como el denominado pulmón del granjero, pulmón del criador de pájaros, etc. Son enfermedades alérgicas producidas por la exposición a alergenos profesionales o relacionados con ciertas aficiones.
- ataques de pánico.
- cualquier otra cosa.

Mandy es una mujer muy ocupada, madre de tres niños, que tiene una tos que no desaparece. Todo empezó hace unos cuatro meses cuando su nariz empezó a moquear. De hecho, Mandy creyó que era un simple «resfriado», pero se le bajó a los pulmones a los pocos días y allí seguía. Expectoraba. Su médico le recetó varios cursos de antibióticos, pero los síntomas continuaban y se barajaba la posibilidad de que fuera asma. Al entrar en detalles, resultaba que la tos de Mandy era muy característica. Aparecía en forma de espasmos. Cuando empezaban, tosía y tosía sin parar hasta que le dolía el pecho. Otras veces, la tos era tan profunda que tenía vómitos. Sin embargo, estos episodios eran cada vez menos frecuentes y menos intensos a medida que pasaban los meses. Mandy tenía tos ferina.

En los niños hay que recordar que:

- Las sibilancias no son sinónimo de asma.
- Las infecciones virales recurrentes pueden ser la causa de repetidas sibilancias.
- Atragantarse también causa sibilancias, así como la continua inhalación de leche.

Capítulo 6

La alergia y los ojos: conjuntivitis alérgica y sus problemas

Los ojos sanos

Mírese en el espejo. En cada ojo verá...

- La pupila, un pequeño punto negro en el centro del ojo. Se dilata en la sombra y se contrae con la luz.
- El iris, una estructura circular que rodea la pupila y que proporciona el color a los ojos.
- La córnea, una estructura transparente con forma de cúpula que cubre el iris y la pupila.
- La esclerótica o «blanco del ojo».
- La conjuntiva, un tejido muy delicado del interior del párpado y de la parte blanca del ojo. No hay membrana conjuntiva junto a la córnea.
- El margen del párpado, de donde surgen las pestañas.
- Los propios párpados, que cubren el ojo cuando se cierra.
- La piel periorbitaria, que incluye el párpado y se extiende desde encima de las cejas hasta debajo del pómulo, como las manchas de un oso panda.

Cuando están sanos, los párpados sirven para proteger, lubricar y limpiar el ojo, en especial la córnea. Las enfermedades alérgicas afectan sólo al ojo externo, desde la conjuntiva hacia afuera. Por ejemplo, a la conjuntiva, los párpados y la piel periorbitaria. Los párpados son muy delicados, pues tienen sólo 0,55 mm de espesor. Esto explica por qué el ojo es tan vulnerable a la alergia de contacto y a las irritaciones. Sin embargo, el problema más corriente del ojo es, con diferencia, la conjuntivitis alérgica.

Historia clínica

Jim es un muchacho de catorce años que vino con su madre a la clínica porque parpadeaba en exceso y en cualquier momento. También había empezado a frotarse los ojos. Le picaban y era la única manera de calmar el escozor. Sin embargo, al rascárselos lo único que conseguía era empeorar su estado cada vez más. El día que lo visité, ¡tenía una apariencia resacosa! Tenía los ojos lagrimosos, enrojecidos y con aspecto cansado. También mostraba síntomas de rinitis, accesos violentos de estornudar y moqueo. Resultaba interesante el hecho de que él había observado que los síntomas se agudizaban cuando iba a visitar a su abuelita, que tenía tres gatos. Se le prescribieron unas gotas antialérgicas para los ojos. Le produjeron un alivio completo de los síntomas a los pocos días de iniciar el tratamiento. Su respuesta fue tan completa que no hubo necesidad de ninguna otra medida para su alergia (aunque todavía debía tener cuidado con los gatos). Jim padecía una conjuntivitis alérgica.

¿Qué es la conjuntivitis alérgica?

La conjuntivitis alérgica es una afección inflamatoria de los delicados tejidos de la cara interna de los párpados. Como en otros problemas alérgicos, se produce una reacción inflamatoria en toda regla que se propaga por toda la conjuntiva. Los síntomas aparecen cuando se produce un contacto con un alergeno que provoca el problema, y remiten cuando el alergeno ya no está presente. Los síntomas son:

1. Escozor en los ojos *siempre*, aunque puede que se note una sensación urente (quemazón).
2. Lagrimeo.
3. Párpados inflamados y dolorosos.
4. Congestión ocular.

La conjuntivitis alérgica siempre afecta a ambos ojos simultáneamente, a no ser que uno de los ojos haya sido contaminado por un alergeno. Por ejemplo, un paciente que es alérgico a los pelos de los perros y acaricia un perro, para luego llevarse la mano inocentemente al ojo y frotárselo, puede experimentar un brote de conjuntivitis en ese ojo. De igual manera, la conjuntivitis alérgica difícilmente aparece aisladamente; siempre está relacionada con la rinitis alérgica. Reflexionemos sobre esto: ¡Cualquier alergeno (que pueda transmitir el aire) que se introduzca en el ojo también alcanzará la nariz! Un diagnóstico de conjuntivitis alérgica siempre debería ser puesto en duda si no hay presencia de rinitis.

¿Quién la sufre?

Cualquiera, pero es más habitual en pacientes con una historia clínica de enfermedades alérgicas. Aparece preferentemente en varones de todas las edades.

¿Se cura sola?

La conjuntivitis alérgica es una enfermedad crónica, con pocas posibilidades de remisión espontánea. A pesar de eso, si se puede identificar y eliminar la causa que provoca los síntomas, hay muchas posibilidades de mitigarlos. ¡Infórmese!

¿Cuál es su causa?

La causa más corriente de la conjuntivitis alérgica es una reacción alérgica a un elemento presente en el aire. Los síntomas aparecen y desaparecen con el alergeno. Así, si se trata de un alergeno estacional, los síntomas serán también estacionales. Si, en cambio, el alergeno está presente continuamente (perenne), los síntomas también lo serán.

Desencadenantes alérgicos de la conjuntivitis

Los desencadenantes alérgicos son numerosos e incluyen:

1. Alergenos por inhalación
   - polen: de hierbas, árboles y maleza
   - ácaros del polvo doméstico
   - esporas de hongos
   - caspa de animales y plumas
2. Alergenos por ingestión
   - alimentos
3. Alergenos por contacto
   - cosméticos
   - lentes de contacto y sus
   - líquidos limpiadores
4. Alergenos ocupacionales
   - véase el capítulo 8

1. *Los alergenos por inhalación pueden causar una conjuntivitis perenne*

Vincent se había hecho un nombre en su localidad porque había ganado todas las competiciones de tenis de su edad. Todavía iba a la escuela, aunque esperaba poder ir a una escuela de tenis del extranjero dentro de un par de años. Las cosas le iban bien, como se suele decir. Menos por una cuestión. Tenía problemas alérgicos: asma, rinitis y conjuntivitis para ser exactos. Sufría sibilancias y tos cada día. Se quedaba enseguida sin aliento y su juego se estaba empezando a resentir. Podía vivir con la nariz tapada; soportaba el apodo de «Estornudo» e incluso el asma. Pero los ojos eran otra historia. Los tenía enrojecidos. Le picaban mucho y le lagrimeaban constantemente. Los síntomas se agudizaban por la noche, cuando estaba acostado, pero también le causaban problemas durante el día. No había descanso. Día tras día, cada semana, cada mes, en los tres últimos años, sintiendo que empeoraba. También se le estaba produciendo una deformación de la córnea (queratocono), así que necesitaba un injerto de córnea. Las pruebas cutáneas confirmaron la naturaleza alérgica del problema: era altamente sensible a la hierba, la maleza, los árboles, los ácaros del polvo, el polvo, la caspa de animales y las plumas. Al exponerse a estos alergenos de forma permanente, no lograba nunca hacer desaparecer los síntomas. Un tratamiento de desensibilización dio como resultado una mejora rápida y significativa de todas sus alergias.

Los alergenos por inhalación pueden causar conjuntivitis estacional

Quizás ésta sea la más corriente de las afecciones de los ojos: la conjuntivitis estacional, que forma parte de la fiebre del heno. Y es, además, uno de sus síntomas más destacados. (Véase la página 82). Eileen es un caso extremo. Tiene ahora siete años y lleva tres veranos sufriendo la fiebre del heno. «Bueno, en realidad», decía su madre, «el verano empieza muy pronto para Eileen. ¡Algunas veces ya estornuda en marzo!» Era interesante destacar que sus primeros síntomas consistieron en un exantema parecido a la urticaria en los brazos. Luego siguieron los estornudos y finalmente los ojos irritados, lacrimosos y con escozor. La erupción y los síntomas nasales eran de poca importancia, comparados con los de los ojos. Las pruebas cutáneas confirmaron las sospechas clínicas sobre una posible alergia al polen del abedul plateado y de otras hierbas. Ello explicaba los «veranos que empezaban tan pronto», y la persistencia de los síntomas durante toda la estación del polen (mayo/agosto). Eileen no tenía síntomas alérgicos el resto del año.

Los alergenos por inhalación pueden causar conjuntivitis situacional

Fergal recuerda haber tenido eccema de joven, pero ahora rara vez le afecta, aparte de algún brote ocasional en las manos. Lo que ahora le preocupa realmente es tener que dejar las clases de equitación. Cada vez que se acerca al establo empieza a lagrimear y a moquear. Los síntomas persisten mientras él permanece cerca de los caballos, y remiten a las pocas horas de haberse alejado. No tiene síntomas si se mantiene apartado del alergeno. Las pruebas cutáneas confirmaron su alergia, y además descubrieron problemas potenciales con los ácaros del polvo así como con el polen de hierbas. Entonces se acordó de que había padecido asma en la infancia. Se había curado, pero todavía recordaba que empeoraba cuando le mandaban que limpiara su habitación.

2. *Los alergenos por ingestión pueden causar conjuntivitis*

Las alergias alimentarias pueden causar conjuntivitis, pero nunca aisladamente. Siempre se presentarán otros síntomas de alergia alimentaria generalizada que son mucho más serios que la conjuntivitis. En consecuencia, siempre atraen mucho más la atención, y con razón. Así, la conjuntivitis deja de ser importante desde el punto de vista médico.

Los ojos suelen estar afectados frecuentemente por angioedema, un estado que se caracteriza por la tumefacción de los párpados. Puede llegar a ser tan importante que el paciente no puede abrir los ojos hasta que remite la tumefacción.

3. *Conjuntivitis por contacto*

No hay que olvidarse de lo que hemos estado tratando, las alergias por contacto del capítulo 3.II. Como en el caso de las dermatitis por contacto, las conjuntivitis por contacto pueden ser alérgicas o irritativas. También pueden ir asociadas a una dermatitis en el párpado o en la zona periorbitaria. Las mujeres corren un riesgo mayor, simplemente debido al uso de cosméticos. A continuación señalamos algunos causantes:

- Cosméticos
  Aplicados en los párpados, pueden causar escozor y sensación urente en los ojos durante, o poco después de la aplicación. Generalmente se trata de un trastorno transitorio, sin evidencias objetivas de irritación (no necesariamente se enrojece el ojo). Ocurre cuando los productos químicos irritantes se evaporan del producto (alcohol, isoparafinas, propilenglicol, cremas solares, jabones). El uso continuado puede dar lugar a una tolerancia del producto.
- Rímel
  El rímel con agua como ingrediente básico contiene emulsionantes jabonosos que pueden ser irritantes. Las pacientes afectadas deben usar rímel anhídrico o seco.
  El rímel puede acumularse bajo la conjuntiva y causar una irritación más permanente.
- Sombra de ojos
  Algunas pueden ser irritantes. Hay que probar varias clases hasta dar con la más adecuada.
- Conservantes
  Especialmente parabencenos, que se encuentran prácticamente en todos los cosméticos para los ojos.

- Tintes para el pelo
  La parafenilendiamina y el persulfato amónico (rubio platino) pueden inducir una dermatitis de los párpados sin afectar al cuero cabelludo.
- Líquidos para lentes de contacto
  Algunos conservantes de las preparaciones oftálmicas pueden inducir una conjuntivitis y una dermatitis del párpado.
- Pestañas postizas
  El adhesivo puede contener látex, celulosa, caseína alcalina u otras resinas.
- Rizadores de pestañas
  Pueden causar dermatitis en los párpados de las personas con alergia al níquel.
- Pañuelos
  Pueden estar tratados con perfume, formaldehído o cloruro de benzalconio, que pueden producir alergias o irritaciones.
- Cerillas
  ¡El agente alergeno puede llegar a ser transmitido por el aire! Estar cerca de alguien que use cerillas es suficiente para producir una dermatitis del párpado en los sujetos sensibilizados.
- Papel de periódico y papel carbón
  Pueden ser irritantes para los ojos.
- Otros irritantes
  Nebulizadores de artículos de limpieza, insecticidas, pelos de animales y productos químicos volátiles del trabajo.

Un ejemplo de conjuntivitis alérgica por contacto

La señora Neary era una persona de mediana edad acostumbrada a la vida social. Así que tenía muchos motivos para maquillarse, además de ser elegante. Sabía que la bisutería le producía erupciones, pero no le importaba, porque no le gustaban las joyas baratas. Estaba más preocupada por una erupción repetida en los párpados. No podía comprenderlo, ya que nunca antes había tenido nada parecido. Las pruebas de parches confirmaron su sensibilización al níquel, pero también descubrieron un problema con una de sus cremas hidratantes preferidas. Contenía aguacate y se había vuelto alérgica a ello. «¡Pero si lo he estado usando un montón de años!», protestaba (ya lo hemos oído antes, ¿verdad?). Se había sensibilizado con el paso del tiempo. «¿Pero entonces cómo es que no me afecta en las manos?», insistía. «Pues porque la piel que le cubre los ojos sólo tiene 0,55 milímetros de espesor y es muy delicada. ¡Ésa es la razón!» Lo único que tenía que hacer era evitar el alergeno que se lo provocaba. También tenía que intentar no manipular níquel (monedas, llaves, cubiertos, etc.), ya que ello podría producirle además una dermatitis periorbitaria.

El resultado no siempre está tan claro en pacientes con indicios de tener alergia a los cosméticos. Algunos desafortunados presentan una irritación no específica producida por casi todos los cosméticos. Para confundir las cosas, puede que no muestren síntoma alguno de irritación o alergia, pero los afectados se quejan de irritación y escozor cuando utilizan cosméticos. A algunos les aparece un ligero enrojecimiento en las mejillas, con o sin una cierta inflamación de los párpados, pero ninguna otra cosa sustancial. ¿Tratamiento? ¡Evitar los cosméticos!

Desencadenantes no alérgicos de la conjuntivitis

Al igual que otras enfermedades alérgicas (como el eccema, la rinitis o el asma), la conjuntivitis alérgica puede agravarse por desencadenantes no alérgicos. Si esto no se entiende, puede dar lugar a muchas tentativas infructuosas. Y Maureen era una paciente así. Se había mudado a aquella zona unos tres años antes, y desde entonces se le habían presentado síntomas de la fiebre del heno. El peor de todos era el lagrimeo, pero también padecía rinitis. Los síntomas se agravaban especialmente cuando salía al exterior durante los meses de verano. Ella estaba convencida de que algo en el aire le afectaba. Sin embargo, las pruebas cutáneas no revelaban alergia alguna. No era alérgica a ningún polen. Tampoco al moho. La única reacción positiva que presentaba era hacia nuestros inevitables amigos, los ácaros del polvo doméstico. Pero no era eso lo que la señora esperaba, así que estaba segura de que «nos estábamos dejando algo». Volviendo a su historia clínica, me contó que los ojos sufrían especialmente los días muy claros y en los que hacía viento. «Quizá sean los ensilados o los fertilizantes que echan en la tierra los granjeros vecinos», pensaba en voz alta. «En los alrededores de mi antigua casa nadie hacía nada parecido.» Maureen padecía una conjuntivitis alérgica y una rinitis relacionadas con el ácaro del polvo doméstico. Sus agravamientos estacionales eran, de hecho, el resultado de desencadenantes no alérgicos: la combinación de viento y sol. Otros desencadenantes no alérgicos podrían ser el polvo inerte, como el del yeso, y los vapores químicos que desprenden los productos de limpieza que se utilizan habitualmente en las casas.

¿Hay complicaciones?

La conjuntivitis alérgica es un estado penoso. Puede dificultar el rendimiento en los estudios o el disfrute de las vacaciones y dañar la calidad de vida. Es especialmente desagradable cuando aparece asociada con eccema, ya que puede afectar a la córnea, la parte transparente del ojo a través de la que vemos el mundo exterior. La inflamación alérgica de la córnea puede dar lugar a cicatrices, ulceraciones, formación de cataratas y deformidad corneal. A esto lo denominamos «queratoconjuntivitis atópica»: *atopica* se refiere a la disposición alérgica y *kerato* a la córnea.

Queratoconjuntivitis atópica

Dermot es un estudiante de quince años que lleva varios años con lagrimeo y picores. Presenta también una historia clínica de rinitis y asma. Los ojos le siguen escociendo a pesar de las gotas antialérgicas y las pastillas de antihistamínicos. Lo único que le calma un poco es frotarse vigorosamente los ojos. Su gesto es típico: con el índice doblado, se frota de forma rotativa el ojo. Y frotar quiere decir frotar. El cirujano ocular diagnosticó queratoconjuntivitis atópica y deformidad corneal. La córnea había perdido su aspecto brillante y su forma de cúpula para parecerse más a una de las puntas del balón de *rugby*. A esta deformación cónica la denominamos queratocono. Dermot necesitaba un trasplante de córnea (y ésta es una buena razón para hacerse donante); sin una córnea sana de un donante, perdería la vista. ¿Pero cómo sobrevive un trasplante cuando uno se rasca de esa manera? El cirujano ocular lo ha remitido a la clínica de alergias para solventar los problemas alérgicos de su enfermedad. De su historia deducimos que ciertos agentes transmitidos por el aire empeoran su estado: el polvo de la casa, la caspa de animales, las plumas y el polen le producen los picores en los ojos. También nos indica que los perfumes y similares pueden agravarle los síntomas. Una vez confirmadas sus alergias por medio de las pruebas cutáneas, iniciamos un tratamiento de desensibilización. Ya se le han puesto cuatro inyecciones en los últimos ocho meses y los síntomas están más controlados. Especialmente el escozor y la necesidad de rascarse han cesado, así que el cirujano ya puede proceder al trasplante.

¿Qué se puede hacer si se padece una conjuntivitis alérgica?

Al tratar la conjuntivitis alérgica lo que se pretende es:

1. Identificar los alergenos implicados y reducir la exposición a los mismos.
2. Investigar los desencadenantes no alérgicos.
3. Reducir la inflamación de la conjuntiva con medicación.
4. Considerar un tratamiento de desensibilización para acabar con la alergia.

Las pruebas cutáneas y las pruebas de parches son los elementos utilizados para detectar las alergias. No cabe una investigación sobre la dieta en esta enfermedad. Una vez que se conocen los alergenos que causan los problemas, se está en condiciones de evitarlos. La desensibilización es una opción terapéutica efectiva. Entretanto, conocemos varias preparaciones farmacéuticas para minimizar los síntomas. Cualquiera de ellas puede aplicarse directamente en el ojo.

- Colirios antihistamínicos
  Son muy seguros y proporcionan un alivio inmediato. Deben aplicarse mientras persistan los síntomas. Eso significa que los pacientes con fiebre del heno a los que les aparece una conjuntivitis alérgica estacional deben aplicárselos durante la estación del polen. Las conjuntivitis permanentes requieren un tratamiento continuado. Los antihistamínicos también pueden tomarse por vía oral.
- Colirios corticoides
  Son muy fuertes y tienen que administrarse bajo estricto control médico.

- Hay que tener en cuenta que se puede ser alérgico a un conservante o a cualquier otro ingrediente del colirio: un caso más de tratamiento contra la alergia que causa alergia.

¿Podría ser otra cosa?

¡Sí! La conjuntivitis alérgica no tiene que confundirse con:

- Queratoconjuntivitis vernal (primaveral)
  La queratoconjuntivitis vernal aparece en individuos alérgicos, pero no es necesariamente una alergia. Es más corriente en los niños, especialmente en primavera y los meses de verano (vernal se refiere a la primavera). Una vez dicho esto, cabe señalar que también puede aparecer en niñas y puede ser permanente. El hecho de que muchos de estos pacientes den resultados positivos en las pruebas cutáneas puede provocar confusiones. Esto simplemente significa que los niños alérgicos están más predispuestos a sufrir conjuntivitis vernal, y no que haya que ser alérgico. Si hay dudas, hay que examinar la nariz. Si no hay síntomas de rinitis alérgica, la conjuntivitis no es alérgica (por regla general). Los síntomas de la conjuntivitis vernal son muy similares a los de la alergia, es decir, escozor, lagrimeo y enrojecimiento de los ojos. Además, puede producirse una secreción blanca y pegajosa como resultado de una inflamación prolongada.
- Conjuntivitis papilar gigante
  Uno de tantos nombres complicados, ¿verdad? Éste se refiere a una respuesta inflamatoria a las lentes de contacto, sean rígidas o blandas, pero es más corriente en las blandas. Los pacientes se quejan de escozor, lagrimeo y molestias cuando usan las lentillas. La visión se altera y las lentillas se mueven. El tratamiento puede consistir en: 1) usar gafas; 2) usar lentillas desechables; y 3) adoptar medidas higiénicas estrictas, con o sin la prescripción de un colirio antiinflamatorio.
- Conjuntivitis infecciosa
  Las infecciones bacterianas de la conjuntiva y especialmente de los bordes del párpado no son infrecuentes. A esta última se la denomina blefaritis. También pueden aparecer infecciones virales (o de otro tipo).

- Conjuntivitis blefaroseborreica
  Algunas veces los párpados se inflaman a consecuencia de otra enfermedad de la piel denominada dermatitis seborreica. En este caso, aparecen otros brotes de dermatitis en las cejas y cuero cabelludo. La blefaritis siempre produce algo de conjuntivitis, a pesar de tener un nombre tan curioso.
- Ojos secos (queratoconjuntivitis seca)
  Que se confunde a menudo con la conjuntivitis alérgica. Afecta principalmente a las mujeres menopáusicas, pero también puede afectar a hombres. Se encuentra comúnmente en pacientes con artritis.

En todos estos ejemplos, el escozor *no* es un síntoma destacado. Los pacientes se quejan de irritación y de una sensación urente o de arenilla en los ojos. El tratamiento depende de la causa, así que es importante establecer el diagnóstico.

Capítulo 7

La alergia y la boca

LA BOCA SANA

Mírese de nuevo en el espejo. Esta vez examínese la boca y fíjese en...

- la mucosa oral:
  el tejido liso de la cara interna de las mejillas y los labios
- el paladar:
  el techo de la boca: duro por delante, blando por atrás. Lo que pende atrás en el centro se conoce por úvula
- las encías:
  de donde salen los dientes
- la garganta:
  todo lo que queda detrás de la lengua
- la glotis:
  con forma de calzador, que se asoma desde lo más profundo de la garganta (cuesta mucho verla)
- la lengua:
  con numerosas papilas gustativas de tamaño variable. Las pequeñas en la punta de la lengua y las grandes hacia atrás
- las glándulas salivales:
  coloque la punta de la lengua en el paladar. ¿Ve dos estructuras en forma de huso debajo de la lengua? Hay una a cada lado y van convergiendo hacia el centro. Son las glándulas salivares sublinguales. Hay otras glándulas salivares en la boca, pero no resultan tan visibles

- los labios:
  lisos y rosados, con un borde claro donde la superficie de las mucosas se une a la piel
- la piel perioral:
  el área de la piel alrededor de la boca, extendiéndose desde la nariz hasta la barbilla.

Se habrá fijado en que el espacio del interior de la nariz es limitado, en especial la parte de atrás de la garganta. La comida y el aire tienen que compartir el paso, así que la glotis se ocupa de regular el tráfico. Se abre durante la respiración (para permitir que el aire pase a los pulmones) y se cierra con la deglución (para evitar que la comida penetre en la tráquea).

SÍNDROME DE ALERGIA ORAL

HISTORIA CLÍNICA

Para Caroline todo empezó dos años atrás. Tenía once años cuando por primera vez notó que le pasaba algo. La boca se le entumecía y el labio superior se le inflamaba cuando comía melón. Como estos síntomas remitieron por sí solos, se encogió de hombros y lo olvidó completamente. Dos meses después tuvo una experiencia similar, pero esta vez con una manzana. Los labios y la boca adquirieron un aspecto extraño, un poco entumecido, o quizá con un leve hormigueo (le costaba describirlo). A las pocas semanas reaccionaba igual con las zanahorias, los pimientos, las lechugas, el kiwi y las cerezas. Cuando la visité, había dejado de comer frutas y verduras. Sin embargo, descubrió que esos alimentos no le causaban problemas *si previamente se cocinaban,* con la excepción de las zanahorias. Era importante saber que ahora podía sufrir dolores de pecho y problemas respiratorios si inadvertidamente consumía algún alimento prohibido, como cuando visitó a un amigo y se comió las verduras preparadas *al dente* (ligeramente crudas, como tendrían que consumirse siempre). No tenía ninguna otra referencia alérgica, lo que hacía que su caso fuera verdaderamente inusual. En las pruebas cutáneas las reacciones fueron *las esperadas*: al polen del abedul (véase más adelante). También, al huevo, la patata, los cacahuetes, la soja, la naranja, las fresas, la pera, los plátanos, el limón, el coco, las uvas, los guisantes, el tomate y la cebolla. En ese momento renuncié a seguir las pruebas cutáneas y le hice el de sangre para confirmar los resultados positivos, asegurándome de que no fuera una broma de la piel o cosas de mi imaginación. Todas y cada una de las pruebas dieron resultado positivo. En los análisis de sangre era alérgica a todos los alimentos mencionados antes, pero además también era alérgica al polen de hierbas y al moho. Caroline tenía un caso claro de síndrome de alergia oral.

¿Qué es el síndrome de alergia oral?

El síndrome de alergia oral (SAO), es una reacción aguda a diversas verduras y frutas. Los síntomas aparecen por contacto con los alimentos y suelen limitarse a la boca y la garganta, que son las zonas de contacto. En este sentido, el SOA es una variante de urticaria por contacto y angioedema (véase la página 65). Sin embargo, si el paciente no tiene en cuenta las precauciones alérgicas y toma esos alimentos, pueden aparecer otros síntomas: vómitos, diarrea, una erupción, sibilancias, incluso un colapso que ponga en peligro su vida (véase el capítulo 9).

La situación da comienzo con una reacción (por lo general leve) a uno o dos alimentos. La sensibilidad aumenta luego a otros alimentos de determinados grupos. Por ejemplo, ciertos pacientes son alérgicos a las avellanas, las manzanas, las peras, las patatas y las zanahorias; mientras otros reaccionan ante el melón, la sandía y el tomate; o a los melocotones, albaricoques y ciruelas, etc. Estos alimentos aparecen en grupos porque pertenecen a la misma familia y resultan iguales para el sistema inmunológico. En algunos pacientes la sensibilidad alérgica se extiende luego a una amplia gama de frutas y verduras de toda las divisiones botánicas.

Cocinar un alimento cambia el aspecto de los alergenos, casi de la misma manera que cambiaría nuestro pelo si lo quemáramos: ¡iba a quedar bien rizado! El sistema inmunológico no reconoce los alergenos desnaturalizados, por lo que no reacciona ante ellos. La excepción la constituye la zanahoria, cuyo alergeno es particularmente resistente al calor. Ésa es la razón por la que muchos pacientes en esta misma situación toleran los alimentos a los que son alérgicos si previamente se han cocinado. Las características del síndrome de alergia oral pueden resumirse como sigue:

- Una rápida aparición de síntomas poco después del contacto con los alimentos dudosos (menos de 30 minutos):
  – escozor o sensación urente en los labios, boca y garganta
  – ampollas en el interior de la boca
  – labios hinchados y/o lengua y/o garganta
- Puede haber síntomas más serios si los alimentos son ingeridos:
  – vómitos
  – diarrea
  – urticaria generalizada
  – dificultades respiratorias
  – shock.

¿Quién lo sufre?

El síndrome de alergia oral afecta exclusivamente a los que son alérgicos al polen (aunque no todos los que lo son van a padecerlo). Si se es alérgico al polen de hierbas o a la maleza, hay un 40 % de probabilidades de notar síntomas después de comer ciertas frutas y verduras; y si se es alérgico al polen del abedul, el porcentaje sube hasta alcanzar el 60 % cuando se comen manzanas. Si se acepta que el 10 % de la población es alérgica a uno u otro polen, podemos asumir que entre un 4 y un 6 % de la personas experimentan en cierto grado el síndrome de alergia oral.

¿Se cura solo?

No.

¿Cuál es su causa?

El síndrome de alergia oral es un síndrome de reacción cruzada. Es decir, el sistema inmunológico reacciona a una serie de alergenos que le parecen iguales. Por esa razón afecta a la mayoría de los que son alérgicos al polen. El alergeno del polen se parece a los alergenos de la fruta y las verduras. Por lo tanto, cuando un paciente está sensibilizado al polen, puede sufrir con facilidad una reacción cruzada a las frutas y las verduras. Otra posible explicación es que muchas plantas comparten el mismo alergeno, no sólo las que son parecidas. La profilina y las glucoproteínas, presentes en todo el reino vegetal, son buenos ejemplos de ello.

¿Hay complicaciones?

Aparte de la molestia de tener que tomar precauciones con los alimentos poco cocidos o crudos, los pacientes con síndrome de alergia oral corren el riesgo de padecer serias reacciones alérgicas si consumen crudo el alergeno que les afecta. Cerca del 10 % de éstos experimentan una inflamación de la glotis, inflamación que puede obstruir las vías aéreas. Otro 2 % adicional, en el mismo caso, puede sufrir una reacción generalizada y posiblemente mortal (véase el capítulo 9).

¿Qué se puede hacer?

Los pacientes tienen que tomar precauciones y consumir únicamente frutas y verduras suficientemente cocidas. Y tener siempre bien presente que incluso así ciertos alimentos no son seguros (por ejemplo, la zanahoria). Una medicina antialérgica también puede ser útil para reducir los síntomas (si se toma treinta minutos antes de las comidas). Actúa estabilizando los mastocitos del intestino. Los que hayan experimentado alguna reacción muy grave deberían leer el capítulo 9. Finalmente, algunos pacientes pueden mejorar con un tratamiento de desensibilización (véase el capítulo 18).

¿Podría ser otra cosa?

Las historias clínicas del síndrome de alergia oral suelen estar perfectamente delimitadas, y cualquier indicio puede confirmarse a través de las pruebas cutáneas o los análisis de sangre. Desde luego, es posible padecer síntomas similares de alergias a otros alimentos, como el pescado o los cacahuetes, sin por ello presentar todos los síntomas del síndrome que se ha explicado antes. De forma parecida, la aspirina y similares también pueden causar el mismo problema.

El síndrome de alergia oral no tiene que confundirse con:

- Las «boqueras»
  Una excoriación con sensación urente de los labios y la piel perioral que aparece después de comer piña, que contiene una enzima irritante.
- La «boca de limón»
  Parecida a las boqueras, pero se trata de una dermatitis de contacto causada por el limoneno, un aceite que se encuentra en la piel de los cítricos, en el eneldo, la alcaravea y el apio.
- Obstrucción no alérgica de las vías aéreas
  Judy y Anne llevan a su anciana madre a dar un paseo por la feria. Están de pie todo el día, de puesto en puesto y deteniéndose a charlar con conocidos. Hacia el atardecer deciden comer algo, se sientan en un restaurante y piden un menú. La charla continúa con la comida ya servida. La madre estaba físicamente muy fuerte. Pero, de repente, tuvo dificultades para coger aire y se puso en pie, petrificada, agarrándose con una mano el cuello y pidiendo auxilio con la otra. Y con la boca desencajada para poder respirar. «¡Bebe algo, mamá!», le dijo una de las hijas, a la vez que le servía el agua. Pero la pobre mujer ya no podía ni siquiera esperar a levantar aquel vaso. La llevaron hacia el lavabo de señoras, pero no quería entrar. Estaba lívida, iba debilitándose por la situación y temía que la dejaran sola. «¿Pero qué es lo que te pasa?», le suplicaba una de sus hijas. Pero no podía contestarle. En ese momento un hombre de una mesa cercana se acercó hacia la mujer, que seguía apoyada contra la pared sujetándose aún el cuello. «¿Qué es lo que ha ocurrido?», preguntó. «¿Se ha atragantado?». La mujer asintió comunicando a la vez su temor y el alivio de verse comprendida. «¿Tiene algo que la está ahogando?». Asintió otra vez. El hombre apartó a las hijas y obligó a la asustada

mujer a tumbarse boca abajo en el suelo. Se puso por encima de ella, con un pie a cada lado y se inclinó hasta pasarle los brazos por debajo del vientre. La elevó un poco entre las piernas y de repente la soltó bruscamente para sujetarla otra vez sobre sus manos entrecruzadas. Una espina de pescado salió despedida por la boca de la mujer, que tomó aire de la manera más profunda, estentórea y dichosa de toda su vida. Se puso en pie, todavía temblando y le expresó su gratitud. Cuando cogieron la espina, vieron que era más bien pequeña. Sin embargo, casi le había costado la vida. ¡No hay mucho espacio en la garganta!

Un comentario sobre la alergia dental

Susan es una estudiante de enfermería de dieciocho años. El dentista la envió a la clínica de la alergia debido a una reacción preocupante que sufría cuando la atendía. Me informó de que una de las mejillas se le empezó a hinchar precisamente en el momento en que el dentista acababa de finalizar un empaste. También tenía la lengua inflamada, tanto que le alteraba el habla. El dentista la envió al hospital de inmediato, donde la mantuvieron en observación. Tenía la presión sanguínea algo baja, taquicardia y se encontraba un poco débil. Le colocaron un gotero para controlarle la presión y le aplicaron un antihistamínico para reducir la inflamación. El tratamiento dio el resultado esperado y al día siguiente la dieron de alta sin ningún otro síntoma. Susan había sufrido una reacción a los materiales estomatológicos. Ahora tenemos que descubrir qué es lo que le causó el problema, antes de que le vuelva a suceder. Había varias posibilidades. Podría ser alérgica a los guantes de látex del dentista, a la anestesia local, a los líquidos de enjuague o a cualquier otro material utilizado durante el tratamiento. También podría haber sufrido una reacción no alérgica a la anestesia local. Estas reacciones causan inflamaciones, una disminución de la presión sanguínea, taquicardia e incluso debilidad.

UNAS LÍNEAS SOBRE LAS INFECCIONES ORALES

Patricia también creía que era alérgica a «algo que usaba el dentista». Al día siguiente de su última visita sufrió la aparición de úlceras bucales. Solía tener la boca algo inflamada y dolorida. Las úlceras remitieron espontáneamente a los nueve días y se había recuperado por completo cuando la visité. Su historia clínica era densa, con un diagnóstico de infección por herpes (viral) en la mucosa bucal y las encías. Lo denominamos gingivoestomatitis aguda. Sin embargo, estaba preocupada por el tratamiento dental siguiente, así que le hice una prueba de parches. Los resultados fueron negativos, indicando una vez más que había padecido un incidente no alérgico.

2. ESTOMATITIS ALÉRGICA POR CONTACTO

HISTORIA CLÍNICA

A Anne Marie el dentista le ajustó su primera dentadura postiza hace ocho meses. Todo iba correctamente hasta que empezó a sentir una sensación de escozor en la lengua. También refería que se le había alterado el sentido del gusto y que por lo general notaba la boca «dolorida». Dejó de utilizar la dentadura unos días y los síntomas le fueron desapareciendo de forma gradual. Así que volvió al dentista, que le confeccionó una dentadura nueva con la esperanza de que se resolvería el problema. Pero no fue así. En menos de una semana le volvieron a aparecer todos los síntomas. Se le podía ver, en el interior de la boca, una zona muy enrojecida y ampollas en el paladar, que es donde tenía un contacto mayor con la dentadura postiza. Anne Marie sufría de estomatitis alérgica por contacto.

¿QUÉ ES LA ESTOMATITIS ALÉRGICA POR CONTACTO?

La estomatitis alérgica por contacto es, para decirlo de manera sencilla, una dermatitis alérgica por contacto en la boca (*stoma*). Existen, sin embargo, dos diferencias importantes entre ambas enfermedades:

1. La estomatitis es menos común que la dermatitis porque:
   - Los alergenos no están mucho tiempo en contacto con la boca
   - la saliva diluye y elimina los alergenos
   - el tejido de la boca recibe abundante riego sanguíneo, de tal manera que los alergenos absorbidos son eliminados rápidamente de la zona de contacto. Hay dos excepciones a esta regla, que son: casos causados por contacto con material odontológico, o por masticar la punta de los bolígrafos, joyas, etc.
2. Los síntomas subjetivos de la estomatitis son mucho más destacados que los síntomas físicos. De este modo, los pacientes suelen quejarse de:
   - pérdida del sentido del gusto
   - sensación urente en la boca
   - hormigueos
   - dolor

Pero el médico, por otra parte, puede encontrarse con:

- muy poco que ver ante los síntomas

o

- un enrojecimiento difícilmente perceptible

o

- un enrojecimiento más intenso

y/o

- una leve inflamación

y/o

- una pérdida de las papilas de la lengua

y/o

- «úlceras» en la boca

3. La estomatitis alérgica por contacto suele limitarse a las zonas de contacto. El exantema no suele diseminarse por las zonas cercanas a la boca. Una vez más esto contrasta con las dermatitis alérgicas, en las que las erupciones pueden llegar a producirse a una notable distancia del lugar de contacto. Una vez dicho esto, cabe señalar que la estomatitis alérgica está asociada frecuentemente con enfermedades alérgicas de contacto de los labios. En esos casos, los labios se secan, se escaman y se agrietan (fisuras). Lo denominamos queilitis alérgica por contacto.

¿Quién la sufre?

Cualquiera.

¿Se cura sola?

No.

¿Cuál es su causa?

Las estomatitis alérgicas por contacto y las queilitis pueden estar causadas por:

- la pasta dentífrica
- enjuagues de la boca
- medicación tópica
- instrumentos y materiales utilizados por los dentistas
- pintalabios
- laca de uñas (morderse las uñas aumenta el riesgo)
- níquel (llevarse a la boca bisutería incrementa el riesgo)
- alimentos
- otros alergenos por contacto (véase el capítulo 3.II)

¿Puede haber otras complicaciones?

Ninguna importante.

¿Qué se puede hacer?

Lo mejor que se puede hacer es identificar el alergeno responsable y evitarlo. Las pruebas de parches son la mejor manera de conseguir resultados satisfactorios.

¿Podría ser otra cosa?

Las enfermedades alérgicas por contacto dentro y alrededor de la boca no deberían confundirse con:

- Úlceras bucales repetidas
  Se trata de puntos dolorosos del interior de la boca y los labios que afectan al 10 % de la población. Pueden aparecer en tandas de uno o varios. Puede que sean grandes o pequeños y con una duración de entre siete y veinte días antes de que remitan espontáneamente. Sólo entre un 4 y un 5 % son de origen alérgico.
- Lesiones producidas por prótesis dentales
  Las dentaduras que no ajustan correctamente pueden dañar la mucosa bucal. Tienen además tendencia a infectarse con muguet (*candida*). Desgraciadamente, algunas mujeres sufren una intolerancia generalizada a las dentaduras. Se quejan de molestias sin ninguna evidencia de alergia o enfermedad.
- Déficit vitamínico
  El déficit vitamínico puede parecer una estomatitis.
- Síndrome urente en la boca
  Esta enfermedad se caracteriza por una sensación urente u otras sensaciones de dolor en la boca, relacionadas con el sistema nervioso. Es semejante a la neuralgia y debe tratarse con medicación específica, para reducir la conducción de los dolores a través de las fibras nerviosas.
- Síndrome de sequedad bucal
  La secreción de saliva disminuye con la edad. En consecuencia, algunos pacientes mayores se quejan de que «tienen la boca seca». Pueden sufrir algunos de los síntomas de la estomatitis.
- Cualquier otra cosa
  Larry es representante de una empresa, y hace poco ha ascendido a la dirección regional. Se presentó con una historia clínica de diez meses de labios inflamados y doloridos. «Cada mañana», me decía, «tengo que arrancarme una capa de piel seca de los labios». No tenía otros síntomas. Empleé mucho tiempo en perseguir todos los posibles «contactos» que podría tener, sin olvidarme de los cubiertos, el cepillo de dientes, su bolígrafo, su

taza preferida, alergenos profesionales, pintalabios y perfumes de su novia, etc. Las pruebas de parches eran completamente normales. La dieta de bajo contenido alérgico falló. Las medidas de precaución para evitar alergenos no servían. Así que volví al principio. «No he podido identificar su alergeno», le dije, «así que creo que tenemos que analizar su costumbre de morderse los labios.» Tenía el hábito de torcer hacia un lado sus labios fruncidos a la vez que se los mordía. Tenía, en ese sentido, una queilitis autoinfligida.

Capítulo 8
Alergias en el trabajo

Un lugar de trabajo sano

Todo trabajador tiene derecho a un puesto de trabajo seguro y saludable. Sin embargo, este capítulo no se refiere a cuestiones de higiene y seguridad, sino a los problemas alérgicos corrientes que suelen aparecer en el lugar de trabajo, incluso cuando se toman medidas para procurar un entorno de trabajo adecuado. A continuación, presentamos unos cuantos ejemplos.

Historias clínicas

Victoria era una peluquera que estaba en el segundo año de aprendizaje. Sufría un problema crónico de rinitis y sinusitis al que ya estaba acostumbrada. Sin embargo, recientemente le había comenzado una tos crónica que le impedía ir a trabajar. Se fijó en que la tos le desaparecía completamente cuando estaba en casa y le reaparecía cuando volvía al trabajo. En consecuencia, la volvieron a enviar a casa y la tos desapareció de nuevo. Se le hicieron pruebas de parches con materiales y productos a los que estaba expuesta en su trabajo. No sólo apareció una reacción positiva, sino que además le volvió a aparecer la tos y sibilancias, además de un recrudecimiento de su rinosinusitis. Un aspecto interesante de este caso era que los alergenos, individualmente, no le causaban problemas. Sólo en el momento en que se mezclaban dos alergenos determinados se producía una reacción positiva (y los correspondientes síntomas). Así se determinó que eran precisamente esas dos sustancias las que causaban los mayores problemas: al mezclarse comenzaban las sibilancias, incluso si esa mezcla la hacía cualquier otra peluquera. Padecía **asma profesional.**

Betty había llegado a ejercer de supervisora de control de calidad a los dos años de haber comenzado a trabajar como obrera en una gran empresa manufacturera. A partir de entonces empezó a tener problemas nasales: la nariz empezó a moquear y estornudaba. Al principio pensó que se trataba de un resfriado. Luego creyó que eran muchos resfriados seguidos. Después se dio cuenta de que algo iba mal. Empezó a llevar un control diario de los síntomas y descubrió que le aparecían las tardes de los días laborables. Es decir, le comenzaban por la tarde, en casa, una vez que había salido del trabajo. Casi no tenía síntomas los fines de semana y ninguno en absoluto durante las vacaciones. Se estaban haciendo muchas soldaduras en la fábrica, así que Betty solía ayudar cuando estaban saturados, lo que ocurría invariablemente. Betty tenía una **rinitis profesional.**

Catherine trabajaba en una panadería a tiempo parcial para completar los ingresos familiares. Estaba encantada con su trabajo hasta que se le produjo una dermatitis. Al principio pensaba que no tenía nada que ver con el trabajo, así que le recomendamos una dieta de bajo contenido alérgico. Para su alivio, la erupción desapareció en una semana, aunque volvió a presentarse en cuanto empezó a comer trigo. Los análisis evidenciaron que era alérgica al trigo, así que lo evitó. El problema era que le aparecía la erupción en cuanto volvía a trabajar en la panadería. Le recomendaron utilizar guantes para trabajar con la harina, y éstos le redujeron parcialmente la severidad de la erupción. Pero todavía seguía inhalando el polvo de la harina (como cualquiera que trabaja en una panadería) y uno de los síntomas principales de la alergia a la harina por inhalación es una erupción en las manos. Catherine sufría una **dermatitis profesional**.

Colm era enfermero jefe de una sección de urgencias para los accidentes. Acudió a la clínica de la alergia por lo que creía que era un problema muy sencillo. Se ponía enfermo cada vez que comía plátanos y quería «ver qué pasaba». Colm no lo sabía, pero me estaba diciendo que era alérgico al látex. Permítanme que lo explique. En primer lugar, el látex y los plátanos son alergenos que tienen reacciones entrecruzadas: si se es alérgico a uno, es muy fácil que también se sea alérgico al otro. En segundo lugar, Colm era enfermero. Por lo tanto cabía la posibilidad de que se le produjera una alergia al látex; a fin de cuentas, de un 5 a un 17 % de los médicos, enfermeras y trabajadores dentales son alérgicos al látex. Los análisis de sangre confirmaron que Colm tenía anticuerpos en la sangre que le hacía reaccionar al contacto con el látex o con los plátanos. Ahora tiene que tomar una decisión muy importante, ya que la exposición continuada al látex podría hacerle aún más sensible. Colm sufría una **anafilaxia profesional** (véase el capítulo 9).

Deborah acaba de finalizar sus estudios universitarios con una licenciatura en ciencias. Inmediatamente empezó a trabajar en una empresa farmacéutica. A los cuatro meses le comenzó una urticaria. La erupción le aparecía casi en el mismo momento en que entraba en su laboratorio y le remitía por la tarde, cuando salía de trabajar. Los fines de semana no presentaba síntomas, pero era lo primero que le ocurría cuando empezaba a trabajar los lunes por la mañana. Estaba en contacto con numerosos culpables potenciales. Nuestro trabajo consistía en descubrir cuál era el que le había provocado la **urticaria profesional**.

¿Qué es una alergia profesional?

Por definición, una alergia profesional es la que está causada por la exposición a una sustancia que se encuentra en el puesto de trabajo. La gama de posibles síntomas es muy amplia e incluye:

1. Asma
y/o
2. rinitis/sinusitis
y/o
3. urticaria
y/o
4. conjuntivitis
y/o
5. dermatitis alérgicas por contacto
y/o
6. anafilaxia (alergia fatal o casi fatal).

Estas enfermedades se tratan en sus respectivos apartados en este libro. Lo que nos interesa particularmente ahora es el hecho de que *puede causarlas algo del trabajo.* Ahora la cuestión estriba en saber si *su* asma, *su* rinitis, o *su* lo que sea está causada por algún agente del lugar de trabajo. La primera pista es a menudo, pero no siempre, el patrón de síntomas. Se habrá fijado en que en todas las historias clínicas presentadas, menos en un caso, hay una relación clara entre la sintomatología y el lugar de trabajo. En estos casos se produjo una remisión de los síntomas al dejar el puesto de trabajo y una reaparición al reanudarlo. Es lo más corriente, en especial en las etapas iniciales de la alergia ocupacional. También habrá notado que los síntomas pueden ser inmediatos (el caso de la urticaria de Deborah) o tardíos (caso de la rinitis de Betty). Para hacer todavía más confusas las cuestiones, algunos pacientes presentan a la vez síntomas inmediatos y tardíos. Sin embargo, todos estos modelos no sirven de nada si la alergia no se trata. Son cuestiones importantes que hay que recordar al fijarnos en el modelo de nuestros propios síntomas.

¿Quién la sufre?

Individuos determinados (con una historia de eccema, asma, rinitis y/o urticaria) tienen un mayor riesgo de desarrollar ciertos tipos de alergia profesional. En especial, corren mayores riesgos aquellas personas que trabajan con granos, harinas y animales. Sin embargo, cualquiera puede sufrir una alergia ocupacional, independientemente de su historia clínica. El riesgo tiene mayor relación con los agentes a los que se expone uno en el trabajo que con los problemas alérgicos sufridos con anterioridad.

Los casos de asma profesional detectados están relacionados con cerca de doscientas sustancias, y la lista continúa creciendo. La situación de la rinitis profesional es similar, aunque menos documentada. En general, si algo le puede producir asma, también puede provocarle una rinitis. Determinadas ocupaciones conllevan un mayor riesgo de sensibilización. Algunos de los agentes alergenos más problemáticos (y las profesiones más afectadas) son:

Fuente alérgica	Trabajadores afectados
Animales	Manipuladores, laboratorios, veterinarios, etc.
Enzimas (*Bacillus subtilis*, papaína, etc.)	Industria farmacéutica, trabajadores de laboratorio
Plantas (úpulo, té, tabaco, trigo sarraceno)	Destilerías, elaboradores de alimentos, fabricantes
Látex (guantes)	Médicos, dentistas, enfermeras, etc.
Polvo de granos y ácaros	Molineros, estibadores, transportistas
Polvo de alimentos (trigo, centeno)	Panaderos y molineros

Alimentos (salmón, cangrejo y langostinos)	Elaboradores alimentarios y manipuladores
Goma de acacia y tragacanto	Elaboradores de goma
Sales metálicas (níquel, cobalto, platino, etc.)	Elaboradores de productos metálicos
Medicinas (penicilina, tetraciclina y otras)	Laboratorios, trabajadores farmacéuticos
Di-isocianatos	Plásticos, poliuretano, barnices y pinturas
Anhídridos	Plásticos, resinas epoxy, adhesivos
Sales de persulfatos	Peluqueros
Etilenodiamina	Fotógrafos
Polvo de madera (roble, caoba, etc.)	Carpinteros
Colofonía	Soldaduras, industrias electrónicas
Colorantes	Industrias textiles
Etanolamina	Pintura pulverizada

¿Se cura sola?

Muchos casos de alergia profesional se resuelven si el paciente cambia de lugar de trabajo *al principio de la enfermedad*, aunque puede que hagan falta un par de años para que los síntomas desaparezcan del todo. Los que sufren asma profesional, y que están sujetos a una exposición continuada, corren el riesgo de que el asma sea permanente, *incluso si cambian de lugar de trabajo posteriormente.* Un problema similar sucede con el trabajador mayor que desarrolla una dermatitis alérgica profesional por contacto. Por ello, los trabajadores deberían recibir compensaciones y jubilaciones por causa médica si puede probarse que su enfermedad alérgica está causada *directamente* por la exposición a un alergeno del trabajo. Obviamente, eso les proporcionaría la seguridad financiera necesaria para salir de una situación que daña permanentemente su salud.

¿Cuál es su causa?

No sabemos la razón que hace que algunas personas desarrollen una alergia profesional y otras no. Además del riesgo de atopia mencionado anteriormente, parece que no hay manera de predecir quiénes se verán afectados y quiénes no. No hay duda, sin embargo, de que determinados alergenos tienen efectos verdaderamente intensos: es decir, tienen un gran potencial para inducir reacciones alérgicas. El platino es un buen ejemplo, con cerca de un 15 % de afectados entre las personas que trabajan con ese material. De manera similar, se cree que la colofonia provoca asma a un 30 % de los que trabajan en contacto con el material.

¿Hay complicaciones?

Además de las complicaciones normales de las diferentes enfermedades, los que padecen alergia ocupacional deben tomar decisiones importantes sobre su empleo futuro. Este problema ha acabado con la carrera de algunos y ha llevado a situaciones económicas difíciles a buenos trabajadores.

¿Qué podemos hacer?

Lo más útil que podemos hacer –y que *tenemos que hacer*– es identificar los alergenos implicados. Todo adulto con rinitis, asma y dermatitis tendría que ser informado sobre la sensibilización que puede recibir en el trabajo (o al practicar sus aficiones). Eso implica la elaboración de una completa historia clínica, junto con pruebas de parches y pruebas subcutáneas adecuadas.

¿Podría ser otra cosa?

Al igual que en la mayoría de las situaciones alérgicas ya tratadas, la cuestión más importante que no hay que perder de vista es la diferencia entre un síntoma *alérgico* y uno *irritativo.* De esta forma, las alergias profesionales no deben confundirse con:

- Desencadenantes de asma o rinitis ocupacionales no alérgicos. Muchas de las sustancias que se hallan en el trabajo pueden causarle problemas a los pacientes con asma o rinitis preexistente. Se incluyen los productos químicos irritantes y gases como:

– dióxido de sulfuro (industria del petróleo)
– cloro (piscinas)
– humos de la gasolina y el gasoil
– cosméticos
– e incluso desencadenantes físicos (no químicos), como los cambios de temperatura de zonas refrigeradas (por ejemplo, en laboratorios, cámaras frigoríficas y mataderos).

- Desencadenantes no alérgicos de la dermatitis ocupacional
  Muchos de nosotros estamos expuestos a innumerables irritantes durante nuestro horario laboral. Los que tengan precedentes de dermatitis alérgica por contacto, o incluso de eccema, tienen mayores posibilidades de sufrir una irritación de la piel (más delicada) si continúan en contacto con sustancias irritantes. Hay que cuidarse de:
  – jabones y detergentes
  – desinfectantes
  – sales de metales
  – disolventes
  – productos químicos
  – aceites
  – plantas
  – abrillantadores, etc.
- Síndrome disfuncional de las vías aéreas reactivas
  En contraste con el asma profesional, en que los trabajadores se vuelven alérgicos a *un alergeno dentro del horario laboral*, el síndrome disfuncional de las vías aéreas reactivas contempla la súbita aparición de asma tras una exposición significativa y única a un irritante; estos casos son invariablemente accidentales y por lo general están relacionados con vapores de gases nocivos. Por definición los pacientes con este síndrome...
  – no presentan una historia previa de asma anterior a la exposición
  – sufren una significativa (alta concentración) exposición a vapores o humos tóxicos
  – desarrollan los síntomas durante las veinticuatro horas siguientes a la exposición
  – siguen con síntomas a los tres meses de la exposición.

Los síntomas del síndrome se parecen a los del asma, es decir, tos, sibilancias y disnea (problemas respiratorios).
Es más, una vez que los bronquios están muy irritados, los estímulos menos importantes, como el polvo o el perfume, pueden provocar la tos o sibilancias. No padecen asma, sino espasmos en los bronquios, y esa hiperreactividad puede persistir durante muchos años.

- Síndrome del edificio enfermo
Este síndrome fue reconocido formalmente por la Organización Mundial de la Salud en 1982. Se refiere a una incidencia «mayor de la esperada» de determinados síntomas entre los trabajadores de un edificio concreto. Un edificio se considera «enfermo» si un 30 % o más de sus ocupantes se quejan de lo siguiente:
  - Irritación de ojos, que puede dar lugar tanto a ojos secos como lacrimosos con escozor y sensación urente. Pueden surgir dificultades para utilizar lentes de contacto.
  - Irritación de la nariz, que sufre prurito, moqueo o se encuentra obstruida. Pueden producirse también hemorragias nasales.
  - Irritación de la garganta, con sequedad y dificultades para la deglución.
  - Irritación de la piel, descrita como «seca» o pruriginosa, con o sin erupciones.
  - Otros síntomas, que incluyen dolores de cabeza, fatiga, irritabilidad y falta de concentración.

Se puede apreciar que la mayoría de los síntomas son más *irritativos* que *alérgicos.* En este síndrome del edificio enfermo, es el medio de trabajo el que se encuentra enfermo, no sus ocupantes. Por decirlo de otra manera, si el edificio estuviera en mejores condiciones sanitarias, los ocupantes también lo estarían. Los síntomas son la resultante de una combinación de varios factores irritantes del lugar de trabajo, que tienen un efecto acumulativo negativo en las personas que trabajan en él. Por ejemplo, puede que la oficina tenga la temperatura muy alta y el aire muy seco, lo que provoca que la maquinaria que se encuentra en su interior emita sustancias químicas irritativas, como el formaldehído, en cantidades importantes.

Los que conocen el tema nos indican que un tercio de todos los edificios nuevos o remodelados están, hasta cierto punto, enfermos.

Dejando aparte las implicaciones para la salud de los empleados, existen varias buenas razones para optimizar el lugar de trabajo. Se reducen las bajas por enfermedad al mínimo, mejora la moral de la plantilla, facilita las relaciones industriales y aumenta la productividad. También disminuye el tiempo dedicado a escuchar los problemas de salud de la plantilla, además del gasto de reemplazarlos y/o reciclarlos.

La evaluación de un edificio con trazas de sufrir este síndrome debe incluir una completa consideración de:

1. Factores físicos
   - La distribución y el diseño del edificio.
   - El espacio de trabajo.
   - La iluminación.
   - El tipo de ventanas.
   - La calefacción y mecanismos de ventilación.
   - Y la consideración de si estos elementos se hallan bajo el control directo de individuos que son a la vez parte de la plantilla.
2. Factores de la calidad del aire interior
   - Niveles de dióxido de carbono y oxígeno.
   - Niveles de componentes orgánicos volátiles u otros componentes químicos.
   - Niveles de polvo.
   - Temperatura y humedad.
   - Corrientes de aire.
3. Factores biológicos
   - La presencia de microorganismos y/o sus toxinas.
4. Factores psicológicos

   Los problemas de salud de una plantilla pueden reconducirse o complicarse por factores psicológicos. El entorno psicosocial puede evaluarse encuestando a los trabajadores sobre
   - Su nivel de satisfacción en el trabajo.
   - Hasta qué punto comprenden su papel en la empresa.
   - La presencia o ausencia de conflictos de competencias entre empleados.
   - La cantidad de estrés laboral que es preciso afrontar.
   - El estrés producido por el volumen de trabajo.
   - Cómo se relacionan con los otros elementos de la plantilla.
   - Y cómo se relacionan con los mandos.

Unas líneas sobre la intolerancia alimentaria provocada por sustancias químicas

Nancy trabaja como ayudante técnica en una industria química. Un día notó un olor extraño que salía de la ventilación. No reconoció el olor ni nadie pareció preocuparse, ni tampoco sonó ninguna alarma, así es que siguió trabajando. Poco a poco todo el personal del laboratorio se empezó a encontrar mal. A unos les dio tos, otros vomitaron y a la mayoría le dolía la cabeza. Entretanto, el olor era cada vez más intenso. Empezaron a aclarar el asunto y se dieron cuenta de que estaban ante un accidente químico. Abandonaron el local inmediatamente. A Nancy la ingresaron en un hospital, del que fue dada de alta a los pocos días sin tratamiento. Todo esto había sucedido el año pasado, y desde entonces Nancy no se había recuperado. En particular, seguía sufriendo dolores de cabeza, dolores musculares y mareos. Se sentía cansada e incapaz de ir más allá de su rutina de trabajo. Al hacerle más preguntas fueron apareciendo otros síntomas: inflamación del abdomen, brotes de diarrea y espasmos en el vientre. También tenía una sensibilización mayor a los olores químicos, como los de la lejía, los abrillantadores, los perfumes y otros. Le hicimos iniciar una dieta de bajo contenido alérgico y a los doce días le habían desaparecido todos los síntomas. Se veía libre de molestias por primera vez desde el día del accidente. Fuimos reintroduciendo alimentos uno a uno, para identificar los que le causaban molestias. Ahora se encuentra en tratamiento de desensibilización, lo que le permite ingerir una variedad de alimentos más amplia y nutritiva sin tener que sufrir los problemas de la intolerancia alimentaria. Nancy había sufrido una intolerancia alimentaria múltiple como complicación de una intoxicación química en el trabajo.

Tercera parte

ALERGIAS FATALES Y CASI FATALES

Capítulo 9

Anafilaxia

Historia clínica

El 8 de noviembre de 1994 está grabado para siempre en nuestra memoria. Después de un duro día de trabajo estábamos sentados con nuestros tres hijos alrededor mientras comíamos algunos frutos secos que habían sobrado de Halloween y charlábamos de nuestras cosas. Nuestra hija mayor, Aisling, tenía entonces cinco años. Empezó a toser y a quejarse de que le dolía la garganta al comer. Le miré la boca y como no había nada raro le di unos golpecitos tranquilizadores en la espalda, como algunas veces hacemos los médicos. Así que se fue a lavar los dientes para irse a la cama cuando le volvió a dar un ataque a lo Shirley Temple. Al llegar al cuarto de baño tenía la cara cubierta por una urticaria y la lengua inflamada con unos bultos muy feos. La envolví en una manta, la tomé en brazos y la llevé en el coche al hospital. Por el camino empezó a sentir que se ahogaba y se desplomó en el asiento de atrás. Yo la llamaba «¡Aisling! ¡No te tumbes, no te tumbes!», pero la niña casi no podía ni hablar. Estaba débil, muy débil. Conducía como un loco con un ojo en la niña y otro en la carretera, con las luces de emergencia y de carretera encendidas y tocando el claxon en medio del tráfico. Pensaba que la perdía. Pero sabía que si llegaba al hospital a tiempo tendría una oportunidad. Lo que necesitaba en ese momento era adrenalina y nada más. Entré corriendo en urgencias, temblando; ya tenía los ojos hinchados, la respiración era angustiosa y estridente y la urticaria se le había extendido por todo el cuerpo. La dejé en manos del equipo médico y empecé a rezar. Aisling agonizaba en medio de una **anafilaxia.**

Estimo que los síntomas le comenzaron a los tres o cuatro minutos de comer las nueces, y que debí tardar otros cinco minutos en llegar al hospital. Los síntomas eran espectaculares y aumentaban a un paso terrorífico. Se trataba, sin lugar a dudas, de una situación que amenazaba gravemente su vida. Para nuestra gran suerte, Aisling salió del paso. Aunque desafortunadamente otros en el mismo caso no lo han superado. Cada año, entre seis y ocho personas mueren a causa de una alergia de este tipo en Gran Bretaña.

Los análisis de sangre llegaron a las pocas semanas. Confirmaban definitivamente la alergia a las nueces del Brasil. Los otros frutos secos, incluyendo los cacahuetes, no salían reflejados en los análisis. Sin embargo, las pruebas cutáneas a los cacahuetes daban positivo. Aisling, por su parte, no pudo dormir durante casi un mes. Tenía un miedo horrible. Sin embargo, no hay duda de que comprendió perfectamente su situación. «Gracias, Señor, por no haber muerto cuando me comí los frutos secos», reza. Brian en esa época era un bebé y era completamente ajeno a lo que le rodeaba, pero Fiona, que tenía tres años, empezó a mostrarse maravillosamente protectora con su hermana mayor. No le dejaba comer nada, y nada quiere decir nada, sin antes preguntarnos si contenía frutos secos. Afortunadamente Aisling es una jovencita responsable y nunca come un alimento nuevo sin consultarnos primero. Siempre lleva consigo una jeringuilla con adrenalina en todo momento: en la mochila de la escuela, en el coche y en casa. La llevamos a las fiestas de sus compañeros con un regalo en una mano y la jeringuilla en la otra. Siempre nos dirigimos discretamente a los anfitriones y les damos una breve pero clara indicación: «FRUTOS SECOS NO». Y si los ingiere accidentalmente: ¡UTILICEN LA ADRENALINA!

¿QUÉ ES LA ANAFILAXIA?

La anafilaxia o shock anafiláctico es un término utilizado en la práctica clínica para describir una reacción alérgica potencialmente fatal y rápidamente progresiva. La palabra procede del griego *phulaxis* , que significa protección. *Anafilaxia* se refiere a los que no tienen protección ante el alergeno.

Un poco de historia

El fenómeno de la anafilaxia lo descubrieron accidentalmente en 1902 dos franceses ganadores del premio Nobel, Charles Richet y Paul Jules Portier. Estaban estudiando la medusa portuguesa (una medusa peligrosa), más concretamente una toxina de sus tentáculos. Trataban de dar con un antídoto para los que recibían alguna picadura. Al principio, trataron de inmunizar a perros dándoles un tratamiento de inyecciones con dosis bajas de toxina. Los perros no tenían problemas con la primera inyección. Sin embargo, y para gran consternación de los implicados, los perros morían al administrarles la segunda inyección. Los científicos llegaron a la conclusión de que la primera inyección, lejos de inmunizar a los perros, había incrementado su sensibilización. Se consideraba que los perros estaban entonces sensibilizados a la toxina y que «no tenían protección». Se encontraban indefensos, padecían anafilaxia.

En esa misma época, otros médicos intentaban proteger a sus pacientes de otro problema: infecciones serias y a veces fatales, como la difteria y el tétanos. Para lograr protección, los médicos vacunaban a sus pacientes con anticuerpos específicos. Funcionaba bastante bien. Los receptores eran luego inmunes a las bacterias y por lo tanto evitaban los problemas de las infecciones. Sin embargo, algunos pacientes morían al administrarles la inyección, es decir, por culpa de la inyección. Por lo tanto, los doctores descubrieron, a su pesar, que se podía producir una anafilaxia ante las vacunas de igual modo que ante las toxinas.

Como antes se ha mencionado, el pediatra vienés Clemens von Pirquet observó en 1906 que los pacientes con una respuesta anómala al suero de caballo que se utilizaba normalmente en las vacunas y que estaban en un estado de «reactividad alterada» tenían problemas de alergia. Es más, se dio cuenta de que los pobres perros no morían por los propios efectos de la toxina, sino a causa de su respuesta anómala a la misma. Así, la alergia y la anafilaxia empezaron a referirse a una única y misma cuestión.

A medida que fue pasando el tiempo, se hizo cada vez más evidente que prácticamente cualquier sustancia, desde el cacahuete a la penicilina, podía producir anafilaxia/alergia en las personas sensibles. También se hizo evidente que había diversos grados de sensibilización y que no todos los estados de «reactividad alterada» eran fatales o casi fatales. En la práctica clínica, por lo tanto, se hace una distinción entre anafilaxia y alergia. La anafilaxia se refiere a reacciones fatales o casi fatales. En cambio, la alergia es un término más amplio que se refiere a cualquier reacción de hipersensibilidad, independientemente de su importancia.

Existe, sin embargo, una gran zona oscura, una incertidumbre en nuestros conocimientos y en la práctica clínica. Todos comprendemos la diferencia entre fatal y no fatal, pero ¿cómo podemos valorar lo «potencialmente fatal»? La triste verdad es que no tenemos una clara línea divisoria entre una «alergia complicada» y una «leve anafilaxia». Hace falta, por lo tanto, ejercitar con sumo cuidado la valoración clínica al tratar con los pacientes individualmente.

¿Por qué es tan peligrosa la anafilaxia?

Como hemos visto no es el alergeno por sí mismo lo que causa el daño, sino que la respuesta anormal del cuerpo es lo que desencadena la catástrofe. Esto se cumple con todos los problemas alérgicos, pero especialmente en el caso de la anafilaxia. También parece que hay otro factor en juego, un acelerador de la clase que sea, que lleva la alergia a extremos peligrosos. No conocemos ese acelerador, pero sabemos que está ahí y que es letal.

Para comprender mejor todo esto, necesitamos conocer alguna cosa sobre los mecanismos subyacentes que están involucrados en el proceso. Con ese propósito, vamos a empezar por definir el «mecanismo final común» para volver al principio. El final común, en este contexto, se refiere a una serie de circunstancias que tienen lugar en el cuerpo durante una reacción anafiláctica, sea cual sea la causa de la reacción. Volvemos a encontrarnos con nuestros viejos amigos (o enemigos, según el caso), los mastocitos. Y nos encontramos también, por vez primera, con su primo, el basófilo. Explicado resumidamente, el basófilo es un mastocito que flota libremente en la circulación sanguínea. Cada una de estas células contienen numerosos y potentes agentes químicos. Cuando desgranulan (se deshacen), liberan su potente carga en los tejidos colindantes y en la circulación sanguínea. Una vez que se han vaciado, pueden volver a producir nuevos agentes químicos a una velocidad feroz, así que se produce una reacción continuada.

«¡Alto ahí!», dirá usted. «¿No es eso mismo lo que ocurre en el caso de asma alérgico, en la rinitis, la urticaria, el angioedema, etc.?»

Evidentemente, tiene razón. Eso es exactamente lo que ocurre en todos los tipos 1 de alergia. La diferencia en el caso de la anafilaxia es el «factor de aceleración» al que se ha aludido antes. Permítame que lo ilustre. Kevin es un niño de diez años con una historia clínica de asma. Los síntomas estaban bien controlados porque toma con regularidad la medicación y porque, con un poco de ayuda, ha conseguido entender cómo funciona su alergia y los desencadenantes no alérgicos. El único problema adicional que tiene es que es alérgico a los huevos. Si come huevos dos días seguidos le sale una urticaria. Si se los come en días alternos no le ocurre nada. Las pruebas cutáneas y los análisis de sangre confirman que es sensitivo a los huevos, pero que nunca ha tenido una reacción importante a ellos.

Bien, así es que Kevin padece una alergia. Ahora comparémoslo con otro niño de diez años, Damien. No tiene historia clínica de asma ni de ninguna otra enfermedad alérgica que tenga algo con ver con ello. Apareció por la clínica de alergias ya que presentaba síntomas de una urticaria y le habían dado vómitos después de comer huevo. Su madre creyó que era alérgico a los huevos y procuró que los evitara. No hacía falta que a Damien se le insistiera mucho, ya que hasta notaba que se le enrojecía la cara incluso cuando se estaban friendo huevos en el vecindario.

Sin embargo, cierto tiempo después, le volvió a aparecer la urticaria, pero esta vez empezó a sentir sofocos. No entendía nada, porque no había comido ni se había acercado a los huevos. Pero había ingerido palitos de pescado, y aunque él no lo sabía, contienen huevo.

Damien sufre anafilaxia. Padece algo más que lo que llamamos una «simple alergia». Tiene un mecanismo acelerador trabajando en su sistema que produce una reacción fulminante (que es lo que denominamos reacciones sistémicas). Y sucede incluso cuando se expone sólo unos minutos al alergeno. Vamos a pensarlo. Nota el olor de los huevos fritos y tiene síntomas. Estamos hablando de moléculas de alergeno, no de miligramos o de onzas. Incluso esas mínimas cantidades pueden iniciar una cascada devastadora de sucesos alérgicos en el sistema. ¿Cree que exagero? Mientras escribo, un desafortunado cliente de un restaurante de Londres ha sufrido un colapso por una anafilaxia fatal al pasar por su lado un camarero con una bandeja de pescado muy caliente. Ese señor sabía que era alérgico al pescado. A eso me refiero cuando hablo de un acelerador, y eso es lo que hace que la anafilaxia sea tan peligrosa.

Volvamos un momento al mastocito y el basófilo. Al liberar su potente carga se producen los síntomas de la alergia. Como hemos visto, si ocurre en la nariz, sufrimos rinitis, si sucede en los pulmones, sufrimos asma, y si pasa en la piel, urticaria, etc. Sin embargo, si está presente un acelerador, las células segregan en todo el sistema y no sólo donde se ha encontrado el alergeno. Sucede así:

1. Algo provoca a los mastocitos y basófilos.
2. Desgranulan, liberando sus potentes componentes químicos hacia los tejidos y la circulación sanguínea.
3. Estos productos químicos tienen un efecto directo en los vasos sanguíneos, produciendo su dilatación.
4. Los vasos dilatados permiten la pérdida de líquidos que van desde la circulación sanguínea hacia los tejidos suaves y otros órganos, incluyendo el hígado, el intestino, los pulmones y el cerebro.
5. Estos productos químicos también ejercen un efecto directo sobre los músculos lisos, provocando su contracción.
6. Los músculos lisos de los bronquios, intestinos y matriz sufren espasmos.

Los síntomas y señales de la anafilaxia surgen directamente de lo anterior y son:

- habones y edemas de la piel (urticaria y angioedema)

y/o

- estornudos (y otros síntomas de rinitis)

y/o

- lagrimeo (y otros síntomas de conjuntivitis)

y/o

- sofocos (y otros síntomas de asma agudo)

y/o

- falta de aliento

y/o

- ronquera

y/o

- dolores abdominales

y/o

- vómitos y diarrea (que puede ser sanguinolenta)

y/o

- ansiedad, desmayos y convulsiones

y/o

- pulso irregular, ataques al corazón y, finalmente, paro cardiaco.

La anafilaxia es tan mortal debido a sus efectos en las vías aéreas, el corazón y el cerebro. Vamos a analizarlos más atentamente.

Las vías aéreas en la anafilaxia

Las vías aéreas pueden verse afectadas en diferentes niveles: 1) garganta y laringe, 2) bronquios y 3) los propios pulmones.

1. Como hemos visto en el capítulo anterior, el espacio que hay en la laringe y la garganta es limitado. Cuando se produce aquí la hinchazón del angioedema se pueden obstruir con facilidad las vías aéreas. Sin embargo, algunas veces el paso está completamente obstruido. Los síntomas de la obstrucción incluyen una sensación de inflamación de la garganta, dificultad para tomar aire, dificultades para la deglución, babeo, afonía, respiración jadeante y, cuando la obstrucción es completa, absoluta imposibilidad de respirar.
2. La anafilaxia afecta a los bronquios de una manera parecida al asma. Se inflaman, sufren espasmos y producen un moco espeso, todo lo cual dificulta el paso del aire. Los síntomas incluyen tos, sibilancias y disnea. La progresión del ataque asmático hasta la anafilaxia puede ser extremadamente rápida.
3. Finalmente, afecta a los propios pulmones, como de hecho afecta a todos los órganos interiores. Los vasos sanguíneos permiten la pérdida de líquidos de la circulación sanguínea hacia los alveolos (las cápsulas de aire de las que hablamos en el capítulo 5). De esta forma, los pulmones se llenan de sus propios líquidos.

El corazón en la anafilaxia

También el corazón puede verse afectado de diversas maneras:

1. Los mastocitos que se encuentran en los músculos del corazón liberan su carga, causando una inflamación y la alteración del ritmo cardiaco normal.

2. El flujo sanguíneo hacia el corazón puede verse alterado, dando lugar a un ataque al corazón.
3. El corazón es sometido a una mayor tensión a medida que disminuye la presión sanguínea. Puede que ahora los latidos sean erráticos, o que incluso se detengan. Paro cardiaco.

El cerebro en la anafilaxia

Uno de los primeros síntomas del cerebro ante la anafilaxia es una sensación de muerte inminente. El paciente sufre ansiedad, incluso antes de que cualquier otro síntoma se manifieste. Al disminuir la presión sanguínea puede producirse una sensación de desmayo, y una mayor disminución de la presión da lugar a una pérdida de la conciencia. Una inflamación en el cerebro puede provocar convulsiones y el estado de coma.

EL RESULTADO FINAL DE UNA ANAFILAXIA QUE NO SE CONSIGUE DETENER ES UN COLAPSO (METABÓLICO) COMPLETO Y LA MUERTE.

DIFERENTES TIPOS DE ANAFILAXIA

Hay diferentes tipos de anafilaxia, aunque todos comparten el mismo modelo y el mismo final según el esquema expuesto antes. Por lo tanto, todos tienen el mismo complejo sintomático y conllevan igual riesgo. Al final resulta ser un modelo parecido a la cadena del dominó, todas las fichas alineadas y próximas entre sí: si se hace caer la primera, caerá toda la línea, una por una. Éste es el tipo de reacción en cadena que sucede en la anafilaxia. No importa cómo se golpee la primera ficha. Lo único que tiene importancia es que cae. Por lo tanto, es igual soplar que golpearla con el dedo o darle con un martillo: el resultado final es siempre el mismo.

Como hemos visto, la primera ficha de la anafilaxia es la desgranulación del mastocito y el basófilo. Debemos fijar nuestra atención en los desencadenantes, los variados y diferentes mecanismos por los que estas células revientan en un primer momento. Los desencadenantes pueden ser tan variados de unos a otros como la tiza y el queso, pero los síntomas son siempre los mismos, sin importar lo que los ha causado. Por lo tanto, no podemos distinguir un tipo de anafilaxia de otro por medio de los síntomas. Lo único que difiere son los mecanismos que la desencadenan.

Desencadenantes alérgicos de la anafilaxia

El tipo más corriente de anafilaxia está relacionado con la IgE, el anticuerpo de la alergia. En este escenario, cuando un paciente se vuelve sensible a un alergeno produce un clon específico de IgE. Esta IgE reaccionará exclusivamente a ese alergeno. La única excepción al fenómeno la constituye la reactividad cruzada (véase página 82). Los anticuerpos de la IgE se encuentran en su mayoría en las membranas (paredes) de las células de los mastocitos. Cuando aparece el alergeno, la IgE saca un brazo y lo fija. Si dos IgE lo agarran y lo fijan se dice que están unidas por el alergeno. Las IgE unidas cambian rápidamente de forma y, al hacerlo, desencadenan la actuación del mastocito, que desgranula. Es un poco como las enormes cajas de caudales de los bancos: hay que girar las dos llaves simultáneamente para abrir la puerta.

Los desencadenantes no alérgicos de la anafilaxia

Se han identificado otros muchos desencadenantes de la anafilaxia. En cada uno de estos casos, los mastocitos y los basófilos empiezan a actuar debido a mecanismos diferentes de la IgE. Sin embargo, estos mecanismos, debido a su complejidad, están fuera del alcance de este libro. Sin embargo, puede resultar de interés lo siguiente:

Anafilaxia inducida por el ejercicio

El cuerpo genera potentes productos químicos durante el ejercicio, que pueden provocar la desgranulación de los mastocitos en los individuos vulnerables. Algunas veces puede suceder en presencia de un «alergeno latente»; otras veces sucederá sin que haya ninguna otra razón aparente. Ken, por ejemplo, es un atleta de pista y de aire libre, acostumbrado al entrenamiento y motivado por sus aspiraciones de llegar al estrellato. Los sueños se le vinieron abajo cuando notó que no podía entrenarse sin sentirse luego fatal. Los primeros treinta minutos no eran ningún problema, pero poco después aparecían los síntomas, dependiendo, en cierta manera, de los ejercicios que realizara.

Primero notaba una sensación de hormigueo en los labios, luego náuseas y vómitos. A los pocos minutos tenía que salir disparado hacia al lavabo con diarrea, aunque el esfuerzo de la carrera le incrementaba sus problemas, así que algunas veces se esforzaba y otras no. Si se procuraba descanso, los síntomas desaparecían gradualmente.

La única pista de que disponía para pensar que el responsable podía ser una alergia era la sensación urente de los labios, así que se acercó a la clínica de alergias. Le pedí que ayunara cinco horas antes del entrenamiento (bajo supervisión). Fue capaz de correr durante cuarenta y cinco minutos, sin detenerse y a buen paso, deteniéndose sólo por el cansancio y no porque se encontrara mal. No hace falta decir que estaba encantado. Habíamos demostrado que su anafilaxia (ya que era lo que tenía) guardaba alguna relación con los alimentos. Solía alimentarse de manera sana, incluyendo una ración diaria de su tentempié preferido: ensalada de manzana y apio. Y el apio, por alguna razón desconocida, está frecuentemente implicado en este tipo de anafilaxia relacionada con la alimentación e inducida por el ejercicio. Ken ahora puede entrenarse tanto como desee siempre y cuando deje de consumir apio.

El fenómeno contrario también ocurre, como se demostró recientemente con el informe de un caso de un colega. Se trataba de una mujer de unos cincuenta años a la que le gustaba mucho bailar. Se le desarrolló una anafilaxia inducida por el ejercicio, pero sólo después de beber coñac. Podía pasarse la noche bailando a condición de que no bebiera, al igual que podía beber toda la noche si no bailaba (¡esto último más vale no probarlo!).

Declan no tuvo tanta suerte. Llevaba varios años jugando al *squash* sin problemas. Recientemente, sin embargo, había empezado a sentir picores cuando llevaba una media hora de juego. Lo achacó a una irritación debida al sudor e intentó ignorarlos. Pero a medida que pasaba el tiempo, le aumentaron las incomodidades: los síntomas le comenzaban a los cinco minutos de juego y cada vez empeoraba más. Llegó un día en que el escozor se agudizó y le aparecieron inflamaciones por todo el cuerpo. Y no sólo eso: tenía también la lengua y los labios inflamados, disneas que le impedían respirar, no podía beber y estaba afónico. En otras palabras, tenía anafilaxia. Le pusimos a hacer ejercicio después de cinco horas de ayuno, pero le comenzaron los síntomas a los cinco minutos, así que tuvo que dejarlo. Su anafilaxia inducida por el ejercicio no guarda relación con la alimentación. Se trata de que su cuerpo ha empezado a generar 1) productos químicos muy potentes durante el ejercicio, o que 2) se le ha provocado una intolerancia a esos productos químicos a los niveles que todos producimos. La conclusión es que Declan debe evitar todo ejercicio físico. Completamente.

¿Quién la sufre?

Cualquiera puede sufrir anafilaxia. Una historia clínica de alergia familiar o una referencia alérgica en el paciente no son factores definitivos de riesgo. De manera similar, no hay evidencias de que el sexo, la edad, la raza o el trabajo tengan relación directa con su aparición. Sin embargo, los pacientes con antecedentes de asma están más expuestos a sufrir una anafilaxia más severa en el caso de padecerla.

¿Se cura sola?

No. Aunque a muchos niños les desaparecen las alergias, los que han sufrido una reacción que haya amenazado su vida tienen que ser considerados anafilácticos de por vida.

¿Cuál es su causa?

La anafilaxia puede ser inducida por diferentes desencadenantes, incluyendo, aunque no de forma exclusiva, los siguientes:

Desencadenantes inyectados

- Penicilina
- Insulina, vacunas o cualquier otra medicina inyectada.
- Contrastes para radiografías
  Se utilizan en radiología para obtener fotografías de los vasos sanguíneos y otras estructuras. La obstrucción de las arterias coronarias puede ser observada mediante este procedimiento. Del 5 al 8 % de los pacientes reaccionan negativamente a los

contrastes, pero la inmensa mayoría son reacciones menores de poca importancia clínica. Sin embargo, el uno por mil de los pacientes puede llegar a tener una reacción anafiláctica seria.*

- Transfusiones de sangre
  Aunque se trata de casos muy raros, algunos pacientes pueden sufrir una reacción anafiláctica a la sangre, incluso si se trata de un grupo sanguíneo adecuado al suyo.**
- Anestesia
  Suponen un efecto directo sobre la desgranulación de los mastocitos en pacientes sensibles. Un anestesista puede encontrarse con una reacción anafiláctica por cada 50.000 anestesias generales administradas (aunque el tanto por ciento más bajo podría estar en torno a una por cada 3.500).
- Análisis subcutáneos
- Picaduras o mordeduras de insectos

Desencadenantes por ingestión

- Medicinas
  Algunos productos, como la aspirina y la morfina, ejercen un efecto directo sobre los mastocitos; otros pueden provocar reacciones alérgicas que impliquen a la IgE.
- Comida: mariscos, frutos secos, bayas y legumbres; aunque prácticamente todos los alimentos pueden provocarla.
- Aditivos alimentarios
- Bebidas

Desencadenantes por inhalación

- Polvo de alimentos
- Polvo de penicilina
- Polvo ocupacional
- Látex (absorción del polvo del interior de los guantes de cirugía)

Desencadenantes por contacto

- Látex
- Líquidos seminales
- Medicación tópica, por ejemplo contrastes de fluorescencia.
- Otros: mercurocromo, lidocaína, clorhexidina, formaldehído, leche (caseína), ricino.

* Este mecanismo, para quienes deseen saberlo, es el «camino complementario».
** Este mecanismo es el «camino complementario alternativo».

Otros desencadenantes

- Ejercicio
- Exposición al frío
  Éste puede desgranular los mastocitos en las personas sensibles, especialmente después de una inmersión en agua fría (véase la página 70).

Anafilaxia - Causas desconocidas

Finalmente existe un grupo reducido de pacientes que sufren cuadros recurrentes de anafilaxia en los que no se detecta ningún desencadenante. Nos referimos a estos casos como anafilaxia idiopática, que significa de origen desconocido. Este diagnóstico (o falta de diagnóstico) se contempla únicamente después de haber hecho una investigación completa sin resultados.

¿Hay complicaciones?

A pesar de lo que se ha explicado hasta ahora, hay que decir que la recuperación de una anafilaxia es, por lo general, rápida y completa, no requiriéndose más de doce horas en la mayoría de casos. Ocasionalmente, la anafilaxia puede prolongarse y requerir un tratamiento continuado (¡el récord está en 23 días en cuidados intensivos!). Sin embargo, aunque la mayoría de los pacientes se recuperan pueden producirse algunas muertes, y de hecho se producen.

¿Qué se puede hacer?

Hay unos cuantos imperativos sobre los que quisiera llamar la atención de los pacientes que han pasado por una situación de riesgo para sus vidas:

1. Todos los esfuerzos deben dirigirse a descubrir el desencadenante de su anafilaxia.
2. Debe evitarse el desencadenante anafiláctico en todo momento.

3. Hay que darse de alta en un servicio de urgencias médicas.
4. Si por accidente se ve expuesto al desencadenante anafiláctico, hay que recibir el tratamiento correcto sin demora.

1. *Identificar el desencadenante*

Identificar el desencadenante nunca es tan fácil como parece. A pesar de ello, una historia clínica bien detallada, un médico especialista, junto con análisis de sangre y, si hace falta, pruebas cutáneas, revelarán sin lugar a dudas la mayoría de desencadenantes. Los pacientes generalmente saben si un alimento tiene algo que ver con el proceso, ya que las reacciones suelen ser muy inmediatas y espectaculares. Sin embargo no hay que dar nada por asumido hasta que haya una evidencia clara de alergia. Así, una vez que se haya señalado un sospechoso, o quizá una lista de ellos, hay que realizar un análisis de sangre. Se trata de un análisis sencillo en el que se mide el nivel de IgE en la sangre y se determina a qué reacciona. Hay que admitir que el resultado del análisis no es absoluto, pero resulta de gran utilidad. Es un aspecto muy importante. Algunas veces el análisis llegará con un resultado negativo a un alergeno determinado, cuando en realidad el paciente es altamente alérgico al mismo. Lo denominamos «falsos negativos». *¡Un análisis de sangre negativo, por lo tanto, no debería ser definitivo a la hora de excluir una alergia!*

Los falsos positivos son mucho menos comunes, pero también ocurren. En especial el alergólogo tiene que evitar la tentación de echarle la culpa a un alergeno simplemente porque aparezca en la sangre. Hay que demostrar que ese alergeno es significativo en la anafilaxia y no se trata solamente de un descubrimiento accidental. En otras palabras, incluso los análisis de sangre positivos deben confirmarse por otros medios, especialmente si existen dudas razonables sobre su importancia. Así, si el análisis de sangre es negativo o «límite», o si los análisis positivos son de dudosa importancia, tenemos que proceder a las pruebas cutáneas. Éstas deben llevarse a cabo con el mayor de los cuidados, ya que las pruebas cutáneas pueden ser un desencadenante, como antes se ha indicado, de la anafilaxia por sí mismos. Por lo tanto, **no hay que caer en la tentación de hacer estas pruebas en casa** (véase el capítulo 17 para más detalles sobre las pruebas cutáneas).

Si las pruebas cutáneas también son negativas, entonces tendremos que decantarnos por otros sistemas, cautelosamente. Por ejemplo, embadurnar un labio con un alimento sospechoso y esperar a ver qué ocurre. Si no hay reacción, se ingiere una cantidad y se espera entre diez y quince minutos. Si no se produce tampoco una reacción, se ofrece un poco más y se sigue esperando. Se sigue así hasta que el paciente presenta una reacción o bien es capaz de ingerir una cantidad normal del alimento sin mayores problemas, en cuyo caso ese alimento ya no sigue bajo sospecha.

Me vienen a la memoria casos recientes que pueden ilustrar alguno de estos sistemas. El primero es el de un policía al que le apareció una erupción con picores por todo el cuerpo a los diez minutos de chupar una cuchara con mantequilla de cacahuete. También le apareció un terrible dolor de cabeza y cayó enfermo. Como es natural, sospechaba que era el cacahuete lo que le había causado el problema. Los análisis de sangre fueron negativos, así que procedimos con las pruebas cutáneas. Al principio diluimos cacahuete en una solución de 1/15.000, le colocamos una gotita en el antebrazo y pinchamos levemente la piel que quedaba debajo de la gota. No ocurrió nada. Entonces repetimos la prueba con una dilución de 1/3.000 y tampoco ocurrió nada. Nos fuimos a una concentración mayor y mayor, hasta llegar al extracto puro 1/1; se lo inyectamos en la piel; y para finalizar le dimos a comer un cacahuete. Nada. Se comió el paquete de cacahuetes entero y seguía sin reaccionar. Fuera lo que fuera lo que le había causado la reacción, no era culpa de los cacahuetes.

Este caso es completamente opuesto al de nuestro siguiente paciente, Sean, un joven de dieciocho años con una antigua historia clínica en la que se sospechaba alergia a los huevos. Y digo sospechaba, ya que nunca se le habían realizado análisis completos. Había estado ingresado en un hospital cuando era un bebé, con asma, diarrea, vómitos y erupción. Su madre tenía la sospecha de que se trataba de una alergia, porque los síntomas le comenzaron después de una comida que consistía, entre otras cosas, en huevos. Sean, por su parte, estimaba que los huevos «siempre le habían supuesto un problema». Empezaban a lagrimear los ojos, la piel le picaba y sentía sofocos en cuanto se rompían huevos en la cocina. Al menos creía que eran los huevos, aunque no estaba seguro del todo. En cualquier caso, los huevos se habían proscrito de su casa desde entonces. Lo que ahora nos planteábamos era: «¿Tiene realmente una alergia a los huevos? Y si la tiene, ¿habrá que evitarlos cuando llegue a la madurez?». Los análisis de sangre de Sean dieron resultados negativos, así que procedimos con cautela a las pruebas cutáneas. Le pusimos una gotita de yema y otra de clara en el antebrazo y pinchamos. No sucedió nada. Luego le dimos una mínima inyección de huevo subcutánea. En menos de cinco minutos le apareció una inflamación del tamaño de una pelota de golf. El análisis de sangre de Sean era un falso negativo. Es alérgico a los huevos y tiene que considerarse anafiláctico durante toda su vida. Entretanto le pedí a Sean que se quedara en la clínica un par de horas, como medida de precaución. La inflamación fue remitiendo en ese período y no apareció ningún otro síntoma. Ya se podía ir a casa.

Luego está el caso de Imelda, una mujer de unos cuarenta años con asma. Estaba bastante bien hasta que sufrió un ataque asmático en un restaurante. Sospechaba de un alimento, ya que se había sentido perfectamente antes de comer y empezó a encontrarse mal durante la comida. La lista de potenciales candidatos era larga, así que empezamos a analizarla. Enseguida llegamos al kiwi. Imelda se sofocaba y le aparecía una reacción cutánea en el brazo a los cinco minutos de hacerle la prueba cutánea. Le entregamos una jeringuilla con adrenalina para futuras emergencias, le enseñamos a usarla y le aconsejamos que no volviera a comer kiwi nunca más. Esta historia tiene una continuación que enseguida conoceremos.

Finalmente, llegamos a la anafilaxia idiopática, que es el mayor problema de todos. Por definición, no podemos descubrir el desencadenante de esta afección. Es posible que eso implique una enfermedad por sí misma y que algunos pacientes sufran una anafilaxia espontánea. Pero es igualmente posible que no hayamos sido capaces de llegar al final de la cuestión. Por ejemplo, en el caso de un manipulador de pescado que sufría ataques reiterados de anafilaxia sin explicación. No era alérgico al pescado, pero sufría colapsos frecuentes en su trabajo. Entonces un médico inteligente observó con mayor atención el pescado y vio que su paciente era sensible al anisakis simplex, un parásito de los peces. O el caso de un hombre que labraba figuras en asta de ciervo, que padecía frecuentes colapsos en su trabajo y que no era «alérgico» al polvo del cuerno de ciervo. Sin embargo, por fin se descubrió que era alérgico al asta de ciervo, pero sólo cuando se trataba previamente el asta con determinados productos químicos. Otros pacientes han sufrido reacciones a alergenos ocultos de manera similar. Así es que, si sufre de anafilaxia idiopática, nunca deje de buscar el desencadenante de la misma.

2. *Evitar el desencadenante anafiláctico*

Simplemente no hay que relajarse en este punto, en especial en vista del hecho de que las reacciones ulteriores tienden a ser más severas. Por lo tanto, el viejo dicho de que la prevención es mejor que la cura se aplica aquí a la perfección. Le hará falta ayuda especializada para localizar fuentes encubiertas de alergenos; acuda a un médico o un alergólogo especializado en el tema. Por ejemplo, siempre es algo aventurado para un paciente anafiláctico comer fuera de casa. Nunca se puede estar seguro de que el restaurador comprende la necesidad de ir con extremo cuidado, y es aquí cuando volvemos al caso de Imelda. A las dos semanas de que le entregáramos la jeringuilla de adrenalina fue a un restaurante. Le explicó al camarero que era alérgica al kiwi y luego pidió su menú. Educadamente le pidió que el jefe de cocina usara un cuchillo y una tabla de cortar bien limpios para prepararle el melón. Éste venía servido con dos finos cortes de manzana en un lado. Parecía que todo estaba correcto e Imelda se introdujo un trozo de manzana en la boca. Sufrió un colapso instantáneo, quedó inconsciente y no podía aplicarse la adrenalina. Su marido, que se había familiarizado con la inyección, tomó ésta del bolso y se la aplicó de inmediato. Volvió en sí inmediatamente, escupió la comida e inspeccionó el contenido. Había una trocito muy pequeño de kiwi debajo de la manzana.

Otros pacientes han dado un traspiés con su alergeno servido de forma irreconocible: cacahuete en la salsa satay, trigo integral en las hamburguesas de trigo, gambas en una salsa china, nueces en un estofado de cordero, cacahuetes en los pasteles de queso, huevo en los palitos de pescado, etc. Desgraciadamente, a causa de estos problemas algunos pacientes fallecen. Y lo hacen por dos razones. En primer lugar, porque **no iban preparados para comer fuera.** En segundo lugar, **no llevaban la inyección de adrenalina**. No deje su vida en manos de un restaurador y nunca salga de casa sin la adrenalina.

3. *Inscribirse en un servicio de urgencias médicas*

La alerta médica es un sistema de identificación de la gente que puede sufrir situaciones inesperadas, incluyendo la anafilaxia. Al inscribirse, sus datos médicos se incorporan (de manera confidencial) a una base de datos centralizada. Suele entregarse una identificación para colocarse como collar o brazalete, con un emblema médico internacionalmente reconocido, junto con el número de teléfono de la base de datos y un breve resumen de su historia clínica, por ejemplo «anafilaxia por penicilina». De este modo, los médicos están inmediatamente informados de su situación. La Fundación de Alerta Médica es una organización internacional y sin ánimo de lucro.

4. *Tratamiento de urgencia para la anafilaxia*

Es imposible predecir la severidad o alcance de una reacción determinada ante la aparición de los síntomas: en algunos casos será relativamente leve, en otros se finalizará en coma o con la muerte a los pocos segundos de estar expuestos al desencadenante. Recuerde que las reacciones ulteriores tienden a ser peores. En general la mortalidad va relacionada con:

- la rapidez de aparición de los síntomas
- la gravedad y duración de los mismos
- la rapidez de administración de la adrenalina en el curso del tratamiento.

No podemos hacer nada en cuanto a la velocidad o la severidad de los síntomas cuando aparecen, pero sí podemos actuar con la adrenalina. Es imperativo que la terapia correcta sea administrada cuanto antes, independientemente del desencadenante o de la severidad de los síntomas. No hay tiempo que perder y **no hay ningún sustituto de la adrenalina en el tratamiento de la anafilaxia**.

ADRENALINA

La adrenalina es el único agente terapéutico con efectos antianafilácticos inmediatos. Inhibe la desgranulación de los mastocitos y de los basófilos. También 1) aumenta el riego sanguíneo, 2) aumenta la presión sanguínea, 3) disminuye el broncoespasmo, y 4) reduce la inflamación de los órganos internos. En otras palabras, invierte la cadena de acontecimientos. Los antihistamínicos y los esteroides, por otra parte, no tienen un efecto tan inmediato y NO DEBEN UTILIZARSE EN EL TRATAMIENTO DE LA ANAFILAXIA. Sin embargo pueden ayudar a prevenir las reacciones de la fase final (véase más adelante), lo que es la única razón para utilizarlos en el tratamiento de una anafilaxia.

Cualquiera que haya sufrido una anafilaxia con riesgo de su vida, o un angioedema casi mortal de las vías aéreas, debería llevar siempre una inyección preparada de adrenalina para utilizar en casos de emergencia. En realidad deberían llevar encima dos jeringuillas dispuestas para su uso y tener otras dos en la farmacia más cercana para reemplazarlas inmediatamente si surge la necesidad. Los que viven o trabajan en zonas apartadas deberían estar provistos de cuatro inyecciones. Es la única manera de asegurarse que la adrenalina se aplica lo antes posible en el tratamiento. Las únicas excepciones posibles a esta regla general son los pacientes con problemas de tiroides, de corazón o de presión sanguínea alta.

Las inyecciones preparadas de adrenalina pueden obtenerse por medio de la prescripción médica para el tratamiento de la anafilaxia. Las de adulto contienen 0,3 miligramos de adrenalina y las pediátricas 0,15 miligramos. Son dosis deliberadamente modestas, y por ser reducidas son seguras. De este modo, los pacientes afectados tienen que saber que administrarse adrenalina en caso de anafilaxia implica mayores ventajas que peligros. Si la primera dosis deja de tener efecto al cabo de un rato, hay que aplicarse otra. Las dosis pueden repetirse en intervalos de diez minutos si surge la necesidad.

La anafilaxia, como es sabido, es espectacular y asusta. Por lo tanto asegúrese de estar familiarizado con las inyecciones ya preparadas. No hay que andar con titubeos cuando se trata de una emergencia. Practique con regularidad con un muñeco especial de entrenamiento. Asegúrese además de que las personas más próximas sepan utilizarlas. Podrán ayudarle si se produce una situación de emergencia.

Y DESPUÉS DE LA ADRENALINA ¿QUÉ?

La adrenalina no sustituye la atención médica, sino que permite ganar tiempo para acudir a urgencias. Inmediatamente después de aplicarse la inyección hay que ir al hospital. Si los efectos de la primera dosis de adrenalina no son suficientes, inyéctese la segunda. Cuando llegue al hospital diríjase directamente a urgencias, indíqueles que tiene una anafilaxia y muestre su tarjeta de urgencias médicas (o el collar/brazalete). No se quede educadamente sentado en la sala de espera; lo suyo es una emergencia y necesita atención inmediata. Puede que lo ingresen para dejarlo en observación, incluso después de que aparentemente se haya recuperado. Es debido a que la anafilaxia puede reaparecer durante las ocho horas siguientes, a pesar de no estar en contacto con el desencadenante. Aproximadamente un 25% de los pacientes con anafilaxia experimentan esta repetición en «fase tardía».

¿Y QUÉ PUEDE HACERSE?

Una vez recobrado de su anafilaxia, tendrá que repasar con cuidado todo lo sucedido con su médico o alergólogo, reponer la adrenalina inmediatamente y hacerse algunas preguntas. ¿Por qué ha ocurrido? ¿He bajado la guardia? ¿Me he expuesto a mi alergeno/desencadenante por un medio que no conozco? ¿Qué es lo que puedo aprender de este episodio que pueda ayudarme a prevenir futuras exposiciones accidentales?

¡ESTOY MUERTO DE MIEDO!

La anafilaxia puede causar una gran ansiedad. Es perfectamente comprensible y desde luego justificable. Los que han sobrevivido a ella han visto la muerte muy de cerca. Saber qué es lo que causa la anafilaxia puede ayudar a disminuir el temor, porque se pueden tomar precauciones ante situaciones futuras. Pero recordemos a quienes sufren anafilaxia idiopática –y no saben qué hacer o qué evitar– lo siguiente: tienen que esperar a que se produzca otro episodio anafiláctico para conseguir alguna pista. Si los ataques idiopáticos se producen frecuentemente, hay que prescribir al paciente esteroides orales de forma continuada para ayudarle a prevenir los ataques.

Yo aconsejo a mis pacientes que se enfrenten al miedo de la manera siguiente, que es aplicable a todas las formas de anafilaxia. Primero, hay que comprender que el miedo es perfectamente racional. Existe un motivo claro para sentir temor. Imagínese un armario pequeño. Ponga en el interior del armario su desencadenante y también sus temores. Al lado coloque las inyecciones de adrenalina. Cierre la puerta y guarde los temores dentro de ese compartimento.

Mientras esté la adrenalina, tiene posibilidades de seguir adelante. Incluso los pacientes con anafilaxia idiopática consiguen cierta tranquilidad con este sistema.

¿Podría ser otra cosa?

La anafilaxia aguda es por lo general un diagnóstico claro. Sin embargo, el aspecto clínico de la anafilaxia es variado. En casos extremos, la anafilaxia puede presentarse como una pérdida repentina de conciencia sin síntomas indicadores de alergia. Se trata de un reto para los médicos, ya que tienen que considerar la posibilidad de una anafilaxia en todos los pacientes que se encuentren inconscientes. Otra cuestión que induce a confusión son los vómitos y la diarrea sanguinolenta. ¿Cómo imaginar que pueden deberse a problemas de origen alérgico cuando es tan común que se deba a otros trastornos o procesos? De manera similar, la obstrucción repentina de las vías aéreas puede confundirse con un atragantamiento, y el asma anafiláctico con el asma «ordinario». Así que, como puede verse, es más fácil que la anafilaxia se diagnostique insuficientemente y no que se sobrevalore.

Unas líneas sobre los ataques de pánico y la pseudoanafilaxia

Los ataques de pánico son episodios graves de ansiedad, en los que los pacientes experimentan una variación completa de síntomas físicos y mentales. Los ataques se inician con una sensación de muerte inminente, que progresa hasta una taquicardia, disnea, dolor en el pecho, aturdimiento, hormigueo y sensación de desmayo. Nadie se muere de un ataque de pánico.

Hay que reconocer que determinados síntomas de pánico se producen también en la anafilaxia. Sin embargo, el médico puede distinguir el grave colapso del sistema que produce la anafilaxia de una sensación de colapso que acompaña al pánico. Ciertos pacientes, desafortunadamente, se obsesionan con la idea de que padecen anafilaxia, no pánico, y todos los esfuerzos del alergólogo por convencerlos de lo contrario son inútiles. Es una lástima, porque estos pacientes evidentemente sufren, y no reciben (o no aceptan) el tratamiento más apropiado a su dolencia. Además, sufren un ataque de pánico tras otro, y buscan todo el tiempo un desencadenante anafiláctico que no existe.

Cuarta parte

INTOLERANCIA A LOS ALIMENTOS

Capítulo 10

Alergia o intolerancia: ¿cuál es la diferencia?

Historia clínica

Carmel es una maestra de 48 años. Su vida transcurría tristemente, en lucha siempre con enfermedades. El día que acudió a la visita era relativamente bueno, me explicó, aunque acusaba numerosos síntomas incluso en ese mismo momento. Se notaba siempre cansada, sin energías, con dolores de garganta continuos. «Ahora mismo me está doliendo», me comentaba, claramente dolorida. Se tocó suavemente la garganta y continuó su relato. «Los intestinos me duelen mucho, tengo dolores por todo el cuerpo y....» titubeó, como si se hubiera dado cuenta de algo de repente. Estuvo un momento quieta, mirando hacia el suelo. Entonces, bastante nerviosa, arqueó las cejas con un gesto inquisitivo. No, no pensaba que estuviera loca, la tranquilicé y le rogué que continuara. Estaba claro que Carmel presentaba una multitud de síntomas, aparentemente no relacionados. Tenía dolores musculares y de articulaciones; sufría edemas en los dedos y tobillos; úlceras en la boca; distensión abdominal y dolores, estreñimiento y prurito anal; tenía los períodos de sueño completamente alterados, y tanto su concentración como la libido atravesaban un momento bajo. Además, tenía la piel deteriorada, especialmente en los períodos premenstruales. También presentaba otros síntomas premenstruales: pechos doloridos y malhumor la semana anterior a la menstruación. Como suele ser el caso, las indagaciones previas sobre Carmel no dieron ningún resultado; le habían dicho que padecía una depresión. Pero Carmel no estaba de acuerdo... «Mire», decía, «cada vez que me alimento con trigo la garganta se irrita, y cuando consumo azúcar me deprimo. Lo que quisiera saber es si se trata de una alergia.»

¿Será una alergia?

Tenemos aquí una pregunta que necesita una respuesta, ya que si Carmel padece una alergia, o varias alergias, puede lograr una mejora de sus síntomas evitando las cosas a que sea alérgica. A tales efectos, se le hizo un análisis de sangre, pero el resultado fue negativo. Sin embargo, hubiera sido un error descartar la posibilidad de alergia basándose en esos resultados. Los análisis de sangre para determinar si existen alergias detectan únicamente las alergias por IgE, no revelan alergias de otro tipo. Por si era el caso, se prescribió a Carmel con la dieta de bajo contenido alérgico. Se le recomendó que comiera los diez alimentos prescritos durante un período de diez días. Al décimo día se encontraba mejor que nunca. Le habían desaparecido todos los síntomas. Cuando empezó a ampliar la dieta reaccionó de manera adversa a varios de los alimentos básicos. Para resumir una historia demasiado larga, podría decirse que Carmel sufría una intolerancia alimentaria múltiple.

Polisintomáticos

Carmel no es un caso raro. Son muchos quienes están en su misma situación, y que padecen durante años síntomas desconcertantes y debilitantes. Se suben al tiovivo de los análisis negativos, diferentes tratamientos médicos y, por fin, corren el riesgo de no ser tomados muy en serio. Algunos pacientes son etiquetados de neuróticos o ansiosos; a otros se les dice que están deprimidos, y a algunos que son hipocondríacos. Ven a los médicos con una mirada poco disimulada de fracaso reflejada en la cara cuando aparecen con un nuevo y desconcertante síntoma que añadir a la historia clínica, que ya suele ser, a estas alturas, más abultada que la guía telefónica. Algunos dejan de acudir al médico por miedo a que se crea que están «locos». La verdadera naturaleza de su enfermedad yace escondida en una jungla de síntomas *aparentemente* no relacionados y allí sigue, muchos años, hasta que finalmente alguien decide buscarla. No obstante, hay que decir que algunos somos neuróticos y ansiosos y que otros sufrimos depresión o somos hipocondríacos. También debemos reconocer que todos estos estados mentales de perturbación dan lugar a síntomas físicos. Por lo tanto, es importante mantener un estado mental abierto a todos estos aspectos. Mi ruego es que todo diagnóstico psiquiátrico se haga basándose en una historia clínica positiva de enfermedad psiquiátrica, y que nunca se utilice para encajar síntomas que de otra manera resultan difíciles de resolver. El error más común de la medicina es suponer que una enfermedad es psicológica cuando no lo es. Los síntomas de la intolerancia alimentaria son un ejemplo clásico de ello.

Alergia o intolerancia: ¿cuál es la diferencia?

Así, Carmel no tenía alergia, sino que padecía una intolerancia alimenticia. Esto nos lleva a una cuestión ¿Qué diferencia existe entre la alergia y la intolerancia? Permítanme resumir lo tratado hasta ahora. Hemos definido la alergia como una reacción de hipersensibilidad a alguna cosa del medio ambiente que de otro modo es inofensiva. Recuérdese que en el capítulo 2 describimos cuatro formas diferentes de reacción de hipersensibilidad. Todas tienen que ver, y esto está comprobado, con diferentes componentes del sistema inmunológico, es decir, la IgE, otras inmunogloblulinas y células inmunes. En todos estos casos comprendemos suficientemente los mecanismos subyacentes y los podemos valorar en el laboratorio. Son, sin duda, reacciones inmunológicas. Los puristas mantendrán que la alergia, como término descriptivo, tendría que reservarse exclusivamente para estos mecanismos, y que las demás reacciones (no inmunológicas) adversas deberían tener otro nombre, como «sensibilidad» o «intolerancia». Otros médicos, igual de listos, apuntan que el concepto de alergia original de von Pirquet era mucho más amplio, englobando cualquier estado de «reactividad alterada», independientemente del mecanismo. No importa si el mecanismo desafía la comprensión o la capacidad de identificarlo; sólo importa el hecho de que el paciente reacciona ante algo de su medio ambiente que de otra forma resultaría inofensivo.

Ya sé que todo esto suena un poco académico, pero explica por qué existe tanta confusión al respecto. Personalmente me inclino hacia la primera definición, aunque también me veo influenciado por el lenguaje diario de mis pacientes. Si creen que reaccionan a algo, me dicen que «son alérgicos», y no les importa en absoluto si pueden comprenderlo, medirlo o explicarlo. Sin embargo, hay que reconocer las diferencias obvias que existen entre estas dos clases de «alergia».

Una tiene que ver con el sistema inmunológico y causa inflamación; la otra no. En la práctica clínica, así, nos referimos a las reacciones alimenticias no inmunes como intolerancias alimenticias. De este modo, hay que tener en cuenta las intolerancias y alergias a los alimentos. En los apartados 2 y 3 hemos visto varios ejemplos de alergia alimentaria; ahora abordaremos la intolerancia alimentaria. Antes de tratar síndromes específicos, veamos en general los mecanismos por medio de los que ocurren las reacciones de intolerancia a los alimentos.

1. Actividad farmacológica de los alimentos

Algunas reacciones a los alimentos son provocadas por sustancias naturales fuertes presentes en los alimentos. Estos productos químicos provocan efectos parecidos a las reacciones químicas en nuestro organismo. Nos referimos a estos fenómenos como «falsas alergias a los alimentos»: falsas porque parecen una alergia y no lo son. Veamos algunos ejemplos.

- Cafeína, un alcaloide. Los alimentos más ampliamente consumidos entre los que tienen actividad farmacológica son el té y el café. Contienen 80 y 150 mg por taza, respectivamente. Un consumo excesivo de cafeína puede dar lugar a diversos síntomas:

Ansiedad	Irritabilidad	Dolor de cabeza
Pérdida de peso	Temblores	Insomnio
Síndrome de las piernas inquietas	Dolores abdominales	Somnolencia
	Rinitis	Náuseas
Depresión	Palpitaciones	Vómitos
Sudores		

- Alimentos que contienen histamina. Se encuentran altos niveles de histamina de forma natural en algunos alimentos. Se trata de un producto que hemos tratado con detalle en relación con las reacciones alérgicas. Los alimentos que contienen histamina son: los quesos fermentados y otros alimentos, salchichas, productos enlatados (en especial las huevas de arenque ahumadas), *choucroute* y espinacas. Cuando estos alimentos se consumen en exceso o en combinación, pueden producir:

Aparición de eccemas	Dolor de cabeza
Disnea	Urticaria
Angioedema	Dolor abdominal
Sed	Shock (muy raramente)

- Alimentos que liberan histamina. Algunos alimentos no contienen histamina, pero provocan la liberación de histamina por parte de los mastocitos del cuerpo. Se trata de un efecto directo que no está relacionado con la IgE. Los alimentos que provocan esta liberación de histamina son la clara de huevo, el pescado (en especial los mariscos), los tomates, el chocolate, el cerdo, la piña, las fresas, la papaya y el alcohol. También pueden causar síntomas histamínicos.
- Aminas vasoactivas. Las aminas vasoactivas también son componentes naturales de los alimentos. Tienen un efecto parecido a los productos químicos en los vasos sanguíneos provocando su dilatación. Esto da lugar al dolor de cabeza vascular (migraña). La histamina es también una de esas aminas, pero existen otras, como la feniletilamina del chocolate (cincuenta gramos bastan para producir problemas); y la tiramina en el queso, la levadura, el arenque ahumado, el plátano, las habas, el hígado, las salchichas y el alcohol.

2. Déficit enzimáticos

Los alimentos se digieren mediante enzimas especiales que se encuentran en el intestino y son adicionalmente degradados por las enzimas de la sangre. Los déficit enzimáticos pueden dar lugar a síntomas debido a la concentración de determinados componentes de los alimentos en el intestino o la sangre. Un ejemplo con el que todos deberíamos estar familiarizados es el de nuestra relativa intolerancia a las cebollas. Carecemos de la enzima necesaria para digerir los azúcares de este alimento. Así, pueden llegar altas concentraciones de ese azúcar al intestino delgado, donde la flora microbiana los hace fermentar. Las cebollas también contienen un disulfuro muy oloroso. Un consumo excesivo puede producir una mayor flatulencia. Los déficit enzimáticos pueden ser, sin embargo, más particulares. La lactosa, por ejemplo, es el azúcar que se encuentra en la leche. Algunos niños nacen con déficit de lactasa, la enzima por medio de la que digerimos la lactosa. Por lo tanto, la lactosa se concentra en el intestino, causando diarreas líquidas e incluso el colapso en algunos niños. También los adultos pueden sufrir un déficit momentáneo de lactasa, en especial después de un cuadro de gastroenteritis, tras una operación intestinal o como complicación de otras enfermedades del intestino. El consumo de leche, en esas circunstancias, también causará diarrea y los síntomas correspondientes. Se han identificado muchos otros déficit enzimáticos; algunas pueden producir serios efectos sobre la salud a no ser que se diagnostiquen y se traten por medio de una dieta de por vida que evite los elementos perjudiciales. La fenilcetonuria (FCN) es probablemente la mejor conocida de estas enzimas: se hace un análisis de sangre de todos los niños al nacer por medio de una punción en el talón.

3. Actividad hormonal de los alimentos

La intolerancia alimentaria puede producirse por alimentos que contienen proteínas parecidas a las del opio. Entre éstos se encuentran el trigo, los productos lácteos y el maíz. Hay que relacionar todo ello con los déficit enzimáticos, ya que la actividad enzimática del intestino primero, y luego la de la sangre deberían desdoblar estas proteínas. Los síntomas que se sabe relacionados con las proteínas parecidas a las del opio son los cambios de humor y de comportamiento, el síndrome del intestino irritable y la retención de líquidos.

4. Las toxinas en los alimentos

No creo que sea necesario mencionar que algunos alimentos contienen sustancias químicas tóxicas que tienen que ser adecuadamente degradadas durante la cocción si no se quiere que causen problemas. Las alubias (y otras legumbres), por ejemplo, tienen que ponerse en remojo la noche anterior y hervirse durante noventa minutos para romper la toxina que contienen. Si no se toman estas precauciones, puede haber espasmos intestinales.

5. Azúcares en los alimentos

La diarrea de los niños pequeños o lactantes se ha relacionado con el consumo de manzanas y de otros zumos de frutas. El mecanismo aquí, una vez más, es la fermentación de azúcares no absorbidos y no digeridos en el intestino grueso. Va acompañado de otros síntomas, como molestias abdominales, flatulencia y borborigmos (los ruidos de tripa). La malabsorción de azúcares también afecta a los adultos.

6. Más sobre los azúcares

Algunas personas tienen intolerancia a los carbonohidratos refinados (azúcares). Su nivel de azúcar aumenta inmediatamente después de ingerirlo, pero luego desciende bruscamente cuando el cuerpo intenta superar ese nivel extraordinario. Los síntomas son sudación, fatiga, debilidad, malhumor, desorientación, ligeros desvanecimientos y confusión.

7. Otros componentes de los alimentos

Las verduras, como la fruta, contienen azúcares difíciles de digerir, como la rafinosa, que pueden causar una reacción fermentativa parecida. También contienen otros componentes activos. Los derivados de la flavona, por ejemplo, afectan a la motilidad intestinal. Ello lleva a la distensión abdominal y a molestias en las personas predispuestas a padecer esta dolencia. El repollo destaca notoriamente en este sentido. Otro problema bastante corriente es la intolerancia a los alimentos grasos. Las grasas se digieren gracias a la bilis de la vesícula biliar. Pueden causar problemas graves a los pacientes con enfermedades de la vesícula biliar.

8. Reacciones inmunes sin causa conocida

Hay que decir que el sistema inmunológico no se queda ocioso cuando se producen las reacciones de intolerancia alimentaria. La desensibilización para la intolerancia alimentaria es muy efectiva, y actúa en cierta manera por medio de una reeducación del sistema inmunológico (véase el capítulo 18). Esto indica que la intolerancia a los alimentos implica también, después de todo, al sistema inmunológico. Sabemos que la IgE y otros anticuerpos no se encuentran relacionados, aunque quizá sí lo estén otros mecanismos inmunes. Por ejemplo, una comida puede causar la liberación de elementos químicos del sistema inmune que no se hayan determinado de forma rutinaria en los laboratorios hospitalarios. Como se verá en el capítulo 16, estas sustancias químicas causan profundos efectos sobre el cerebro y sobre los sistemas hormonales, por lo que se puede producir, así, una aparición de síntomas. Si todo esto fuera cierto, tendríamos que volver a definir la alergia otra vez. La ciencia de la intolerancia a los alimentos se encuentra en su fase inicial, y todavía tenemos mucho que aprender. Pero al menos hemos comenzado a recorrer el camino. En los siguientes capítulos se verá que la intolerancia a los alimentos, sea cual sea el mecanismo que la causa, es responsable de bastantes enfermedades y que averiguar cuál es la alergia particular que produce cada alimento puede ser un factor de alivio de esas dolencias.

Capítulo 11

Las alergias y el intestino

El intestino sano

La función del tracto gastrointestinal es ingerir, digerir y absorber los nutrientes de la comida. Cada estructura especializada, a lo largo del tubo digestivo, desempeña su propio papel en este proceso vital.

- La boca
  Introduce la comida en el cuerpo, la mastica la mezcla con la saliva e inicia el reflejo de la deglución. Ingerimos más de 100 toneladas de comida durante nuestra vida.
- La saliva
  Lubrica la comida y contiene enzimas digestivas que empiezan a degradar los almidones de la comida. Producimos más de un litro de saliva al día.
- La garganta (esófago)
  Acepta el reflejo de la deglución y conduce la comida hasta el estómago.
- El estómago
  Almacena y mezcla la comida con sus propios jugos antes de conducirla, poco a poco, hacia el intestino delgado.
- El intestino delgado
  Recibe el alimento del estómago, la bilis del hígado y las enzimas digestivas del páncreas. Esta mezcla avanza a una velocidad de 1 centímetro por minuto, facilitando, de este modo, la absorción de agua y nutrientes a lo largo de su considerable longitud.

- El intestino grueso (colon)
  Recibe el alimento desde el intestino delgado, absorbe algo de agua y nutrientes y almacena y lubrica los materiales de desecho (heces) hasta que llega el momento de expulsarlos.
- El ano
  Impide la salida de las heces gracias a su tono muscular (esfínter).
- La deposición
  Todo el proceso de digestión y absorción es tan eficaz que menos de una quinta parte de todos los materiales que llegan al intestino delgado se expulsan en la deposición. El olor de la deposición es debido a los productos bacterianos presentes en las heces. La frecuencia normal de las deposiciones es variable, entre tres veces diarias a dos veces por semana.

Cuando estamos sanos, sólo somos conscientes de la sensación de hambre, del placer de comer, de la expulsión de ventosidades y de la necesidad de defecar. La deposición tiene que ser consistente, marrón, sin olor excesivo y con una consistencia que la hace, preferentemente, hundirse más que flotar en el agua. Tiene que desaparecer al tirar de la cadena del inodoro. Compárelo ahora con las historias clínicas que siguen. Tenga en cuenta que no es mi propósito ofrecer un detalle exhaustivo de las enfermedades intestinales, sino demostrar el importante papel que desempeña la intolerancia alimentaria como causa de muchos de los síntomas que se producen en el intestino.

1. Enfermedad celíaca

June es una niña de doce años que acudió a la clínica para las alergias acompañada de sus padres. Estaban preocupados porque mostraba signos de apatía, pérdida de apetito y porque tenía problemas intestinales. Al ir preguntando, los padres de June me dijeron que frecuentemente tenía el vientre hinchado «como una panza», y que sus deposiciones eran de color claro y malolientes. Efectivamente, confirmaban que eran de aspecto graso y voluminosas, que flotaban en el agua y que difícilmente desaparecían al tirar de la cadena. June también tenía dolores de vientre, en especial cuando sentía ganas de ir al lavabo. Los análisis del hospital confirmaron que era **celíaca**. Sin embargo, algunos síntomas persistían a pesar de que seguía una dieta sin gluten. Le prescribimos entonces la dieta de bajo contenido alérgico que, felizmente, hacía desaparecer la sintomatología. En posteriores análisis descubrimos que no sólo tenía intolerancia al gluten, sino también a la leche. Así, algunos de los síntomas eran debidos a la sensibilización al gluten, y otros estaban causados por alimentos sin gluten.

¿Qué es la enfermedad celíaca?

Es una enfermedad que se caracteriza por una alteración de la mucosa del intestino delgado. Se produce por una reacción de hipersensibilidad al gluten, la proteína que se encuentra en el trigo y en el centeno. El gluten está muy relacionado con la avenina, la proteína que se encuentra en la avena, y la hordeína, la proteína de la cebada. En la práctica, nos referimos a todas estas proteínas de forma general, y utilizamos para ello, a pesar de ser inadecuado, el nombre de «gluten». El sistema inmunológico reacciona frente a los componentes del gluten, y destruye los tejidos, que constituyen la superficie de absorción del intestino delgado. Como resultado, se reduce en gran medida la capacidad de absorción del intestino y el cuerpo se queda sin algunos componentes de la dieta muy importantes. Esta malabsorción, que es como se denomina el proceso, afecta a las proteínas, los carbohidratos y las grasas, al igual que algunas vitaminas y minerales esenciales. Todo ello conduce directamente a una serie de deficiencias nutricionales y a producir deposiciones anómalas.

Deficiencias nutricionales en la enfermedad celíaca

Entre los nutrientes esenciales que un celíaco no puede absorber se incluye la vitamina B12, el ácido fólico y (menos habitual) el hierro. Estas deficiencias dan como resultado una anemia (un bajo nivel de glóbulos rojos). Otros nutrientes que pueden verse afectados son las vitaminas del grupo B, la vitamina K y el potasio. Estas deficiencias se aprecian por una serie de cambios en la lengua y la boca, dolores y debilidad. Por último, la mala absorción de calcio y de vitamina D puede afectar a los huesos y producir debilidad muscular.

Cambios en las deposiciones de los celíacos

Pongamos atención durante un momento. Si lo que comemos no se absorbe, atraviesa sin cambios el intestino delgado hasta llegar al grueso e incluso puede aparecer en las heces. En la enfermedad celíaca son concretamente las grasas no digeridas las que alteran la naturaleza de las deposiciones. Suelen tener un aspecto graso, voluminoso y espumoso. Las heces grasas son más ligeras que las normales, lo que explica por qué flotan en el agua y por qué cuesta tanto hacerlas desaparecer al tirar de la cadena. Por otra parte, estas heces tan anormales también alteran la naturaleza y la actividad de las colonias de bacterias residentes, permitiendo un incremento excesivo de éstas, lo que lleva a una excesiva producción de gases y a efectuar deposiciones con mucho olor.

Los síntomas de la enfermedad celíaca se comprenden fácilmente con la siguiente explicación:

- deposiciones pálidas y fétidas, voluminosas, grasas y espumosas
- abdomen inflamado
- diarrea o, de forma menos habitual, estreñimiento
- fuerte flatulencia
- cólicos abdominales
- vómitos
- pérdida del apetito
- pérdida de peso
- letargia y decaimiento.

¿Quién la sufre?

La enfermedad celíaca puede aparecer tanto en la infancia como en la edad adulta. A una amplia mayoría de niños se les diagnostica antes de los dos años, y a los demás que la padecen, sobre los cinco años. La enfermedad también puede presentarse más adelante, en especial entre los treinta y los sesenta años. Como es de esperar, las enfermedades celíacas aparecen en las zonas del mundo donde se consume gluten, y en especial entre las poblaciones de origen europeo. La mayor incidencia documentada de las enfermedades celíacas se sitúa en el oeste de Irlanda.

¿Se cura?

No. En caso de ser celíaco, habrá que tenerlo en cuenta siempre. Por esta razón es importante que los pacientes afectados respeten la dieta sin gluten toda la vida. No hay que dejarse llevar por una falsa sensación de seguridad por la aparente desaparición de los síntomas a finales de la pubertad o a principios de la madurez. Todos los síntomas celíacos vuelven a aparecer más tarde o más temprano si no se respeta la dieta sin gluten.

¿Cuál es su causa?

Como antes se ha mencionado, sabemos que el sistema inmunológico reacciona ante los componentes del gluten, destruyendo los tejidos del intestino delgado en el proceso. También sabemos que existe un factor genético en su aparición, ya que se da con más frecuencia entre los miembros de la misma familia y entre los que tienen determinada constitución genética. Sin embargo, en casos de gemelos idénticos, no siempre son afectados ambos, y no todos los celíacos comparten los mismos caracteres genéticos. Esto significa que la constitución genética por sí sola no explica la totalidad de los casos.

Por otra parte, ha sido extremadamente difícil desentrañar la naturaleza concreta de la respuesta inmunológica en la enfermedad celíaca. ¿Se trata de hipersensibilidad de tipo 3 en la que los anticuerpos se unen al gluten, forman inmunes complejos y alteran el intestino cuando se depositan ahí? ¿O se trata de hipersensibilidad de tipo 2 en la que el gluten se une directamente a las células de la pared intestinal, destruyéndolas? ¿O se trata de una enfermedad provocada por un virus similar a una molécula de gluten y que afecta a los individuos con especial predisposición a contraerla?

¿Hay complicaciones?

Las complicaciones en la enfermedad celíaca se refieren en su mayoría a los casos sin tratar, o a las situaciones en las que los pacientes deliberadamente o no se exponen al gluten. Entre otras destacan:

- Anemia.
- Problemas de desarrollo (en niños).
- Retraso del crecimiento (en niños).
- Huesos blandos y dolorosos (en adultos).
- Raquitismo (en niños).
- Los pacientes celíacos tienen mayores probabilidades de sufrir otras enfermedades del intestino. Este riesgo disminuye si se respeta la dieta sin gluten. Es otra de las razones por las que los pacientes tienen que respetar su dieta durante toda la vida y acudir al médico para hacerse controles con regularidad.
- El equilibrio normal entre las diversas bacterias y levaduras del intestino puede ser alterado, dando lugar a síntomas del síndrome de fermentación intestinal (véase el capítulo 14).
- Algunos celíacos sufren también otras intolerancias alimentarias, lo que puede ser una fuente de confusiones. Además ello explicaría por qué no notan la mejoría esperada (tal como se les había dicho). Siguen notando síntomas provocados por otros alimentos sin gluten que están presentes en la dieta. Por ejemplo, un 15 % de los celíacos son además sensibles a la soja.

Tomemos a Barbara como ejemplo. Se le diagnosticó la enfermedad celíaca hace unos catorce años, en el momento en que alcanzaba la treintena. Inició la dieta sin gluten y le desaparecieron la mayoría de síntomas, aunque siguió notando bastantes molestias abdominales. En especial se quejaba de un «gusto agrio» en la boca, acidez y continuos eructos. Se sometió a un examen de la vesícula biliar, pero su funcionamiento era normal. Le fue practicada una biopsia del intestino delgado, pero también era normal. Esto confirmaba la eficacia de la dieta sin gluten, pero sus síntomas continuaban siendo un enigma. En ese punto, Barbara inició una dieta de bajo contenido alérgico, con la que le desaparecieron los síntomas en diez días. No padecía sólo intolerancia al gluten, sino también a otros alimentos sin gluten. Esto supuso una limitación aún mayor de su dieta, así que ahora se encuentra bajo tratamiento de desensibilización, lo que le permitirá volver a consumir los alimentos sin gluten otra vez. Desafortunadamente, la desensibilización no tiene efectos en su sensibililidad al gluten.

¿Qué se puede hacer?

Mucho. Obviamente, la prioridad debe ser obtener un diagnóstico fiable. Y ello se consigue mediante: 1) una completa remisión de los síntomas al iniciar la dieta sin gluten; 2) al notar una reaparición de los síntomas si se vuelve a comer gluten tras un período de abstinencia; 3) por la confirmación de la enfermedad por medio de una biopsia para valorar las lesiones en el intestino delgado mientras se consume gluten; y 4) mediante la confirmación por medio de una biopsia de la mejora intestinal al seguir la dieta sin gluten. Una vez queda establecido el diagnóstico, según las especificaciones anteriores, el paciente debe seguir la dieta sin gluten toda su vida. Los síntomas desaparecen rápidamente, especialmente entre los más jóvenes. Los mayores tienen que seguir la dieta más de un año para que la mejoría sea notable. Una vez dicho esto, si los síntomas tardan en desaparecer hay que considerar la dieta de bajo contenido alérgico (véase el capítulo 17), porque puede que se padezca además alguna otra intolerancia alimenticia. Aparte de los inconvenientes sociales de una dieta limitada, los celíacos pueden llevar una vida completamente normal y satisfactoria.

¿Puede ser otra cosa?

El diagnóstico de la enfermedad celíaca no siempre es fácil. Depende, en principio, del aspecto típico de la biopsia que muestra la lesión en el intestino delgado. Existen otras enfermedades que pueden provocar la misma apreciación, como por ejemplo:

- infecciones parasitarias
- otras hipersensibilidades alimentarias, tales como la intolerancia a la leche, el pescado, el arroz, el pollo, etc.
- deficiencias inusuales del sistema inmunológico
- enfermedades infrecuentes del intestino.

Unas líneas sobre la intolerancia no celíaca al gluten

Es posible tener intolerancia al gluten y no ser celíaco. En los niños, los síntomas son diarrea y vómitos tras las comidas, y muy rara vez la aparición de mucosidad o sangre en las heces. Algunas veces estos síntomas se acompañan de bronquitis, rinitis y erupciones de la piel. En los adultos, la intolerancia no celíaca causa úlceras en la boca, dolores de cabeza, dolores abdominales, vómitos y diarrea. Una dieta sin gluten facilita una mejoría rápida y permanente de los síntomas en todos estos casos.

2. Enfermedad de Crohn

Aideen es una ejecutiva de treinta y tres años. Siempre había disfrutado de una magnífica salud, hasta que los intestinos empezaron a darle guerra. Lo primero que detectó fue una sustancia viscosa, como clara de huevo cruda, que unas veces acompañaba a las heces y otras aparecía sola. Entonces le empezaron a dar calambres abdominales y sus deposiciones eran cada vez más líquidas. A las pocas semanas no se encontraba nada bien, sufría pérdida del apetito, fatiga y dolor articular. Finalmente descubrió sangre en las deposiciones. Fue ingresada en el hospital y tras practicarle una biopsia se le diagnosticó la enfermedad de Crohn. En el hospital fue atendida con las medicinas oportunas y le enseñaron la manera de administrarse la medicación en su propio domicilio. El tratamiento dio buen resultado, pero Aileen todavía tenía síntomas, y además no le gustaba la idea de medicarse durante un período de tiempo tan prolongado. De hecho, cuando la visité había dejado el tratamiento por completo y los síntomas estaban comenzando a reaparecer. Inició la dieta de bajo contenido alérgico y volvió para hacerse un control diez días más tarde. Nos informó de una reducción de los síntomas, aunque no habían desaparecido por completo. En vista de su mejoría, deseaba continuar la dieta unos cuantos días más. Pasados esos días, los síntomas prácticamente habían desaparecido. En consecuencia, fuimos haciendo pruebas con diferentes alimentos para ir identificando los que podía consumir y los que no. Estaba claro que Aileen padecía una intolerancia alimentaria, y que ésta desempeñaba un papel importante en su enfermedad de Crohn.

¿Qué es la enfermedad de Crohn?

La enfermedad de Crohn es un proceso crónico progresivo que se caracteriza por una inflamación poco uniforme de los tejidos del tracto intestinal. Lo más corriente es que sea el intestino delgado el que se vea afectado, y en particular el tercio distal, es decir, el más próximo al intestino grueso. En un 20 % de pacientes la inflamación irregular afecta también al intestino grueso. La enfermedad de Crohn puede también afectar a otras partes del cuerpo, por ejemplo, la boca. Con la alteración que produce en las superficies de absorción del intestino, no es de extrañar que los pacientes que padecen la enfermedad de Crohn sufran una mala absorción. Los síntomas, que por lo general se presentan repentinamente (aunque no siempre), son:

- Dolores abdominales (que pueden hacer pensar en una apendicitis)
- Diarrea, que puede ser sanguinolenta
- Pérdida del apetito
- Distensión del abdomen
- Fiebre
- Anemia
- Pérdida de peso

¿Quién la sufre?

La enfermedad de Crohn suele aparecer por lo general al final de la pubertad o sobre los veinte años, aunque puede aparecer a los cuarenta y muy raramente en personas mayores. Afecta a hombres y mujeres y tiene un carácter familiar.

¿Se cura sola?

La enfermedad de Crohn es una dolencia de por vida caracterizada por recaídas regulares. Ocasionalmente una persona joven puede recuperarse por completo de un episodio aislado, especialmente si se presenta como si fuera una «apendicitis». Estos pacientes ingresan en el hospital con lo que cualquiera creería que es una apendicitis aguda, para averiguar, durante la operación, que se trata de un brote de la enfermedad de Crohn. Finalmente, las remisiones espontáneas ocurren de vez en cuando, pero no es muy probable que esto suceda.

¿Cuál es su causa?

La causa de la enfermedad de Crohn es desconocida. Se la ha relacionado con una bacteria llamada *mycobacterium paratuberculosis*, aunque el papel que desempeña ese microorganismo todavía no ha sido aceptado ampliamente por la comunidad científica. Aun así, si las futuras investigaciones confirman que es responsable de la enfermedad, podremos llegar a conseguir una curación por medio de antibióticos. La enfermedad de Crohn también está asociada a otras dolencias que tienen una base «autoinmune» conocida, lo que puede sugerir también un proceso autoinmune en la enfermedad de Crohn. Finalmente, existen tantos casos que responden a una manipulación dietética que el papel de la intolerancia alimenticia no puede excluirse entre los de primordial importancia.

¿Hay complicaciones?

Las complicaciones se reducen al mínimo si hay un diagnóstico precoz y un tratamiento adecuado. Incluyen:

- Retraso del crecimiento: pacientes cuyos síntomas van apareciendo lentamente durante varios meses o años.
- Obstrucción intestinal en los casos más graves.
- Abscesos internos (no muy corrientes).
- Aparición de fístulas. Se trata de «conexiones» entre el intestino y otro órgano, como la vejiga urinaria o la piel. La cirugía abdominal promueve la formación de fístulas, y por esa razón los pacientes con la enfermedad de Crohn deben evitar la cirugía en la medida de lo posible.
- Perforaciones o hemorragias internas, pero aparecen raramente.

¿Qué se puede hacer?

La mayoría de los casos se presentan como una verdadera urgencia que requiere el ingreso en el hospital. Una vez que la enfermedad se encuentra bajo control gracias a la medicación, hay que seguir el tratamiento para contenerla. Puede producirse algún agravamiento de tanto en tanto. La cirugía debe reservarse para los casos en que sea absolutamente necesaria. Yo sugiero que todas las personas que sufran la enfermedad de Crohn se hagan un examen concienzudo para determinar si padecen o no intolerancia a los alimentos: del 70 al 80 % de los pacientes logran una mejora de los síntomas, y en un cierto porcentaje la mejoría puede ser espectacular. La única forma fidedigna de determinar si la enfermedad de Crohn se agrava por una intolerancia alimentaria es por medio de una dieta de bajo contenido alérgico como la que se detalla en el capítulo 17.

¿Podría ser otra cosa?

Hay que diferenciar la enfermedad de Crohn de otras enfermedades inflamatorias del intestino, como la colitis ulcerosa.

Un comentario sobre la colitis ulcerosa

La colitis ulcerosa se caracteriza por una ulceración de los tejidos del intestino. Estas úlceras inflamatorias son muy diferentes de la inflamación producida en la enfermedad de Crohn. Sin embargo, las investigaciones hospitalarias tienen que diferenciar entre ambas situaciones. Los pacientes con colitis ulcerosa están más predispuestos a sufrir problemas alérgicos como la urticaria o la rinitis. Suelen tener también intolerancia a la leche. A pesar de estas «pistas» alérgicas, la colitis ulcerosa raramente mejora con una dieta de bajo contenido alérgico, aunque puede funcionar ocasionalmente.

3. Síndrome del intestino irritable

El cirujano de Mavis la envió a la clínica de alergias. Se había presentado con multitud de síntomas que incluían dolores abdominales, náuseas, pérdida del apetito, estreñimiento y ardor de estómago. Tras examinar el intestino, el cirujano consideró que tenía un aspecto normal. Mavis ni se tranquilizó ni se consoló. «Entonces, ¿qué es lo que me causa los problemas?», le preguntaba con actitud insolente. El cirujano, sin convencimiento, le prescribió una dieta para pacientes con estreñimiento. Y lo cierto es que fue a peor. Ya estaba desesperada y quería probar la dieta de bajo contenido alérgico. A los pocos días los síntomas palidecieron hasta desaparecer. «¡Menos mal!», explicaba. «Estuve a punto de dejarlo los primeros días porque me daba dolor de cabeza y tenía los músculos y los huesos doloridos.» Describía los típicos síntomas de retraimiento que sufren algunos pacientes cuando dejan de comer precisamente lo que les hace sentir enfermos. Mavis sufría el **síndrome del intestino irritable**. En su caso agravado por una intolerancia alimentaria.

¿Qué es el síndrome del intestino irritable?

Un intestino irritable es el que, de manera sencilla, no funciona como debería. Parece normal tanto a simple vista como analizándolo con un microscopio. Se dice, por tanto, que existe un problema de función, más que una enfermedad. Es el desarreglo más común de la gastroenterología del hemisferio occidental. Los síntomas son:

- Dolor abdominal...
  que está directamente relacionado con la función del intestino, que mejora al evacuar las heces, o asociado con heces alteradas
  y
- frecuencia alterada de deposiciones...
  demasiadas veces o no suficientemente (estreñimiento)
  y/o
- forma alterada de las heces...
  demasiado duras, demasiado blandas o incluso líquidas
  y/o
- alteraciones de la deposición...
  necesidad imperiosa de ir al baño, o hay que esforzarse o se tiene la sensación de no poder expulsar del recto su contenido
  y generalmente
- salida de mucosa por el recto...
  mezclada con las heces, pero también sola
  y generalmente
- inflamación del abdomen...
  o la sensación de distensión y molestias en el vientre.

¿Quién lo sufre?

Cerca de una quinta parte de la población experimenta alguno de los síntomas del síndrome del intestino irritable. El diagnóstico por lo general se establece en adultos y jóvenes. Los niños más pequeños con dietas poco saludables pueden sufrir alguno de los síntomas, pero raras veces desarrollan el síndrome. Los bebés con cólicos y los niños con dolores abdominales recurrentes presentan por lo general intolerancia a algún alimento.

¿Se cura solo?

Por definición, el síndrome del intestino irritable es un problema crónico y recurrente. En muchos pacientes se agravan los síntomas cuando están sometidos a estrés, el cual tiene mucho que ver con el aumento o disminución de los síntomas en este desarreglo.

¿Cuál es su causa?

No conocemos la causa del síndrome del intestino irritable aunque hay varias teorías. Inicialmente, los médicos creyeron que se trataba de un movimiento anormal a lo largo del tracto intestinal. Esto dio lugar a términos como «colon espasmódico», lo que implicaba que los síntomas estaban relacionados con espasmos musculares dolorosos del colon. Sin embargo, investigaciones recientes han demostrado que los pacientes afectados son más sensibles a los movimientos normales de los intestinos, y no que experimenten movimientos anómalos de los mismos. Los médicos también se han interesado por los aspectos psicológicos del intestino irritable, y muchos creen que se trata de un problema psicológico. Con eso no quieren decir que los síntomas sean imaginarios, sino que los síntomas físicos son debidos al estrés psicológico. Su teoría está apoyada en el hecho de que el 50 % de estos pacientes sufren ansiedad o depresión (bien ocultas); y aún más, en que dos tercios de los pacientes admiten, cuando se les interroga, que el problema del intestino irritable comenzó poco después de un «grave estrés social», como el dolor por la muerte de un ser querido, una ruptura matrimonial, etc. Quizá esto explique por qué los pacientes tratados con psicoterapia notan una mayor mejoría a largo plazo que aquellos tratados exclusivamente con medicinas (véase el capítulo 16, con más detalles al respecto).

Detengámonos un minuto para reflexionar sobre esta idea de que la mente domina el cuerpo; al menos en relación con los intestinos. Existe un nervio que va directamente desde el cerebro hasta el intestino, llamado nervio vago. El estrés mental corre por esta «autopista nerviosa» y se convierte rápidamente en sensaciones físicas. Muchos de nosotros estamos familiarizados con la sensación de nervios en el estómago. Esto explica también las desagradables sensaciones de la «diarrea de las trincheras» que experimentaban los atemorizados soldados en las batallas y la sensación de náusea que suele acompañar a los estados de ansiedad. Y una vez dicho todo esto, el hecho de que tantos pacientes mejoren con la dieta de bajo contenido alérgico indica que hay que respetar la intolerancia alimenticia como un factor importante en cerca del 70 % de los casos.

¿Hay complicaciones?

No hay complicaciones serias. Sin embargo, algunos pacientes pueden ver afectada de manera significativa su calidad de vida. Pueden alterarse los períodos de sueño e incluso perder el gusto por las reuniones sociales en torno a la mesa.

¿Qué se puede hacer?

Todos los pacientes con el síndrome del intestino irritable tendrían que llevar a cabo una investigación formal de su dieta en busca de intolerancias alimenticias, tal como se señala en el capítulo 17. El 30 % de los que no sufren la intolerancia alimentaria tienen tres posibilidades, que no son excluyentes:

1. Adoptar una dieta y hábitos intestinales sanos:
    - Comer una dieta de alto contenido en fibra: mucho pan integral, pasta y galletas integrales; avena, cebada, muesli y otros

cereales de desayuno, verduras, alubias y legumbres, fruta deshidratada y frutos secos.
   - Beber muchos líquidos durante el día. Esto ayuda a que las heces tengan una consistencia adecuada.
   - Tomar un desayuno adecuado e ir al servicio entre treinta y sesenta minutos después. Por lo general es la mejor hora del día para defecar.
   - Concédase el tiempo necesario, no se apresure.
   - Haga ejercicio cada día; esto ayuda para que se produzcan los movimientos intestinales.
2. Analice el papel del estrés:
   - Descubra cómo afecta el estrés a su organismo.
   - Desarrolle nuevas estrategias para afrontarlo.
3. Contraste el uso de medicación específica con su médico:
   - Antiespasmódicos.
   - Estimulantes intestinales.
   - Ayudas a la evacuación intestinal.

¿Podría ser otra cosa?

El diagnóstico del síndrome del intestino irritable se lleva a cabo con seguridad a través de una historia clínica detallada y de reconocimientos físicos. Algunas veces hacen falta exámenes hospitalarios para descartar otros desarreglos, especialmente en los ancianos y en las mujeres (cuyos síntomas pueden ser de naturaleza ginecológica). Finalmente, los síntomas del síndrome del intestino irritable se superponen en gran medida con los de la fermentación intestinal (véase el capítulo 14).

Capítulo 12.1

La alergia y el cerebro: hiperactividad

(Desarreglo de baja concentración en la hiperactividad)

Historia clínica

A John lo trajeron a la clínica de alergias por problemas de progreso escolar. Tenía entonces siete años. Su maestro se quejaba de que tenía poca capacidad de concentración y de que molestaba durante las clases. Su madre añadía que algunas veces «se pone como un salvaje, un auténtico salvaje» y que era capaz de poner verde a cualquiera cuando estaba de mal humor. A John, por su parte, le preocupaban mucho más los dolores de cabeza que sufría frecuentemente, y que muchas veces tenía que salir corriendo al retrete por culpa de la diarrea. También decía que siempre estaba cansado, un síntoma paradójico, dado que siempre se mostraba activo y jamás descansaba ni un segundo. Durante la visita, sintió curiosidad por todos y cada uno de los rincones del despacho, se puso a tocar todas las cosas de valor de la mesa, estuvo menos del 5% del tiempo sentado en la silla y tuve que apartarlo varias veces del instrumental médico costoso. Durante ese rato, le soltó a su madre varias frases irrepetibles e interrumpió la conversación sin parar. John, desde un punto de vista razonable, sufría de hiperactividad.

Los niños hiperactivos han puesto a prueba repetidas veces la paciencia de sus padres, hermanos y maestros. También han eludido todos los intentos de los médicos para clasificarlos y domesticarlos. Durante muchos años los médicos han propugnado y rechazado incontables descripciones de la enfermedad. Quizá sea porque en realidad es un conglomerado de diferentes aspectos que se solapan. Por ello, es importante que precisemos mejor lo que queremos decir con «hiperactividad».

¿QUÉ ES LA HIPERACTIVIDAD?

El intento más reciente para definir la hiperactividad se encuentra en el *Diagnostic Statistical Manual* (versión IV), libro de consulta de la American Psychiatric Association. La forma que ahora se prefiere para definir este trastorno es: desarreglo de hiperactividad con un déficit de atención (DHDA). Los elementos principales del DHDA son la baja atención, la hiperactividad y la impulsividad. En la evaluación de una persona con síntomas de DHDA, se trata de cuantificar su capacidad de atención y su hiperactividad.

Asignamos a su capacidad de atención (concentración) una puntuación. Para considerarlo, el paciente tiene que cumplir al menos seis de los siguientes nueve puntos.

El paciente con poca capacidad de atención...

1. Es poco cuidadoso (no presta atención a los detalles).
2. No presta atención (concentración) mucho rato.
3. No parece escuchar las órdenes.
4. No acaba las tareas.
5. Es desorganizado.
6. Evita los trabajos que le exigen mucho.
7. Pierde cosas con frecuencia.
8. Se distrae con facilidad.
9. Es olvidadizo.

Valoramos la hiperactividad y la impulsividad a la vez. Una vez más, el paciente tiene que cumplir con al menos seis de los siguientes nueve puntos.

El paciente hiperactivo/impulsivo...

1. No se está quieto y se remueve constantemente en la silla.
2. Abandona su asiento con frecuencia.
3. Corretea y/o trepa excesivamente.
4. Tiene dificultades en actividades tranquilas.
5. Siempre está en movimiento, siempre en acción.
6. Habla en exceso.
7. Responde antes de que termine la pregunta.
8. Tiene dificultades para esperar su turno.
9. Muchas veces molesta a los demás.

Todos los padres que lean esta lista encontrarán en ella aspectos característicos de sus propios hijos. Eso es debido a que todos los niños dejan a los padres absolutamente exhaustos en una etapa u otra de su desarrollo. En otras palabras, todos los niños van a poner a sus padres en situaciones de exigirles mucho. ¡Es normal! En contraste, el verdadero niño hiperactivo siempre deja a los padres con la sensación de absoluto cansancio y exasperación.

También tenemos que tener en mente que no existe una regla de comportamiento que pueda aplicarse a todos los niños como si fuera una norma que tienen que cumplir. De este modo, etiquetar a un niño como «hiperactivo» puede revelar más sobre el nivel de tolerancia del observador que sobre los niveles de actividad del niño. Lo contrario también se cumple, como se comprobó hace poco cuando vino a la consulta una madre bastante cansada y rendida. Traía con ella a su hijo, otro niño de siete años, como suele pasar. La mujer se preguntaba si sería hiperactivo, aunque estaba convencida de que no lo era. Entretanto, el jovencito seguía los pasos de todos los niños hiperactivos que habían estado en mi despacho: tocaba las cosas de valor de la mesa, se subía al sofá, abría los armarios, le gritaba a su madre, etc. Durante la visita, tuve los mismos problemas para apartarlo de los instrumentales delicados y tuve que vigilarlo continuamente. «¿Qué le parece, doctor?, ¿es hiperactivo?» No tenía dudas de que lo era, pero no me veía capaz de convencer a la madre de que su hijo era hiperactivo. La mujer era extremadamente paciente; yo no lo soy.

La hiperactividad puede presentar alguno de estos tres subtipos: predominantemente falto de atención, predominantemente hiperactivo/impulsivo o una combinación de ambos. Para precisar el diagnóstico, estos síntomas tienen que aparecer antes de los siete años de edad y tienen que seguir presentes durante un tiempo considerable. También tienen que confirmarse en más de una situación, por ejemplo en casa y en la escuela. Los síntomas tienen que ser lo bastante graves como para que interfieran en el funcionamiento social o académico del niño. Finalmente, hay que asegurarse de que los síntomas no sean debidos a una depresión o ansiedad, o bien a alguna otra situación parecida.

¿Quién la sufre?

La hiperactividad es, por definición, un problema de la niñez y de la temprana adolescencia. Es mucho más corriente entre los niños que entre las niñas, quizá hasta nueve veces más. Existe también una relación genética, ya que el índice de concordancia entre gemelos idénticos es muy alto. En otras palabras, si uno de los gemelos idénticos la sufre, es casi seguro que el otro también la padezca. Investigadores en Dublín han identificado recientemente un posible gen de la enfermedad.

Es interesante constatar que los niños afectados tienden a mostrar más problemas de comportamiento que las niñas, y éstas más problemas cognitivos que los niños. De esta forma, las niñas afectadas son más proclives a sentarse en silencio en clase sin prestar atención, mientras que los niños tienden a causar problemas y a reclamar la atención (y tratamiento médico). Por lo tanto, es posible que en las niñas afectadas no sea detectado este problema tan fácilmente como en los niños.

¿Se cura?

El punto de vista sobre los niños hiperactivos es diverso. Muchos mejoran sustancialmente al final de la adolescencia o al principio de la madurez. Muchos seguirán siendo «completamente» hiperactivos bastante más tiempo, y otros «parcialmente» hiperactivos. Para los que no se curan existe un riesgo de padecer algún problema psiquiátrico en la vejez, como el alcoholismo, la depresión y la ansiedad. Estos adultos pueden verse sujetos a dificultades emocionales, impulsividad y arranques de violencia.

¿Hay complicaciones?

Existen varias complicaciones que conviene tener en cuenta.

Implicaciones para el niño

En primer lugar, el niño con problemas de atención tendrá dificultades para concentrarse, lo que supone un riesgo de fracaso escolar. Como mínimo no desarrollará todo su potencial. También tienen problemas para relacionarse socialmente, y por lo tanto corren el riesgo de verse socialmente aislados. Es más, corren el riesgo de enredarse con compañías no adecuadas. Pueden encontrarse con otros niños que tienen «problemas» por razones diversas, la mayoría de las veces problemas de conducta debidos a ciertas rebeldías. Más pronto que tarde pueden verse embarcados en una carrera criminal.

Implicaciones para los demás

Los otros hermanos de la familia pueden verse agraviados o sentirse abandonados. Esto ocurre por el gran esfuerzo que exige de los padres un niño hiperactivo, un esfuerzo que se realiza siempre a expensas de los otros hijos de la familia. Los padres se debaten en un equilibrio entre la confrontación constante por un lado y las conductas habitualmente aceptadas por el otro. Los maestros enseguida se sienten frustrados, ya que no disponen ni del tiempo ni de los recursos para ofrecer la atención extraordinaria que necesitan estos niños.

¿Qué se puede hacer?

Quisiera que volviéramos a John, nuestro amigo hiperactivo de siete años con dolores de cabeza y diarrea. Por las razones que explicaré luego, le prescribimos una dieta de bajo contenido alérgico. A los siete días de seguir el régimen, John se había transformado en un niño nuevo. De hecho, su madre no podía creerse el cambio que había experimentado. «¡Es como si tuviera otro niño en casa!», decía, con una sonrisa de satisfacción. A diferencia de su primera visita, estuvo sentado tranquilamente sus buenos veinte minutos mientras hablaba con su madre sobre los siguientes pasos a seguir en cuanto a la dieta. Y por si fuera poco ya no tenía dolores de cabeza y se le habían normalizado los intestinos.

A John se le recomendó la dieta de bajo contenido alérgico debido al trabajo pionero de investigación llevado a cabo por el profesor John Soothill y sus colaboradores del Gran Hospital de Niños de la calle Ormond de Londres. Descubrieron que muchos niños con migraña se libraban de los dolores de cabeza siguiendo determinadas dietas. También averiguaron, para su sorpresa, que en los niños que presentaban migraña y problemas de comportamiento se apreciaba una mejora del comportamiento y no sólo del dolor de cabeza cuando iniciaban la dieta. Esto llevó al profesor a investigar el papel de la intolerancia alimentaria en la hiperactividad. Para este fin, tomó un grupo de setenta y seis niños hiperactivos y los sometió a la dieta. Veintiuno de ellos mejoraron, un resultado interesante y verdaderamente alentador.

A este estudio siguió otro, en el que a 116 de 185 niños hiperactivos se les apreciaba una mejoría con la dieta. Parece ser que estamos bien encaminados, o al menos eso creemos. Hay que pensar en todo el sufrimiento que se les puede evitar a estos jóvenes simplemente cuidando su dieta. Podría decirse que en el 27% de los niños hubo una completa desaparición de los síntomas. Los otros niños no quedaron «completamente curados», pero se encontraban mucho mejor que antes de iniciar la dieta. Esto es importante. No digo que la intolerancia alimentaria sea el único factor implicado en la hiperactividad, pero sí lo es en algunos casos. El cuidado de la dieta de los niños con hiperactividad es, en muchos casos, una ayuda para superar su problema. Para conocer más detalles sobre la dieta de bajo contenido alérgico véase el capítulo 17.

Hay otras posibilidades de tratamiento para los que no responden a las dietas. Entre otras, las terapias conductuales, con o sin medicación. La medicación está compuesta por anfetaminas, con todos los problemas que esto conlleva, por lo cual sólo se prescriben con gran cuidado.

¿Puede ser otra cosa?

Es importante distinguir la hiperactividad de otros problemas, con los que puede compartir algunos síntomas. La depresión y la ansiedad, por ejemplo, pueden darse en los niños, afectando con facilidad a su comportamiento y aprendizaje. Otro de los principales diagnósticos que se deben tener en cuenta son los problemas de conducta, un eufemismo para diferentes grados de delincuencia. Fijémonos por ejemplo en el duque de Borgoña, el nieto de Luis XIV de Francia. Sus guardias lo describían en términos elogiosos. «Monseñor», decían, «ha nacido con una disposición que le hace temblar a uno.» Se decía que era tan vehemente que podía llegar a romper los relojes cuando señalaban la hora en la que tenía que hacer algún trabajo que no le agradaba, o bien arremeter furiosamente contra la lluvia cuando ésta le molestaba. Le encolerizaba que le opusieran resistencia. Era intensamente obstinado y le gustaba mucho la buena comida y los juegos. También era peligroso jugar con él, ya que no soportaba que le ganaran. Siempre estaba dispuesto a ser cruel y miraba al resto de los mortales como si fueran una raza inferior con la que no tuviera nada en común. El rey Luis estaba preocupado. Después de todo el joven era el sucesor al trono. Así que, en 1689, el rey nombró un preceptor del duque de Borgoña. Y de este modo, al bondadoso obispo Fenelón le fue confiada la nada envidiable tarea de domesticar al «joven salvaje». Con un afecto decidido y benevolente, según cuenta la historia, y en un período de tiempo relativamente corto, Fenelón tuvo éxito en su empeño. Podemos darnos cuenta de ello en la siguiente descripción del joven, una vez que Fenelón había completado su trabajo: «La maravilla es que, en tan poco tiempo, la devoción y la gracia hayan hecho de él un nuevo ser, y que haya transformado tantas faltas temibles en las virtudes contrarias». ¡Queda claro que el duque no necesitaba una dieta, sino una solícita disciplina!

Capítulo 12.II

La alergia y el cerebro: migrañas y dolores de cabeza

Dolor de cabeza

Los dolores de cabeza son muy frecuentes entre la población en general, habiendo en torno a un 90 % de adultos que admiten haber sufrido al menos un dolor de cabeza en los últimos doce meses. Una gran mayoría están relacionados con el estrés y la fatiga. Como tales, nos referimos a ellos como dolores de cabeza causados por el estrés, y tenemos que considerarlos como una respuesta «normal» a ese estrés. En este capítulo, sin embargo, quisiera abordar específicamente un tipo de dolor de cabeza diferente: la migraña.

Historia clínica

Louise era una estudiante que estaba deseando empezar la universidad en otoño. Había sufrido fuertes dolores de cabeza durante los cinco años de secundaria, y deseaba poder estudiar la carrera sin el obstáculo que supone encontrarse mal con frecuencia. El primer verdadero ataque de dolor de cabeza lo experimentó pocos meses después de tener la primera menstruación y desde entonces los sufre con regularidad.

Los dolores de cabeza eran erráticos, pero siempre seguían el mismo proceso. La señal de alarma era invariablemente la visión borrosa: ya había llegado a reconocerla y temerla como el primer síntoma de un ataque. Durante esta fase notaba que le desaparecían de su campo de visión algunas zonas de las páginas, o que las secuencias de números estaban incompletas. Así, si quería telefonear al médico era incapaz de leer el número del dietario, por lo que tenía que pedir a otra persona que lo hiciera por ella. Ocasionalmente, estos momentos de pérdida parcial de la visión podían llegar a ser de total ceguera. También sufría otros síntomas que le daban verdadero miedo, como arrastrar las palabras o una sensación de cosquilleo en el brazo derecho. A los treinta minutos justos le empezaba el dolor de cabeza. Lo describía como un dolor punzante en la sien, «como si alguien me estuviera clavando un clavo en el cerebro».

El dolor de cabeza siempre iba acompañado de náuseas y vómitos. Durante los ataques se metía en una habitación a oscuras y en silencio donde intentaba dormirse. Era lo único que la aliviaba, a pesar de que sabía que se iba a levantar con dolores y cansada. Algunas veces, en cambio, el dolor le duraba dos días. Hasta donde ella sabía, lo único que podía desencadenarle un ataque era el olor del barniz reciente. No había relación entre los ataques y la menstruación, ni tampoco sabía de ningún alimento que tuviera que evitar. Los ataques eran aleatorios, sin respetar ningún compromiso social de ninguna clase. Es más, se encontraba tantas veces indispuesta que procuraba no comprometerse ni fijar una cita con nadie. Prefería vivir el momento: «Si pasa, pasa y si no, peor». Louise padece **migraña.**

¿Qué es la migraña?

La migraña es un violento dolor de cabeza: aparece y desaparece en accesos. El dolor de cabeza en sí puede ir o no precedido de señales premonitorias. Se trata de experiencias no dolorosas relacionadas con alteraciones de la vista y de los otros sentidos, a las que nos referimos colectivamente como «aura» de la migraña. La migraña con aura se denomina «migraña clásica» y la migraña sin aura se llama «migraña común». La segunda es dos veces más habitual que la primera. En las descripciones de los libros de texto se suele decir que el aura de la migraña se inicia con una mancha o «manchas frente a los ojos». Empiezan siendo pequeños y aumentan gradualmente. Los bordes de los puntos a menudo destellan y tiemblan con luces de colores vivos. Generalmente toman una forma de zigzag mientras se desplazan por el campo de visión. A medida que aumentan van dejando zonas de visión borrosa o incluso sin visión, por ejemplo puntos ciegos. No obstante, muy raramente se pierde por completo la visión durante un ataque.

Otro síntoma bien conocido es la alteración de la sensibilidad de la piel. Cosquilleo, pinchazos o la sensación de que se duermen las manos, el antebrazo y la cara, especialmente el labio superior que parece ser un lugar bastante habitual. También pueden presentarse otros fenómenos extraños, como alucinaciones o desorientación en el tiempo y el espacio. La primera consiste en la sensación real de haber oído u olido algo que nadie más puede oír u oler. Los pacientes con desorientación pueden sentirse perdidos en sus propias casas.

Se dice que el dolor de cabeza en concreto aparece en la zona de la sien, desde donde se extiende gradualmente hasta dominar por completo la mitad de la cabeza. De hecho es la razón por la que se llama migraña, una palabra derivada de *hemicranea* (media cabeza). En la práctica, sin embargo, el dolor puede afectar a ambos lados de la cabeza o puede alternarse entre un lado y el otro. El dolor va aumentando durante unos treinta minutos en un *crescendo* palpitante. Los pacientes buscan espacios tranquilos y oscuros donde acostarse. La luz y el ruido se les hacen insoportables y saben que dormir es la única esperanza de conseguir alivio. Muchos se encuentran bastante mejor después de dormir y continúan con su vida habitual. A otros el dolor puede durarles más, algunas veces incluso dos o tres días.

Una vez que pasa el ataque, los pacientes se encuentran perfectamente bien durante quizá varias semanas hasta que llega el ataque siguiente. La frecuencia de los ataques varía enormemente entre los afectados. Algunos sufren uno o dos ataques al mes; otros sólo uno o dos en toda su vida; y algunos dos o tres por semana. Observen: varios ataques por semana que pueden persistir hasta uno o dos días cada vez. La vida para estos desafortunados es un continuo dolor de cabeza.

Para nuestro propósito vale la pena detenerse un poco más en esta cuestión. La migraña clásica, como hemos visto, empieza con un aura y sigue con un dolor de cabeza punzante. Esto refleja la naturaleza subyacente de la migraña, se trata de un «dolor vascular» (de los vasos sanguíneos). Esto es lo que ocurre. Lo primero, desde luego, es que algo desencadena el ataque (y nos referiremos a ellos a continuación). Los vasos sanguíneos responden al desencadenante con una vasoconstricción, se cierran, y al hacerlo, reducen de forma importante la cantidad de sangre que llega al cerebro. Las regiones del cerebro que, de este modo, se ven privadas de sangre generan desórdenes. Erróneamente, envían todo tipo de mensajes nerviosos.

Los problemas visuales son un buen ejemplo de ello. La luz entra en el globo ocular y se convierte en minúsculos impulsos eléctricos en la retina. Éstos viajan por el nervio óptico, que los proyecta en una gran pantalla a todo color que se encuentra en la parte posterior del cerebro, la corteza occipital. Imagine lo que ocurre si la corteza tiene fallos. Algunas áreas de la pantalla empiezan a destellar y chispear. Si sigue la pérdida de función se producen zonas de pérdida visual; la parada total, por así decirlo, dará como resultado una pantalla en blanco, la ceguera.

Las alucinaciones olfatorias y auditivas simplemente reflejan lo que está ocurriendo en otras áreas del cerebro, en la corteza olfatoria y auditiva. Igualmente, el hormigueo, el entumecimiento, el habla titubeante y otros síntomas reflejan el mismo problema básico: vasoconstricción. Después de treinta minutos de vasoconstricción, se produce una respuesta igual y contraria, la vasodilatación. Los vasos sanguíneos se dilatan y vibran con cada latido cardiaco. Los vasos sanguíneos del cerebro son estructuras sensibles y delicadas, por lo que se produce dolor cuando se contraen. Es la razón que explica el hecho de que la migraña se caracterice por pinchazos agudos. La migraña común es exactamente el mismo dolor de cabeza sin el aura. En otras palabras, no se produce una significativa vasoconstricción, sólo vasodilatación.

¿Quién la sufre?

El 10 % de la población sufre migraña. El primer ataque de migraña suele padecerse en edad escolar, después de la pubertad o a principios de la edad adulta. Aunque también puede ocurrir, es menos frecuente que el primer ataque se produzca posteriormente, con la excepción, quizá, de las mujeres que llegan a la menopausia. La migraña afecta a las mujeres con una frecuencia que dobla a la de los hombres.

¿Se cura?

Por definición, la migraña es una dolencia muy violenta que aparece en varios períodos de la vida. Mientras que algunas personas sufren un solo ataque durante toda su vida, otras se ven acosadas por continuos dolores de cabeza. En general, los ataques tienden a ser menos frecuentes y menos agudos a medida que nos acercamos a la edad de la jubilación. Hay dos razones que explican este hecho: una es halagüeña, la otra menos. Primeramente, al ser mayores y más sensatos, con una vida más tranquila, jubilados, estamos menos expuestos a los desencadenantes de la migraña. En segundo lugar, y quizá sea la más importante, nuestros vasos sanguíneos se vuelven más gruesos y menos flexibles, por lo que no pueden alterarse ni palpitar como solían.

¿Cuál es su causa?

No sabemos la causa de la migraña, pero, una vez más, es un problema que tiene carácter familiar. Cerca del 90 % de los pacientes con migraña clásica tienen algún miembro de su familia afectado o que lo ha estado en algún momento. Investigaciones recientes han identificado un gen que se cree que puede estar relacionado con un tipo de migraña, la migraña hemipléjica «paralizante».

Existen diferentes desencadenantes de la migraña:

- Saltarse una comida.
- Excitación.
- Luces intensas.
- Olores fuertes.
- Hacer rechinar o apretar los dientes.
- Traumatismos leves en la cabeza (cabecear un balón de fútbol).
- Dormir en exceso (que puede explicar algunos dolores de cabeza de los fines de semana).
- Dormir poco.
- Trabajar en exceso.
- Ciertas medicinas, como los anticonceptivos orales y los vasodilatadores.
- La menstruación (por el contrario, la migraña desaparece con el embarazo).
- Algunos alimentos.

Los desencadenantes debidos al olor o a las comidas son de especial interés para el alergólogo.

Intolerancia alimentaria: una causa de la migraña

Virtualmente todos los que padecen migraña han oído decir que el chocolate, el queso, la cafeína, los cítricos y el alcohol pueden provocar migraña. Todos estos alimentos tienen una cosa en común: todos contienen sustancias naturales que producen un efecto directo sobre los vasos sanguíneos. En otras palabras, se trata de alimentos farmacológicamente activos, actúan como medicamentos, especialmente en las personas que están sensibilizadas a sus efectos. Puede que en estos pacientes exista una carencia de alguna enzima que en condiciones normales neutralizaría los ingredientes activos. De esta forma, conviene evitar este tipo de alimentos. Algunos lo descubren por sí mismos y otros siguen constatando ataques de migraña a pesar de haber evitado estos alimentos cuidadosamente. No hay que desesperarse, todavía hay esperanzas. Sigamos adelante con la lectura.

En 1983 se publicó un artículo fundamental en *The Lancet*, en el que se demostraba que el 93 % de ochenta y ocho niños con migrañas frecuentes y graves mejoraron con una dieta de bajo contenido alérgico. Además, en cuarenta de estos niños se pudo determinar qué alimentos producían migraña y cuáles no, incluso si los ingredientes se ocultaban en una sopa de lentejas, o, en otras palabras, si se trataba de alimentos que no podían reconocer. Un estudio similar llevado a cabo en adultos también dio resultados muy importantes, en los que un 85 % de los pacientes mejoraban considerablemente de su migraña cuando iniciaban una dieta de exclusión.* Incluso con el factor en contra añadido de que estos pacientes tenían un promedio de veinte años de historia clínica de dolores de cabeza. Entre todos, consumían un promedio de 115 analgésicos al mes antes de iniciar la dieta; después de la dieta este porcentaje bajó hasta uno.

La fuerte impresión de que la intolerancia alimenticia es una causa significativa en la mayoría de casos de migraña se ha confirmado varias veces por todos los que trabajamos en este campo. Veamos el caso de Louise, por ejemplo. Empezó la dieta de bajo contenido alér-

* Como punto interesante añadido, quisiera señalar que quince de esos pacientes con valores de presión sanguínea altos (diastólica igual o superior a 100 mm de mercurio) recuperaron la presión normal (diastólica igual o inferior a 90 mm de mercurio), al poco de ponerse a dieta.

gico y al poco tiempo se vio libre de dolores de cabeza. No sólo eso, sino que empezó a sentirse como nunca. Una vez que le demostramos que la alimentación era un factor importante en las migrañas, continuamos con el siguiente paso en su investigación dietética: la reintroducción paulatina de alimentos. Durante el mes siguiente, fue probando los alimentos básicos uno a uno, y descubrió que el trigo y el centeno podían provocarle los ataques de migraña. Podía consumir los demás alimentos sin problemas.

Ahora Louise tiene una opción. Puede 1) evitar estos alimentos a largo plazo, o 2) iniciar un tratamiento de desensibilización. Esta última línea de actuación, si tiene éxito, le permitirá consumir los alimentos problemáticos sin el sufrimiento de la migraña. Además, también estaba contenta de haber perdido su exceso de peso y quería seguir con la dieta. Tenía miedo de que la desensibilización le permitiera comer trigo otra vez y entonces volver a engordar. Así que optó por evitar esos alimentos, ahora con la confianza de que podía estudiar sin las molestias de una migraña en cualquier momento.

Sensibilidad química: otra causa de la migraña

Está generalmente aceptado por los médicos que los olores fuertes pueden producir un ataque de migraña. Como los alimentos farmacológicamente activos a los que antes nos hemos referido, algunos productos químicos tienen un efecto directo en los vasos sanguíneos, provocando su dilatación; y se cree que ése es el mecanismo que interviene al menos en algunas de estas reacciones químicas. También es posible que el estímulo del nervio olfatorio (oler) sea en sí mismo un importante desencadenante. Pero me gustaría que centrásemos la atención en otra posibilidad: algunas personas son muy sensibles a los productos químicos ambientales, de una manera muy parecida a como otros son alérgicos al polen o tienen intolerancia a los alimentos.

Un paciente de este tipo es Angela, una madre trabajadora de treinta y cinco años que tenía ataques frecuentes de migraña. Significativamente, nunca estaba absolutamente libre de síntomas entre los ataques. El dolor de cabeza disminuía, en efecto, pero seguía con otros muchos síntomas, por ejemplo, una sensación permanente de náuseas, inflamación del estómago y dolores musculares generalizados. Su papel de madre en esas circunstancias se le hacía muy difícil y creía que al final acabaría perdiendo el trabajo. Ya no podía seguir así. Al ir profundizando en los síntomas, Angela me reveló un detalle muy importante. A los pocos segundos de sentarse en su coche nuevo, notaba problemas de visión, aparecían las náuseas y los espasmos en el estómago. Era el aviso de que el dolor de cabeza iba a empezar media hora más tarde. El olor de los coches nuevos le producía migraña. Angela recibió el consejo de eliminar de su casa todos los olores químicos, incluso desodorantes, ambientadores, perfumes, lociones para después del afeitado, limpiadores, etc. Los síntomas se redujeron mucho en quince días, lo que indicaba que se trataba de una persona con «sensibilidad química» (véase el capítulo 15).

¿Hay complicaciones?

Las migrañas frecuentes son un problema que incapacita y que afecta seriamente a la calidad de vida de algunos pacientes. Otras complicaciones que pueden aparecer, aunque raras, son las siguientes:

- Muy raramente la migraña es continua (varios días o semanas), y puede requerir tratamiento hospitalario. Se denomina «estado migrañoso».
- Pueden producirse ataques epilépticos cuando el ataque de migraña se encuentra en su momento álgido. Se cree que esto puede ser a consecuencia de un déficit prolongado de oxígeno en el cerebro.
- Es muy común que pueda producirse debilidad de un lado del cuerpo durante el ataque de migraña. Sin embargo, algunos pacientes experimentan una pérdida mayor de fuerza, una parálisis parcial. Se denomina migraña hemipléjica.
- En casos muy raros la vasoconstricción que se produce tras la pérdida de control, si ha sido extrema y prolongada, pueda dar lugar a lesiones nerviosas permanentes en el cerebro. Se han dado casos de una pérdida de visión y de fuerza permanentes. No obstante, conviene hacer hincapié en que esto se produce en casos muy raros. Estadísticamente, existen más probabilidades de que nos toque dos veces la lotería que de acabar con lesiones permanentes.

¿Qué podemos hacer?

- Evitar los desencadenantes enumerados anteriormente.
- Evitar los alimentos farmacológicamente activos, como el alcohol, el chocolate, el hígado, el arenque ahumado, las carnes curadas, los cítricos, la cafeína y el queso.
- Tomar medicinas al inicio del ataque para evitarlo o al menos para que disminuya su intensidad. A menudo una simple aspirina es tan buena como cualquier otra cosa. Si así no se consigue evitar el ataque, consulte con su médico la posibilidad de utilizar otra cosa. Hay muchos tratamientos posibles.
- Tomar medicinas para prevenir los ataques o al menos disminuir su frecuencia. Trate esta cuestión con su médico. Una vez más, hay varias posibilidades donde elegir.
- Contrólese las alergias.
  1. Inicie una dieta de bajo contenido alérgico como la que se especifica en el capítulo 17. Atención: si ha sufrido alguna pérdida completa de visión durante los ataques o si ha perdido movilidad en un brazo o una pierna, no haga ninguna dieta sin consultarlo antes con el alergólogo.
  2. Inicie unas «vacaciones químicas», en especial si presenta algún otro síntoma de sensibilidad a las sustancias químicas (véase el capítulo 15).

¿Podría ser otra cosa?

Tenemos que recordar que hay muchos otros tipos de dolor de cabeza que surgen por causas diversas. Así, el dolor de cabeza puede estar causado por:

- Tensión
  Con diferencia es la causa más corriente de problemas. Estos dolores de cabeza se notan especialmente en la parte alta de la cabeza o como una banda alrededor de la misma. Aparecen «la mayor parte del día, muchos días» y están muy relacionados con la ansiedad. Por lo general, empeoran al atardecer.
- Problemas oculares
  Todos estamos familiarizados con la idea de que la fatiga ocular puede causar dolor de cabeza. Por lo tanto vale la pena hacerse una revisión ocular para saber si se necesitan gafas. Al mismo

tiempo, el óptico comprobará que no tiene glaucoma, ya que también puede causar dolores de cabeza.

- Artritis en el cuello

  Los nervios del cuero cabelludo pasan por unas hendiduras muy estrechas que hay en los huesos del cuello antes de entrar en el cerebro. Si están afectadas por la artritis, el espacio disponible se reduce aún más produciéndose un pinzamiento. El cerebro creerá que hay algún problema en el cuero cabelludo y el paciente puede entender el mensaje como un dolor de cabeza. Éste es un problema particularmente importante en las personas mayores. Puede aliviarse con fisioterapia.
- Problemas de los senos

  A los senos se les cree causantes de muchos dolores de cabeza. Sin embargo, tendrían que confirmarse otras afecciones, como la inflamación o la sensibilización por medio de radiografías para estar seguros.
- Problemas de ATM

  La ATM (articulación tempero-mandibular) es la articulación que se encuentra entre el cráneo y la mandíbula. Se localiza precisamente frente a cada oído. Entre la ATM y el oído se localiza un haz de nervios y vasos sanguíneos. Si la articulación no está alineada correctamente puede comprimir estas estructuras tan delicadas y causar dolor de cabeza.
- Relaciones sexuales

  Pueden producirse dos tipos de dolores de cabeza durante o después del contacto sexual. El primero aumenta gradualmente durante la excitación previa, lo que produce tensión en los músculos del cuello y del cuero cabelludo. El segundo es un tipo explosivo de dolor de cabeza que aparece con el orgasmo. La explosión de dolor es tan intensa que se sospecha de una posible hemorragia cerebral. Ambos son más comunes en los hombres y tienden a disminuir con el paso del tiempo.
- Traumatismos craneales

  Los traumatismos craneales provocan en los pacientes dolores de cabeza crónicos. El «síndrome postraumático», como se denomina, consiste en padecer dolores de cabeza, mareos, problemas de concentración e irritabilidad. Los dolores de cabeza también pueden producirse después de traumatismos relativamente poco importantes.

- Enfermedades del cráneo
  Enfermedades poco corrientes, como la enfermedad Paget de los huesos, o incluso la aún menos frecuente aparición de cáncer en los huesos del cráneo, también causan dolores de cabeza.
- Otras enfermedades
  El dolor de cabeza es un compañero habitual de muchas enfermedades. Sin embargo, en estos casos serán más importantes los otros síntomas que permitan reconocer el problema principal. Una excepción importante es el dolor de cabeza producido por la arteritis craneal (una inflamación de las arterias que irrigan el cerebro); pero incluso, en este caso, el dolor de cabeza es de una naturaleza suficientemente característica como para que el médico identifique su verdadera causa.
- Tumores cerebrales
  Lo que todos tememos, pero que es en realidad una causa muy rara de los dolores de cabeza crónicos. No existe una clara conexión entre la migraña y los tumores o las hemorragias del cerebro.

Capítulo 12.III

La alergia y el cerebro: fatiga

La fatiga es una dolencia muy común, que afecta al 20 % de los hombres y al 30 % de las mujeres, que admiten encontrarse excesivamente cansados en un momento u otro. La mayoría de estas fatigas, al igual que el dolor de cabeza debido al estrés del capítulo 12.II, están relacionadas con el estrés psicosocial, y en la mayoría de los casos se recobran las energías, sin ayuda alguna, una vez que pasa el momento de estrés. Por lo tanto, son sólo las personas que encuentran difícil o imposible eliminar la fatiga las que son susceptibles de acudir al médico. Los médicos, por su parte, dirán que la fatiga es una de las dolencias más corrientes que tienen que tratar. También es de las más complicadas.

Para su tranquilidad, hay que indicar que sólo 5 % de los pacientes con fatiga tienen algún problema físico que la provoca, como, por ejemplo, problemas de tiroides o una disminución de glóbulos rojos. Por el contrario, cerca 70 % tienen una enfermedad depresiva subyacente o un estado de ansiedad. A pesar del tabú social que implican estas afecciones, son, de hecho, diagnósticos muy positivos. Se realizan en medio de una historia clínica con muchos otros síntomas de depresión o ansiedad y, lo que es más importante, le facilitan al paciente un tratamiento apropiado y efectivo. De esta forma, podemos comprender la naturaleza de la fatiga en el 75 % de los casos, para los que el futuro se presenta muy prometedor.

También hemos de tener en cuenta al restante 25 % de pacientes cuya fatiga no tiene explicación aparente. Han pasado por los reconocimientos habituales: los exámenes físicos son normales, los análisis de sangre no aportan nada y el psiquiatra indica una satisfactoria salud mental. «Y entonces, doctor, ¿qué es lo que hace que siempre esté fatigado?» Se trata de un paciente frustrado por su situación y descontento de su médico. Pero los médicos son humanos, también se sienten insatisfechos y puede que incluso confiesen estar también descontentos con el trato otorgado al paciente. Al tratar de resolver el problema, un médico valiente puede que se aventure un poco más allá. «Mire usted, señor Jones, a veces la fatiga es un síntoma de depresión.» «¡Eso que dice es una tontería, doctor!» podría ser la respuesta. «¿No le parece que sabría si tengo una depresión?»

La observación del médico no es, sin embargo, una tontería. Los pacientes no siempre reconocen que están deprimidos. Y la fatiga es muchas veces una causa oculta de la depresión. En estos casos, y con el tiempo suficiente, los otros síntomas de la depresión se irán presentando con más claridad. Pero esta «depresión oculta» no tiene que confundirse con la depresión que afecta a los enfermos crónicos. Hay que tener presente que el 65 % de los pacientes con enfermedades crónicas sufren una depresión reactiva o ansiedad en alguna etapa de su enfermedad, cualquiera que ésta sea. Los estados de fatiga no son una excepción a esto, y los estudios muestran reiteradamente que los pacientes con fatiga crónica no explicada pasan por depresiones durante el curso de la afección debido a la misma enfermedad. No obstante, muchos pacientes refieren que no han sido atendidos adecuadamente porque los han considerado «estresados» o «deprimidos», cuando saben perfectamente que no lo están y el paso del tiempo, además, lo ha confirmado.

Como puede apreciarse, abordamos un problema muy complejo, cuyo límite inferior está claro y es sencillo: tenemos a un grupo de pacientes que sufren una fatiga crónica debilitante de origen desconocido. Por nuestra parte, como médicos y cuidadores, tenemos que aprender a sentarnos a escuchar con respeto lo que todavía no comprendemos. Por encima de todo, debemos resistirnos a la impresentable práctica de señalarles un diagnóstico por cuestiones de conveniencia. Sencillamente no resulta adecuado –y desde luego no es una buena práctica médica– decirle a alguien: «No se encuentra nada físico, así que debe ser algo mental».

Al final, muchos de estos pacientes pasarán a formar parte del grupo de los de la fatiga idiopática (de la que no sabemos la causa) y otros tendrán un diagnóstico de síndrome de fatiga crónica (SFC).

Estas categorías abarcan las dolencias más complicadas de todas, aunque esta confesión no supone una velada rendición. Por el contrario, tenemos que rechazar la idea general de que «no se puede hacer nada» por el paciente con fatiga. ¿Por qué? Porque en muchos casos simplemente no es cierto. Es más, puedo prometer que algunos van a encontrar un alivio duradero en este capítulo.

HISTORIA CLÍNICA

Dorothy era secretaria del hospital local. Sufría fatiga crónica y cada vez le era más difícil sobrellevarla. Se describía a sí misma como del tipo «de las que no se rinden fácilmente», y lo demostraba guardando todas sus energías para trabajar. Sin embargo, tenía que pagar un precio por tal perseverancia y coraje: no le quedaban energías para nada más. Al principio dejó las actividades deportivas y más tarde otros aspectos de su vida social. Creía que esto le iba ayudar a recuperarse. Pero no. Su mundo acabó reducido a dos actividades: trabajar y dormir. Se derrumbaba en la cama cada tarde cuando regresaba de trabajar, pasaba los fines de semana en la cama, siempre con la intención de recuperar energías para la semana siguiente. Finalmente ya no pudo más.

El médico la examinó y le solicitó una serie de análisis de sangre. También dedicó un tiempo considerable a preguntarle diferentes detalles de su vida privada. Por supuesto, estaba tratando de determinar síntomas de depresión, pero no las halló. A Dorothy le encantaba su trabajo. También estaba enamorada de un joven con el que se había comprometido y la relación parecía muy armoniosa. El médico también tomó nota de otros síntomas, como dolores de cabeza, dolores generalizados o problemas de garganta reiterados. Conocía a la paciente desde hacía tiempo y sabía que no acudía a la consulta sin motivo. Leyó por encima la historia clínica y las últimas anotaciones.

Eran de hace nueve meses, lo recordaba bien. La madre de Dorothy le había telefoneado bastante asustada pidiéndole que fuera enseguida a su casa. Dorothy estaba muy enferma, no había duda. Estaba en cama con fiebre, dolor de cabeza, empapada de sudor y sentía náuseas. Lo que verdaderamente le preocupaba eran los vómitos y la rigidez del cuello. Hizo que la ingresaran en el hospital y la trataron de una meningitis, de la que, afortunadamente, se recuperó rápidamente, o habría que decir que eso es lo que ella pensó. «¿Y qué pasó después, Dorothy?», le preguntaba el médico. «Desde entonces no he estado bien. Quiero decir que entonces fue cuando me empezaron todos los problemas».

El médico estaba en condiciones de ofrecerle un diagnóstico provisional. Había que seguir abierto a todas las posibilidades, desde luego, pero a menos que se demostrara otra cosa, Dorothy sufría un **síndrome de fatiga crónica.***

¿QUÉ ES EL SÍNDROME DE LA FATIGA CRÓNICA?

El síndrome de fatiga crónica se caracteriza por una fatiga que no se explica con razones de tipo físico ni psíquico y que...

1. es de aparición reciente o definida.
2. es persistente o con recaídas.
3. dura al menos seis meses.
4. no es debida a una actividad excesiva o a trabajo en exceso.
5. el descanso no la alivia.
6. es causante de una reducción importante de:
   - la actividad profesional

   y/o
   - la actividad social

   y/o
   - la actividad educacional

Además, es preciso identificar cuatro o más de los siguientes síntomas:

1. faringitis recurrentes.
2. hipertrofia de los ganglios linfáticos en el cuello o las axilas.
3. dolores musculares.
4. dolores articulares.
5. dolores de cabeza.
6. sueño no reparador.
7. dificultades para recuperarse del ejercicio.

* El SFC se ha denominado también de muchas otras formas, incluyendo encefalomielitis miálgica, síndrome de fatiga posviral, enfermedad de Royal Free, enfermedad de Islandia. Ninguna de ellas es enteramente satisfactoria. Reflejan los intentos de averiguar las causas subyacentes o bien el nombre de lugares en los que se han detectado un significativo número de casos bien documentados.

Parece razonable pensar que estos síntomas, al igual que la fatiga que los acompaña, pueden ser de nueva aparición. De este modo los dolores de las articulaciones de una artritis preexistente, o los dolores de cabeza de un paciente con una historia clínica de migraña no influyen a la hora de establecer un diagnóstico de SFC. Sin embargo, si los dolores de las articulaciones o de cabeza, etc. son de una mayor incidencia o severidad, entonces sí que se tienen que tener en cuenta. De igual manera no diagnosticamos el SFC en pacientes que pueden tener...

1. otras explicaciones médicas para su fatiga, como un bajo número de glóbulos rojos, una hepatitis no curada, etc.
2. diagnósticos pasados o presentes de depresión psicótica, maníaca, esquizofrenia, delirios, demencia, anorexia nerviosa o bulimia nerviosa.
3. una historia de abuso de alcoholismo o drogodependencia dos años antes de la aparición de la fatiga, o en cualquier momento a partir de entonces.
4. problemas de obesidad mórbida.

Antes de que el lector exigente pueda formular objeciones, permítaseme reconocer que estos criterios de diagnóstico no son infalibles. ¿Quién es capaz de decir que un paciente no sufre SFC por haber estado enfermo menos de seis meses o, por el contrario, decir que sí padece el SFC porque ha estado enfermo seis meses y un día? De manera similar, se reconoce desde el principio que esta definición un tanto arbitraria excluye a quienes padecen una forma menos grave o menos típica de fatiga crónica. Es más, los pacientes con problemas psiquiátricos no son inmunes a las alergias, a las infecciones, al cáncer o a cualquier otra enfermedad. Entonces, ¿quién puede negarles el «derecho» a sufrir un síndrome de fatiga crónica? No obstante, estos criterios cumplen una función muy importante. Nos permiten identificar, con al menos cierto grado de coherencia según criterios internacionales, a un grupo de pacientes cuyas vidas están afectadas significativamente por la fatiga debilitante. Es este grupo el que proporciona a nuestras investigaciones mayores posibilidades de obtener un avance significativo. Si podemos llegar a comprender su enfermedad, comenzaremos también a ser capaces de entender también las formas menos graves de fatiga.

Fatiga crónica idiopática

Aquellos pacientes cuya fatiga no puede explicarse y que tampoco cumplen con los criterios para el diagnóstico del SFC, sufren fatiga idiopática. Pero, como hemos dicho, se trata de una decisión arbitraria. La fatiga idiopática no es menos debilitante que la fatiga de un SFC que cumpla todos los requisitos.

¿Quién lo sufre?

Cualquiera puede padecer un SFC, aunque no nos gusta diagnosticarlo en los niños muy pequeños. Mi paciente de mayor edad era una mujer de ochenta y tres años y el más joven, un niño de nueve; ambos se recuperaron. Lo más habitual es que aparezca en las mujeres con edades entre los veinte y los cuarenta años. Contrariamente a la opinión popular, el SFC no es un dominio exclusivo de jóvenes emprendedores. Así, la expresión peyorativa «gripe del ejecutivo» tendría que considerarse una estupidez de los periódicos sensacionalistas. Tampoco es un coto privado de una determinada clase social o raza. Han aparecido casos en todas partes, y me satisface poder decir que es algo reflejado en la comunidad científica internacional: médicos y científicos de todo el mundo programan encuentros regulares para intercambiar información y tratar las posibles vías de investigación.

¿Se cura?

Un gran número de pacientes se recuperan por completo y vuelven a tener una vida activa y completa. Algunos tienen sus propios negocios, otros viven de su profesión o del comercio, y hasta hay algunos que participan en competiciones deportivas de nivel nacional e internacional. Una vez dicho esto, y aunque la duración en promedio de la enfermedad se calcula entre tres y seis años, cabe señalar que una minoría sigue padeciendo la enfermedad durante muchos años antes de conseguir curarse.

¿Cuál es su causa?

No conocemos la causa del SFC. Aunque cerca del 80 % de los casos se inician, como el caso anterior de Dorothy, justo después de una infección viral, hasta el momento no hemos logrado descubrir el mecanismo que lo produce. Cada vez existen mayores pruebas que sugieren que el problema fundamental reside en la manera de trabajar del cerebro. De este modo, se sabe que hay problemas de funcionamiento incorrecto de determinadas hormonas del cerebro cuando se presenta el SFC. Además, ese proceso de mal funcionamiento es sensiblemente diferente del que se aprecia en el cerebro con depresión o con ansiedad, lo que pone de manifiesto, una vez más, que el SFC no es «otra forma de depresión».

Otro dato significativo es que cerca del 50 % de los pacientes con SFC tienen una historia clínica de problemas alérgicos, como fiebre del heno, asma, eccema o urticaria. Es un porcentaje mucho más alto de lo que podría esperarse entre la población en general. De forma similar, y quizá más significativa, cerca del 70 % de los pacientes con SFC por lo general muestran una activación de sus eosinófilos, unas células muy importantes en las enfermedades alérgicas (hasta el punto de merecer la inclusión de un capítulo sobre el SFC en un libro que trata sobre la alergia). Sin embargo, a pesar de su interés, estas anormalidades, hormonales, cerebrales y del sistema inmunológico, todavía son piezas sueltas de un rompecabezas. Aún queda un camino muy largo por delante antes de que conozcamos por completo los estados de fatiga.

¿Hay complicaciones?

El SFC es, por definición, una enfermedad debilitante. Los pacientes afectados pueden verse obligados a tener que suspender sus actividades. Me es imposible llegar a describir su frustración, así que no lo intentaré. Sin embargo, hay que pensar en la tensión que esta enfermedad ejerce sobre las relaciones más cercanas, en las aspiraciones laborales, en sus ingresos e, incluso a veces, en su salud mental. No es sorprendente que algunos se vean abocados a una depresión, quizá hasta el punto de tener pensamientos suicidas. Tratar la depresión constituye, desde luego, una ayuda. Pero ese tratamiento no elimina la fatiga.

¿Qué podemos hacer?

Quisiera hacer hincapié en los aspectos «alérgicos» del SFC, y en las siguientes líneas me concentraré en ellos. El tratamiento completo de los pacientes que sufren el SFC va mucho más allá del propósito de este libro, pero puede resumirse así:

1. Determine claramente el diagnóstico con su médico. Esto implica desarrollar una cuidadosa historia clínica, un examen físico completo y un análisis de sangre adecuado para descartar cualquier otra dolencia.
2. Prestar un cuidado especial al sueño. Hay que establecer un modelo regular de descanso nocturno como sea. Puede que haga falta el uso de medicación, pero no el uso de pastillas para dormir. Específicamente, se trata de corregir el insomnio, las excesivas horas de sueño o el sueño anormal, ya que todos estos síntomas suelen aparecer en el SFC.
3. Tener en cuenta la utilización de suplementos nutricionales, bajo supervisión médica.
4. Considerar la administración de inyecciones intramusculares de magnesio, una vez más bajo control médico.
5. La posibilidad de utilizar antidepresivos, incluso si no hay una evidencia clara de depresión. Los procesos químicos del cerebro responsables de los estados de ánimo son también los que regulan los niveles de energía y el sueño. Así, un medicamento que afecte al estado de ánimo también puede afectar a los niveles de energía.
6. Proponerse un programa de ejercicios graduales, y quiero hacer hincapié en lo de graduales. Sabemos que «mucho y demasiado pronto» va a producir una recaída. Pero también tenemos pruebas de que un programa de ejercicios bien llevado produce muchas ventajas.
7. Eliminar el alcohol, la cafeína, la nicotina y los azúcares refinados. Todo se agrava bajo sus efectos.
8. Controle la dieta en busca de alguna intolerancia alimentaria.

Intolerancia alimentaria: una causa no reconocida de fatiga crónica

Brenda es una ama de casa de cuarenta años con todos los síntomas del síndrome de fatiga crónica. Los problemas le comenzaron hace dos años con una infección viral de la glándula tiroides. Antes siempre se había encontrado perfectamente, pero desde entonces había padecido a menudo síntomas de fatiga extrema, dolores repetidos en la garganta, dolores en los brazos y las piernas, rigidez de los hombros, hipertrofia de los ganglios del cuello, dolores de cabeza y sueño no reparador. No había podido disfrutar de un solo día sin síntomas desde hacía dos años. Visitaba a su médico con frecuencia, primero por una cosa y luego por otra. Le estaba costando superarlo, en especial porque, como decía de sí misma, «casi nunca iba a molestar al médico».

Los exámenes físicos daban resultados normales. Lo mismo que los análisis de sangre. Así que en vista de los síntomas que la afectaban el médico la envió a la clínica de alergias. Brenda inició la dieta de bajo contenido alérgico y en diez días le desaparecieron todos los síntomas. Acabaron dos años de problemas simplemente por un cambio de dieta. Posteriores controles de la dieta revelaron que padecía una **intolerancia alimentaria múltiple**. Reaccionaba muy mal al trigo en particular, pero también a varios alimentos «inofensivos de otro modo», como los plátanos, la cebolla, la levadura, las setas, el arroz y la avena. Como le hubiera sido muy difícil evitar todos estos alimentos, y para prevenir la aparición de intolerancias a otros nuevos, se le propuso una tratamiento de desensibilización. Todo ha ido sobre ruedas.

También quisiera presentarle a Gerry. Es un muchacho de trece o catorce años que se dolía de una fatiga constante. Su madre me explicó que nunca se había recuperado del todo de una mononucleosis (fiebre glandular) que había sufrido tres años antes. Lo describía como apático, siempre sentado, sin energía ni interés por nada. Por su parte, Gerry me refería dolores de vientre frecuentes, problemas de garganta y mareos. Iniciamos una dieta de bajo contenido alérgico y le desaparecieron todos los síntomas. Reaccionaba negativamente al trigo, al centeno y a la avena, todos con gran contenido de gluten. Le practicamos una biopsia para descartar la enfermedad celíaca (véase la página 182) que dio un resultado negativo. Ya podemos decir con seguridad, por lo tanto, que Gerry padece una fatiga posmononucleosis, aumentada por una intolerancia alimentaria, en su caso una intolerancia al gluten, no celíaca.

En los dos casos referidos se delimita claramente un proceso viral previo que lo inicia. Uno de los pacientes tenía una infección tiroidea, el otro, una mononucleosis. En cada caso el paciente se desliza imperceptiblemente de un estado de infección viral a uno de intolerancia alimentaria. Hay pacientes que han desarrollado una alergia de IgE, como la fiebre del heno o el asma al inicio de una infección viral; pero la aparición de una intolerancia alimentaria en circunstancias similares ha recibido menos atención. Es una lástima, porque como demuestran claramente estos casos, la intolerancia alimentaria posviral puede provocar años de padecimiento.

¿Puede ser otra cosa?

El diagnóstico del SFC se realiza por exclusión, y sólo debe realizarse cuando a través de la evaluación médica no se ha podido identificar ninguna causa que provoque la fatiga. Dicha evaluación puede incluir también la valoración responsable de la salud mental del paciente. Esto es especialmente importante, ya que el estrés y la depresión son las causas más corrientes de la fatiga, y no debiéramos subestimar la importancia que puede asumir el papel de la fatiga en esas circunstancias.

Depresión: cansancio y malhumor

Hace cuatro años vino Paddy con la gripe. Se describía como «enfermo desde siempre». Se quejaba de fatiga, músculos y huesos doloridos, y alteraciones del sueño. Sin ir más lejos, su caso podría considerarse como un posible síndrome de fatiga crónica y por tanto ésa era la razón de que me lo enviaran. Sin embargo, así que empezamos a analizar con más detalle los síntomas, Paddy mostraba un patrón claro de depresión y quedaba claro que no padecía un síndrome de fatiga posviral. Su cansancio lo podía describir como «cansancio y malhumor, como si estuviera transportando una pesada carga». Había perdido el interés por el trabajo, no estaba de humor para reuniones y evitaba las situaciones que antes le hubieran entusiasmado. Estaba socialmente apartado y había perdido el gusto por la vida. Para finalizar, sus problemas de sueño eran los clásicos de la depresión: se despertaba a las cuatro de la madrugada y ya no podía volver a dormirse por mucho que lo intentara.

Comentamos ampliamente los detalles de su depresión, pero no hubo manera de encontrar la causa. Estaba felizmente casado, tenía hijos sanos, sus negocios rendían adecuadamente, por lo que no tenía problemas económicos y no había tensiones recientes. A pesar de todo, Paddy estaba considerablemente deprimido. La fatiga era sólo una parte del problema. Así que teníamos que volver otra vez sobre nuestros pasos para examinar la gripe original. Él estaba seguro de que era la causa de sus dificultades. Sin embargo, ya hemos dicho que no padecía un síndrome de fatiga posviral. Entonces, ¿qué papel desempeñaba el virus en todo esto? La respuesta es muy simple: las infecciones virales no sólo inducen los estados de fatiga, sino que también pueden dar lugar a la depresión.

ANSIEDAD: FATIGA E INQUIETUD

Jenny estaba convencida de que padecía múltiples alergias alimentarias. Estaba segura de que eran la causa de su fatiga crónica. Pensaba, por ejemplo, que las cebollas le provocaban inflamación de vientre, que la levadura y el pan le causaban taquicardia, que la carne de buey le producía diarrea y una sensación de nervios en la boca del estómago. Sin embargo, seguía sufriendo los mismos problemas cuando eliminaba de la dieta los alimentos (que ella pensaba que eran) problemáticos. Por esa razón llegó a la conclusión de que tenía otras alergias alimenticias que todavía no conocía.

Pero los síntomas tenían interés por sí mismos. Vamos a analizarlos independientemente de los alimentos a los que acusaba de provocarlos. Estaba siempre cansada, tenía diarreas e inflamación de abdomen, taquicardia y nervios en la boca del estómago. Se trata de los síntomas físicos de la ansiedad y requieren un examen más profundo. «Vale, sí» confesó. «Estoy un poco preocupada». Con frecuencia Jenny se pasaba las noches despierta pensando en lo que había ocurrido durante el día, preocupándose de los niños, o pensando lo que iba a hacer al día siguiente. También explicaba que tenía que vivir muchos días con «la extraña sensación de que en cualquier momento iba a pasar algo malo». Nunca sucedió nada, pero no podía calmar esos pensamientos ni siquiera con la realidad. Tenía un problema ansioso y la fatiga era una manifestación del mismo.

Animamos a Jenny a que comiera de todo, incluso los alimentos que pensaba que le estaban haciendo daño. Entretanto, le recetamos una medicación para la ansiedad. Mejoró notablemente a los pocos meses.

Hay que tener en cuenta también:

- Narcolepsia: síndrome de fatiga y sueño
  Mary Beth acudió a la clínica con su madre. Un cansancio indeseable la acompañaba constantemente desde que había iniciado la secundaria. Ahora afrontaba los exámenes finales y tenía miedo de suspender porque no había podido estudiar mucho. Los compañeros de clase le había puesto el mote de «Dozy», porque Mary Beth ¡se quedaba dormida en las clases! También se dormía mirando la tele, en las salas de espera y en los autobuses. De hecho se quedaba dormida en cualquier momento. Además, algunas veces se sentía completamente paralizada al despertarse, una experiencia bastante fuerte para cualquiera. Estos síntomas indicaban que Mary Beth padecía un desarreglo del sueño conocido como narcolepsia. Por lo tanto, fue ingresada en una unidad especial del sueño donde se confirmó el diagnóstico. Se pondrá bien con un tratamiento adecuado.
- Apnea del sueño: ronquidos y fatiga
  Sarah también tiene un problema de sueño. La primera vez que se visitó tenía quince años. Explicaba que sentía fatiga desde que había entrado en la madurez. También mostraba otros síntomas, como el «corazón disparado», sudores y edema de los tobillos. Tenía dolores en los brazos y las piernas, distensión del abdomen y estreñimiento. Lo que era de particular interés, sin embargo, era el hecho de que también podía dormirse en cualquier momento y en cualquier parte. Tenía un mayor control que Mary Beth, pero aun así representaba un problema. Cuando indagamos con más atención, confesó que roncaba durante el sueño. Nunca se había oído, desde luego, pero roncaba tan fuerte que sus amigas se negaban a compartir la habitación con ella duran-

te las vacaciones. «Me dicen que parezco un aserradero.» Más de una vez les puso los pelos de punta a sus compañeras. Le contaban luego que durante la noche había dejado de roncar de repente, pero que también dejaba de respirar. Parecía que el silencio iba a durar siempre, y cuando alguna se empezaba a levantar para ver si le había pasado algo, Sarah pegaba un tremendo gruñido y volvía otra vez a la rutina de los ronquidos.

Los estudios de sueño confirmaron que Sarah padecía **apnea del sueño**, un problema del sueño relacionado con los ronquidos. Las vías aéreas se ven parcialmente obturadas por la caída de los tejidos blandos de la nariz y la garganta. Estos tejidos se superponen unos con otros cuando pasa el aire dando lugar a los ronquidos. Durante los momentos de sueño más profundo, las vías aéreas se colapsan por completo, dando lugar al prolongado silencio que antes se describía. El problema es que el aire no llega a los pulmones. El estímulo respiratorio inconsciente de la respiración no es suficiente para superar la obstrucción, lo que produce un mensaje de pánico que llega al cerebro. Éste responde despertándose durante un microsegundo, lo suficiente como para dar lugar al inicio de una respiración más consciente, pero no lo bastante prolongado como para que el paciente pueda recordarlo. En ese momento el interesado ronca al respirar. Sin embargo, la arquitectura del sueño se ve seriamente interrumpida por todo el proceso, y como resultado de todo ello se produce un sueño no reparador. Existen muchos tratamientos, y todos son bastante efectivos.

- Cafeína: cansancio debido a ciertas drogas*

  ¡Un exceso de cafeína puede causar fatiga! «¡Pero si yo creía que la cafeína era un estimulante!» puede decir alguno. Y así es. Sin embargo, cuando se consume en exceso da lugar a la fatiga, el insomnio, el síndrome de las piernas inquietas (en la cama por la noche), taquicardia, temblores y cambios de humor.
- Hipoglucemia*

  Se trata de un proceso en el que el nivel de azúcar en la sangre sube como una cometa al viento. Se relaciona con las dietas que contienen demasiados dulces, alimentos que paradójicamente ansía el paciente.

* Estos síntomas han sido señalados en *Feeling Tired All the Time.*

- Hiperventilación*
  Es el hábito subconsciente de respirar en exceso. Se suele relacionar con un estrés subyacente. Los cambios químicos que produce en la sangre son los responsables de la fatiga.
- Insuficiencia nutricional*
  Un aporte adecuado de vitaminas y minerales es esencial para gozar de buena salud y tener energía. Las deficiencias alimentarias totales son relativamente raras en nuestra sociedad, pero eso no significa necesariamente que estemos disfrutando de situaciones de nutrición óptima.
- Parasitosis
  Se menciona porque no siempre se detectan parásitos. Pueden vivir silenciosamente en el intestino. Es más, pueden llegar a eludir los primeros intentos de descubrirlos. Las técnicas modernas han mejorado nuestras posibilidades de detectarlos.
- Fermentación intestinal
  Véase el capítulo 14.
- Sensibilidad química
  Véase el capítulo 15.

* Estos síntomas han sido señalados en *Feeling Tired All the Time.*

Capítulo 13

Alergia y reumatismo

Existen al menos cien maneras diferentes de que las articulaciones y los tejidos que las recubren pueden verse afectados por enfermedades. A todas éstas nos referimos colectivamente como enfermedades reumáticas. Este término tan impreciso incluye diversas afecciones que tienen poco en común: diferentes causas que dan lugar a síntomas muy variados. De este modo, el lumbago y la gota, la sinovitis del codo y el hombro congelado, la artritis reumatoide y la espondilitis, todas se guarecen bajo el gran paraguas que llamamos «reumatismo». Lo único que sin embargo tienen en común es que todas estas dolencias se caracterizan por una inflamación. No hace falta decir que sería imposible dar cabida a todas estas enfermedades en un solo capítulo. Una vez más mi propósito se limita a la posible relación de la alergia con el reumatismo.

Las articulaciones sanas y el tejido conjuntivo

Las articulaciones son estructuras especializadas. Son la superficie de contacto (superficie articular) que permite una extensión de movimientos entre los huesos. Lo milagroso de las articulaciones sanas es que permiten el movimiento a lo largo de muchos años sin tener problemas de desgaste o lesiones. Esto es posible porque la superficie articular es lisa y está muy bien lubricada. La homogeneidad se la proporciona una capa de brillante cartílago en los extremos de cada hueso adyacente, y la lubricación se debe a un «aceite» especial que denominamos líquido sinovial. El líquido sinovial es segregado en el interior de la articulación por la sinovia, el tejido de la articulación. La fuerza y la estabilidad de las articulaciones se las brindan las estructuras de sujeción que las rodean. Éstas están compuestas por la cápsula de la articulación, varios ligamentos y, desde luego, los músculos que provocan el movimiento. En un estado de buena salud nunca nos preocupamos ni de nuestros músculos ni de nuestras articulaciones. Pero si empiezan a entumecerse, a doler o a inflamarse, enseguida reclamarán toda nuestra atención.

Historia clínica

Lucy tiene poco más de cuarenta años, y desde los veinte ha sufrido dolores en las articulaciones. Al principio, los «ataques» de dolor en las articulaciones, como ella los llama, eran pocos y muy de tarde en tarde, así que se arreglaba con algún analgésico. Sin embargo, más adelante los dolores se hicieron más agudos y constantes. Además tenía las articulaciones inflamadas y delicadas, de tal manera que no la dejaban dormir bien. Indicaba que el «leve» entumecimiento con el que había aprendido a convivir se le había complicado mucho más. Le costaba mucho levantarse de la cama, asearse y vestirse, hasta el punto de que ahora ponía la alarma del despertador una hora más temprano de lo habitual. También estaba preocupada por su falta de movilidad en la oficina y porque el hecho de estar sentada en una reunión producía un agarrotamiento de las articulaciones. Su médico le realizó unos análisis de sangre y éstos confirmaron que Lucy padecía una **artritis reumatoide**.

¿Qué es la artritis reumatoide?

La artritis reumatoide es una enfermedad inflamatoria crónica de las articulaciones. En concreto se inflama la sinovia, que es el tejido especial que recubre las articulaciones. Esto tiene diversos efectos. En primer lugar, la sinovia misma se engrosa; en segundo lugar, se acumula una excesiva cantidad de líquidos en la articulación; y en tercero y último lugar, las células inflamadas tienen un efecto destructivo sobre el cartílago. Una articulación en esas condiciones estará anquilosada. También puede haber inflamación (con la sinovia y los líquidos) y provocar dolor. A medida que la enfermedad avanza, el cartílago va sufriendo lesiones más importantes, se erosiona el hueso, la articulación se obstruye con los tejidos fibrosos (escaras) y las estructuras de los tejidos blandos que rodean la articulación pierden su capacidad de sostén. En algunas ocasiones la articulación se vuelve inestable y se deforma. En otros casos de enfermedades reumáticas el proceso inflamatorio afecta a otros tejidos además de las articulaciones. No es un aspecto muy conocido, ya que tendemos a creer que la artritis es una enfermedad exclusiva de las articulaciones. Pero los ojos secos de la queratoconjuntivitis seca (véase la página 124), por ejemplo, son algo habitual. También la anemia, que es resultado, entre otras cosas, de una producción defectuosa de la sangre. En otros órganos, como la piel, los nervios, los vasos sanguíneos, el corazón y los pulmones son menos comunes las inflamaciones.

La enfermedad por lo general comienza de forma gradual, con vagas sensaciones de fatiga y malestar. El primer síntoma real de inflamación de las articulaciones es la rigidez.

Así, los pacientes suelen quejarse de rigidez mucho antes que de cualquier otro síntoma, y particularmente por las mañanas. Los pacientes explican que necesitan media hora o más para desentumecerse al despertarse; también suelen decir que el estar sentados durante períodos prolongados les produce rigidez. El dolor y la inflamación de las articulaciones pasan a ser factores importantes a medida que la enfermedad progresa. A la vez esto lleva a la reducción de la movilidad y a la pérdida de fuerza muscular de las articulaciones afectadas.

La artritis reumatoide se distingue de las otras formas de artritis por los síntomas. En otras palabras, se trata de un diagnóstico clínico. En especial hay que fijarse en el grado de las articulaciones afectadas para comprobar el diagnóstico. Los análisis de sangre y las radiografías pueden confirmarlo, pero no son infalibles. En la artritis reumatoide:

- Se ven afectadas muchas articulaciones simultáneamente.
- Las pequeñas articulaciones de las manos son habitualmente las más afectadas.
- Hay simetría entre las articulaciones afectadas: si una mano está afectada, también lo está la otra; si lo está una rodilla, también la otra, etc.
- Las articulaciones del cuello se ven afectadas en una tercera parte de los casos, aunque habitualmente no sucede lo mismo con el resto de la columna.

- La rigidez es notable, especialmente en los primeros momentos del día.
- Pueden presentarse otros síntomas de enfermedad reumática, como bultos (nódulos) bajo la piel.
- Las radiografías pueden mostrar lesiones características de las articulaciones (erosiones en el hueso).
- Un análisis de sangre positivo al «factor reumatoide» confirma el diagnóstico. El factor reumatoide es un anticuerpo de la IgM que se identifica en la sangre de la mayoría de los pacientes con artritis reumatoide. Sin embargo, también aparece en otras enfermedades que afectan al sistema inmunológico, y no aparece en todos los pacientes que sufren la artritis reumatoide. Confuso, ¿verdad? Si un paciente dado muestra las características clínicas de la artritis reumatoide y también tiene un análisis de sangre positivo, decimos que padece una artritis seropositiva. En cambio, si se dan los parámetros de la artritis reumatoide con un análisis negativo, entonces decimos que presenta una artritis seronegativa.

¿Quién la sufre?

El 1 % de la población adulta padece artritis reumatoide. Las mujeres son tres o cuatro veces más propensas a sufrir esta dolencia que los hombres. Aunque los síntomas pueden comenzar en cualquier momento desde la infancia a la vejez, por lo general aparece entre los cuarenta y los sesenta años

En los niños (menores de dieciséis años) la denominamos artritis juvenil crónica.

¿Se cura?

La artritis reumatoide es una enfermedad progresiva. En la mayoría de los casos la enfermedad sigue un curso constante, con poca opción a variaciones. Otros la padecen intermitentemente. Sufren brotes de artritis que duran incluso un año, para luego pasar varios meses o años, en que remite, antes de que se produzca la siguiente recaída. Las expectativas del 80 % de los niños afectados por la enfermedad es buena, aunque muchos vayan a tener problemas con las remisiones y las recaídas, y algunos puedan desarrollar una artritis más severa y persistente.

¿Cuál es su causa?

No conocemos la causa de la artritis reumatoide. Sin embargo se sospecha una transmisión genética, ya que muchos pacientes con artritis reumatoide son portadores de un gen denominado HLA-DR4. También parece ser que las hormonas desempeñan un papel importante, porque la enfermedad se desarrolla en mayor proporción entre las mujeres y porque a menudo suele mejorar durante el embarazo. Algunos expertos afirman que un virus podría ser el responsable de la misma. Y quizá sea cierto, pero todos los intentos de identificarlo han dado resultados negativos. Una vez que nos hemos hecho eco de la doctrina oficial, quisiera llamar su atención sobre otras dos posibilidades: el mimetismo molecular y la intolerancia alimentaria. Vamos a echarle primero una mirada al mimetismo molecular. Es un poco complicado, pero el esfuerzo realizado para comprenderlo habrá merecido la pena.

El mimetismo molecular en la artritis reumatoide

Ya hemos visto que muchos pacientes que sufren artritis reumatoide son portadores del gen HLA-DR4. Esta molécula genética es muy similar a una molécula que se encuentra en la «membrana» de una bacteria denominada Proteus. De hecho, estas moléculas son tan parecidas que suele decirse que se mimetizan mutuamente.

El Proteus, como cualquier microorganismo, estimula el sistema inmunológico cuando intenta penetrar en el cuerpo e infectarlo. Tal como se dijo en el capítulo 2, el sistema inmunológico responde al intento de invasión produciendo anticuerpos. Estos anticuerpos son específicos. Circulan con la sangre y serán capaces de reconocer al Proteus con mayor eficacia la próxima vez. Pero existe un problema en los pacientes con artritis reumatoide: tienen una molécula genética que es muy parecida al Proteus. La teoría del mimetismo molecular está basada en esta similitud.

Los anticuerpos que estaban programados para reaccionar contra el Proteus reaccionan ahora contra la molécula del HLA-DR4, ¡como si se tratara del Proteus! Al actuar de esta manera, el sistema inmunológico destruye sus propias articulaciones (y otros tejidos). Ahora es un anticuerpo de signo contrario que se ha convertido en un autoanticuerpo.

«Vale, esto es interesante», se puede decir. «Pero entonces, ¿por qué es más frecuente la artritis reumatoide entre las mujeres?» Pues porque el Proteus aparece frecuentemente cuando se produce una infección del tracto urinario y las infecciones del tracto urinario son diez veces más frecuentes en las mujeres. Parece razonable, por ello, que las mujeres estén más expuestas al Proteus, que el cuerpo les vaya a producir mayor cantidad de anticuerpos para combatirla, y si resulta que son portadoras del HLA-DR4, que tengan una mayor posibilidad de empezar a reaccionar contra sus propios tejidos. (Debemos al doctor Alan Ebringer, del Hospital de la Universidad de Londres y Middlesex un especial agradecimiento por su trabajo, pionero en este campo. Su aportación conducirá al desarrollo de tratamientos más efectivos contra la artritis reumatoide y las afecciones relacionadas con ésta.)

La intolerancia alimentaria en la artritis reumatoide

Volvamos a Lucy, la mujer que fue a visitar al médico por un recrudecimiento de su artritis. Se le ofrecían productos medicinales «más eficaces», aunque tenía interés por otras posibilidades terapéuticas. No le gustaba la idea de que los medicamentos sólo sirvieran para eliminar los síntomas, sin llegar a la raíz del problema. Por lo tanto, estaba muy motivada y abierta a la sugerencia de una intervención en la dieta. Tengo también que señalar, antes de seguir, que disponía de otras pistas en la historia clínica para sospechar que se trataba de una intolerancia alimentaria. Se quejaba de distensión del abdomen, diarreas, dolores abdominales e indigestión, todos ellos síntomas de un intestino irritable.

Lucy siguió una dieta de bajo contenido alérgico durante catorce días. Cuando volvió a la consulta me comentó, muy contenta, que el estómago se había estabilizado, y lo que era más importante, la rigidez al levantarse había desaparecido. El sueño no era perturbado por los dolores en las articulaciones, y por lo tanto había disminuido su necesidad de analgésicos. Todo esto confirmó nuestra idea del papel que desempeñaba la intolerancia alimentaria en su caso. Al reintroducirle en la dieta los alimentos uno a uno, Lucy descubrió que los dolores en las articulaciones aumentaban cuando consumía plátanos, pollo, buey, habas de soja y trigo. En el momento de escribir estas líneas, un año después, sigue libre de síntomas, incluso del «leve toque» de rigidez que había llegado a aceptar como normal.

Es importante darse cuenta de que la dieta de Lucy no estaba basada en conjeturas. Por el contrario, se basaba en trabajos médicos publicados. Por ejemplo, en 1981, el *British Medical Journal* publicó el caso de una mujer de treinta y ocho años con una historia clínica de once años de enfermedad reumática grave. La habían tratado con todos los fármacos antiinflamatorios habituales, incluyendo la aspirina, los no esteroides e incluso con esteroides. También le fueron administradas inyecciones de sales de oro y otros productos inmunodepresores muy potentes, pero todos los esfuerzos habían resultado infructuosos o se abandonaron debido a los efectos secundarios.

Afortunadamente su médico era de ideas claras. Sintió curiosidad al observar que sus familiares le traían cada día algún pedazo de queso. Cuando la interrogó sobre ello, le confesó que sentía pasión por el queso y que venía a comerse unos cuatrocientos gramos cada día desde los veinte años. Por ello, su médico le propuso intentar una dieta de exclusión de lácteos basándose exclusivamente en una cuestión empírica, una especie de «vamos a probar a ver qué pasa». A las tres semanas se empezó a sentir mejor. Su sinovitis y la rigidez matutina se redujeron y ocasionalmente desaparecían. Su caso fue seguido atentamente durante diez meses antes de ser publicado, lo que hacía improbable, así, un efecto placebo (psicológico) (véase el capítulo 16). Continuó perfectamente y con buena movilidad, excepto cuando inadvertidamente consumía productos lácteos.

Estas anécdotas, y otras parecidas, llevaron a los científicos a la investigación sistemática del papel de la intolerancia alimentaria en la artritis reumatoide. En una ocasión el periódico *Clinical Allergy* informó de que veinte de veintidós pacientes que padecían la enfermedad mejoraron con las dietas de exclusión; y en otro estudio, publicado en *The Lancet*, treinta y tres de cuarenta y cinco pacientes reumáticos definían su estado como «mejor» o «mucho mejor» después de realizarles una investigación dietética.

Por todo ello, ya existen pocas dudas de que la intolerancia alimentaria es un factor importante en la artritis reumatoide. Sin embargo, y teniendo en cuenta lo tratado en el capítulo anterior, no comprendemos los mecanismos por los que los alimentos pueden causar tan devastadores síntomas. Una posibilidad que hay que mencionar es la relación entre la intolerancia alimentaria y el mimetismo molecular. Los cambios drásticos en la dieta, como los que hay que llevar a cabo durante la investigación dietética, pueden afectar a las colonias bacterianas del intestino. Así puede pensarse que la dieta reduzca el número de Proteus que crecen en el intestino. Si fuera así, se podría explicar por qué algunos pacientes se encuentran mejor mientras se les controla con la dieta. Sin embargo, este mecanismo no puede explicar la más sencilla alergia a los productos lácteos descrita antes. En estos casos, es posible que los anticuerpos se unan con los alergenos de los alimentos y acaben «depositados» en las articulaciones. También es posible que el principio de mimetismo molecular resulte ser aplicable a determinados alimentos además de a las bacterias. En otras palabras, las moléculas de los alimentos también pueden burlar al sistema inmunológico hasta hacerlo luchar contra sus propios tejidos.

¿Hay complicaciones?

La progresión de la enfermedad puede llegar a producir deformidad de las articulaciones. Aunque la mayoría de los pacientes sobrellevan bastante bien la enfermedad. El 50 % no muestra ningún problema o alguno muy leve de incapacidad. Lamentablemente, el 10 % de los pacientes con artritis reumatoide pueden desarrollar una discapacidad muy grave. Otras complicaciones son las siguientes:

- Osteoporosis (fragilidad ósea), que puede aparecer al cabo de varios años de producirse la enfermedad. Le ocurre a cualquier hueso que no esté «en forma». La inactividad prolongada forzada de los huesos artríticos lleva a una pérdida de la masa ósea. En consecuencia se vuelven frágiles, y por lo tanto son más quebradizos que los huesos normales.

- Infecciones articulares, que aparecen con mayor facilidad en las articulaciones enfermas. Debe pensarse en esta posibilidad si sólo una articulación artrítica está causando problemas, a diferencia del resto de articulaciones, y en especial si se ha sufrido recientemente alguna infección.
- Los medicamentos utilizados contra la artritis reumatoide no están exentos de efectos secundarios. Sin embargo, hay que tenerlos en cuenta. El médico valorará las ventajas del tratamiento y los inconvenientes de los posibles efectos secundarios, así como el riesgo de no seguir tratamiento alguno. Las medicinas más fuertes son las más propensas a causar efectos adversos, por lo que se reservan para los pacientes con síntomas muy graves.

¿Qué se puede hacer?

1. Conocer bien el tema y convencerse de que la mayoría de los pacientes obtienen buenos resultados a largo plazo.
2. Descansar durante los momentos en que la enfermedad se agudiza. Algunas veces es necesario ingresar en el hospital para asegurarse de que las articulaciones no sufren un estrés suplementario en los casos en que los pacientes deban cuidar de sí mismos durante las fases más agudas. El médico recomendará que se inmovilice temporalmente la articulación inflamada.
3. ¡Ejercicio! Pero sin sobrecargar las articulaciones. La natación es excelente para este propósito. Cuando los dolores aumentan, el ejercicio debe limitarse a la gimnasia pasiva, es decir, que sea el fisioterapeuta el que mueva las articulaciones en su lugar. Este ejercicio tiene la finalidad de facilitar toda la amplitud de movimientos articulares. Cuando pueda llevarse a cabo, el fisioterapeuta le indicará una serie de ejercicios para realizar de cara al fortalecimiento de los músculos; y más adelante puede practicar la gimnasia aeróbica (dentro de sus posibilidades).
4. Otros tratamientos de fisioterapia que pueden ser adecuados son los ultrasonidos, la hidroterapia (ejercicios en el agua) y los baños de parafina, por nombrar algunos.
5. Adapte su casa a sus limitaciones. Por ejemplo, ¿un segundo pasamanos en la escalera puede ayudar a subir y bajar mejor las escaleras? ¿Es más fácil salir de la bañera si se coloca un simple

asidero en la pared? ¿Sería más fácil levantarse de la silla si fuera un poco más alta que ahora? Un terapeuta ocupacional le ayudará a decidir qué decisiones prácticas pueden beneficiarle.

6. Hable sobre el uso de medicamentos con su médico. Los analgésicos más sencillos pueden resultar adecuados al principio o en las situaciones leves, aunque no tienen efectos sobre la propia enfermedad. Los productos antiinflamatorios, por otra parte, sí tienen efectos sobre la enfermedad subyacente. También tienen un efecto analgésico. Hay numerosos fármacos para escoger en esta categoría, y hará falta probar un poco hasta que se encuentre el más adecuado. Éste es el único tratamiento que necesitan muchos pacientes de artritis reumatoide. Los que no respondan a este tratamiento tendrán que tomar productos antirreumáticos, mucho más fuertes, como inyecciones de oro, penicilamina y cloroquina. Éstos son adecuados para un 70 % de los enfermos graves, aunque tienen una toxicidad mayor que los antiinflamatorios.
7. Controle sus «alergias». Tenga en cuenta la dieta de bajo contenido alérgico que se describe en el capítulo 17. Este consejo no es sólo para los adultos con artritis, sino también para los niños. Avril tenía doce años la primera vez que la visité. Presentaba una historia clínica de dos años de lo que su médico había denominado «artritis reumatoide juvenil». Los síntomas le habían comenzado de repente, y eran tan graves que la ingresaron en un hospital para tratarla. Desde entonces sentía un dolor más o menos constante en las articulaciones, aunque había tenido que dejar la medicación, ya que le producía un dolor fuerte de vientre (que llegó a convertirse en una úlcera), y además, «tampoco le daban resultado». Avril necesitaba ocasionalmente pastillas de esteroides para suavizar los peores síntomas, por lo que había aumentado considerablemente de peso. Resulta significativo que también presentara otros problemas de alergia, como asma y síndrome del intestino irritable. Después de seguir durante catorce días la dieta de bajo contenido alérgico los síntomas habían remitido. Le disminuyeron los problemas estomacales, y los dolores de las articulaciones habían mejorado. De hecho, Avril decía que no se había sentido tan bien desde hacía cuatro años. La investigación alimentaria determinó los alimentos responsables de sus problemas, y un posterior trata-

miento de desensibilización le permite ahora consumirlos sin problemas y sin los inconvenientes de la artritis.

¿PUEDE SER OTRA COSA?

La artritis reumatoide puede ser un diagnóstico difícil de establecer, especialmente en los primeros momentos de la enfermedad y cuando los análisis de sangre dan como resultado un factor reumático negativo. El tiempo y el espacio me impiden abordar las demás causas posibles del reumatismo, pero quisiera mencionar algo sobre los dolores musculares y de las articulaciones no específicos.

UNAS PALABRAS SOBRE LA FIBROMIALGIA: UN «REUMATISMO INESPECÍFICO»

Fionnuala es un ama de casa de veintinueve años que se quejaba de «una endeblez general de los huesos». También adolecía de falta de energías. Los síntomas se habían iniciado después del nacimiento de su tercer hijo, un niño que ahora tenía cinco años. Resultaba asimismo significativo el hecho de que el recién llegado le había producido muchos trastornos del sueño. Al principio el dolor le afectaba a una articulación diferente cada vez. Más tarde el dolor se extendía rápidamente de una a otra. Luego, y a pesar de haberse visitado varias veces, la cosa empeoró. Por las mañanas sufría rigidez y le dolían los músculos al tocarlos. No podía soportar verse metida en una aglomeración. Ni tampoco que la abrazaran. En esta etapa le «dolía todo». Tenía un difícil diagnóstico. Los síntomas no cuadraban exactamente con los de la artritis y los análisis de sangre eran negativos. En cambio, si cumplía con los que caracterizan a una **fibromialgia.**

La fibromialgia es una enfermedad de origen desconocido que afecta a un 4 % de la población. Es más corriente entre las mujeres. Puede aparecer unida a un gran número de síntomas, como fatiga, rigidez matutina, trastornos del sueño y dolores de cabeza. Aunque no sabemos que es lo que la causa, tenemos la sospecha de que el trastorno del sueño es uno de los factores más importantes, especialmente al iniciarse los síntomas. Una vez que la enfermedad se asienta es muy difícil curarla, incluso aunque se haya regularizado el sueño.

La fatiga que acompaña a la fibromialgia es muy importante, tanto que puede confundirse con el síndrome de fatiga crónica. Aunque los síntomas de estas dos enfermedades se solapan de forma significativa, se trata de dos claras y diferenciadas manifestaciones clínicas. Simplificando, el síntoma determinante en la fibromialgia es el dolor, y en el síndrome de fatiga crónica es la fatiga. Los afectados por la fibromialgia pueden decir «Cúreme el dolor, yo ya me arreglo con la fatiga». Y los pacientes del SFC dicen: «Cúreme la fatiga, que del dolor me ocupo yo».

La fibromialgia tiene otra cosa en común con el SFC. Se trata de una cuestión tabú según la manera de pensar de muchos médicos convencionales. Ello es debido a que la fibromialgia, como el SFC, debe diagnosticarse clínicamente (es decir, basándose exclusivamente en los síntomas), porque el dolor, como la fatiga, no puede medirse de forma objetiva ni confirmarse con análisis de laboratorio. Además, la depresión y la ansiedad a menudo complican este cuadro clínico, lo que ha llevado a algunos a sugerir que la fibromialgia es en realidad un «reumatismo psicogénico», de forma muy parecida a como se dice que el SFC no es más que «otra expresión de la depresión». Sin embargo, y para aquellos que se han molestado en leerlos, varios estudios han demostrado que la fibromialgia y el SFC ni son de origen psicosomático ni «histérico». La ansiedad y la depresión, cuando están presentes (que no es siempre), es más probable que sean el resultado y no la causa de estas enfermedades. El tratamiento de ambas es similar, centrándose en los trastornos del sueño, los ejercicios graduales, una adecuada medicación y la dieta.

Volvamos a Fionnuala. Se le comunicó que sufría fibromialgia, para que comprendiera que sus trastornos del sueño y otras molestias del momento habían contribuido a propiciar los síntomas. A pesar de todo, inició una dieta de bajo contenido alérgico de diez días. Con ello mejoró la calidad del sueño. Es interesante ¿no cree? Puede que ése haya sido el mecanismo que facilitó la mejoría en su fibromialgia. Porque mejoró. Las manos, en especial, ya no le dolían ni sufría rigidez en ellas; la desagradable sensación de rigidez general se redujo. Se identificaron entonces los alimentos problemáticos, uno a uno, hasta que supimos con certeza cuáles eran seguros y cuáles le alteraban el sueño. En este momento evita esos alimentos y sigue bien. Los síntomas reaparecen si sufre alteraciones en el sueño por cualquier razón.

Quinta parte

PROBLEMAS ASOCIADOS

Capítulo 14

La verdad sobre la candidiasis

La *candida* ha sido un importante foco de atención en los últimos años y se ha ganado una dudosa reputación entre el público en general. Se dice que puede ser la causa de un número incontable de enfermedades. Se le han atribuido toda clase de síntomas, desde arranques de genio hasta impotencia. De hecho, si se leen los libros no médicos que tratan el tema se encontrarán no menos de cincuenta síntomas diferentes atribuidos a la *candida*. La comunidad médica, por otra parte, no está tan interesada en el tema. Se reconoce que la *candida* puede causar infecciones orales, cutáneas o vaginales, desde luego, pero éstas responden con rapidez al tratamiento. También aceptan que los pacientes con problemas en el sistema inmunológico son más propensos a contraer infecciones más importantes y extendidas. Aparte de estas infecciones, claramente aceptadas, los médicos consideran la *candida* como un transeúnte inocente. Vamos a tratar con más detalle esta controvertida cuestión.

¿QUÉ ES LA *CANDIDA*?

La *candida* es una familia de levaduras. En realidad es una familia muy amplia, que comprende al menos 200 especies diferentes, hermanos y hermanas, por así decirlo. La más importante de todas, desde el punto de vista humano, es la *cándida albicans*. Esta levadura habita en la boca, el tracto gastrointestinal, la vagina y la piel de las personas sanas. No hay nada inusual en ello, ya que hay muchos microorganismos que habitan en nuestro cuerpo. La relación que tenemos con estos microbios residentes es de tipo simbiótico: una mano lava la otra. Les ofrecemos un lugar para vivir y alimentos. Y éstos nos ofrecen a su vez varios servicios de importancia que incluyen 1) la ayuda en la digestión, 2) la provisión de ciertas vitaminas y 3) cierto grado de protección contra otros microbios más peligrosos.

Nuestras colonias microbianas residentes compiten unas contra otras por el espacio y el alimento. Se trata de una saludable competición. Nos asegura un equilibrio ecológico entre los diferentes grupos y, en el contexto de este capítulo, que las levaduras de tipo *candida* se mantengan bajo control. El sistema inmunológico, entretanto, mantiene la vigilancia y no pierde de vista esta batalla ecológica. En resumen, todos tenemos *candida*. Y cuando estamos sanos, se trata de un pasajero inocente. Una vez rescatada su reputación, hay que decir que la *candida* puede causar varios problemas: podemos ser alérgicos, puede producirnos una infección o podemos tener en exceso.

Alergia a la *candida*

Algunas personas son alérgicas a la *candida*, sin ninguna duda. La urticaria, la rinitis y el asma pueden desencadenarse por este alergeno. La literatura médica también contiene descripciones irrefutables de alergia a la *candida* en el intestino y los genitales. Son aspectos menos conocidos, pero igualmente verídicos.

- La alergia a la *candida* en el intestino....
  causa «colitis mucosa», una dolencia caracterizada por una diarrea líquida y a veces profusa.
- La alergia a la *candida* en la vagina...
  causa vaginitis, una inflamación que parece una infección. Los síntomas son dolor, prurito y enrojecimiento.
- La alergia a la *candida* en el pene...
  también causa inflamación. Los síntomas son escozor, dolor e inflamación.

Nota: en todos estos casos, las pruebas de punción cutánea para la candida *darán positivo, y con un tratamiento para la* candida *el paciente percibirá una mejora sintomática espectacular.*

INFECCIONES POR *CANDIDA*

La *candida albicans* puede causar infección en ciertas circunstancias. Pasa de ser un habitante normal de nuestro cuerpo a ser un agente infeccioso cuando el equilibrio ecológico se rompe. El ejemplo más claro es la aparición de muguet en la boca o en la vagina después de un tratamiento a base de antibióticos. Los antibióticos eliminan el germen que intentaban suprimir, pero también matan otras bacterias inocentes. La *candida*, como es resistente a los antibióticos normales, crece sin problemas en su presencia. Rápidamente causa síntomas de infección. En este sentido, la *candida albicans* puede considerarse un agente oportunista con toda razón: no tiene la capacidad de provocar una invasión por sí misma y sólo produce una infección si se dan las condiciones necesarias para ello. Existen tres tipos de infección oportunista causada por la *candida*. Se describen como superficiales, profundas y sistémicas. Las invasiones profundas y sistémicas (transmitidas por la sangre) aparecen exclusivamente en pacientes que tienen problemas inmunológicos, como los afectados por el sida o los que padecen enfermedades graves. Las infecciones superficiales, en cambio, son muy comunes. Como el propio nombre indica, la invasión se limita a las capas superficiales de las zonas infectadas. Los puntos más corrientes de infección son la piel, la vagina y la boca. Menos habituales son los tejidos de la garganta, el esófago, el estómago y los intestinos.

Candida *en la piel*

Las infecciones por *candida* en la piel pueden aparecer a cualquier edad, pero hay dos grupos que están especialmente predispuestos a ello. Los niños menores de tres años, por ejemplo, desarrollan las infecciones por *candida* en el área de los pañales, produciéndoles desde una irritación ligera hasta una dermatitis bastante desagradable. El segundo grupo de riesgo son los adolescentes que toman antibióticos a causa de infecciones urinarias o faringitis repetidas o por el acné. El síntoma principal de la infección por *candida* en la piel es la erupción con escozor, que puede, en el peor de los casos, llegar a las excoriaciones y al dolor. La infección afecta con preferencia los pliegues de la piel (que están más calientes y húmedos), como las axilas, la ingle y las zonas entre los dedos. También puede afectar a las uñas.

Candida *en la boca*

Las infecciones orales aparecen en todos los grupos de edad, pero una vez más, unos grupos están más expuestos que otros. El 7 % de los niños, por ejemplo, sufren *candida* oral (muguet). Son más propensos a las infecciones, ya que su sistema inmunológico todavía es inmaduro y no han llegado a establecer un equilibrio ecológico estable con los otros microorganismos amigos. Las personas mayores también se ven afectadas, posiblemente por el propio proceso de envejecimiento y en algunos casos por dolencias dentales. Finalmente, tienen una mayor propensión a padecerlas las personas con diabetes, que tienen niveles de azúcar en la sangre demasiado altos, y los pacientes que inhalan esteroides para combatir el asma. El síntoma principal de las afecciones orales es el dolor, en especial cuando se toman alimentos muy salados o con muchas especias. Otros síntomas son: 1) dolor en las comisuras de la boca, 2) membranas mucosas del interior de la boca inflamadas, 3) placas blanquecinas en la lengua y en la zona interior de los labios, mejillas y paladar y, por fin, 4) úlceras en la boca.

Candida *vaginal*

Las infecciones por *candida* en la vagina son muy comunes, con cerca de un 75 % de mujeres que las sufren, al menos una vez, durante sus años fértiles. La mitad de éstas son propensas a contraerlas por segunda vez en años posteriores. El síntoma universal de la *candida* vaginal es el prurito. Puede acompañarse o no de flujo vaginal, que en caso de presentarse tiene un aspecto blanquecino y cremoso (parecido al requesón), aunque también puede tener un aspecto más acuoso. Otros síntomas son: dolor vaginal, coito sexual doloroso y «dolor en la vejiga» al orinar. Este último se suele confundir con la cistitis (una infección de la vejiga), pero este síntoma se origina por una irritación del cuello de la vejiga, más que por una infección de la propia vejiga. El tratamiento por lo general es eficaz. Pero hay que indicar que un 5 % de mujeres adultas están sujetas a una infección crónica o recurrente. Y que pueden verse afectadas por otras especies de *candida* diferentes de la *albicans*, como por ejemplo la *candida tropicalis*. Esta última es muy infrecuente, pero cada día es más común y más resistente ante los tratamientos. Sin embargo, y sin olvidarse de que la *candida* es un microorganismo oportunista, es muy probable que los pacientes con infecciones repetidas tengan algún problema en su flora ecológica interna. Los factores que alteran el equilibrio y que predisponen a la infección vaginal son:

- embarazo
- anticonceptivos orales, especialmente con altas dosis de estrógenos
- antibióticos, en especial los de amplio espectro
- esteroides
- alergia en la vagina, por ejemplo al papel higiénico perfumado
- ciertas enfermedades, como la diabetes mellitus

Otros factores que también pueden ser importantes:

- las ropas ajustadas, en especial de nailon, que impide la ventilación adecuada
- consumir un exceso de alimentos que contengan azúcar
- las duchas vaginales
- bañarse en piscinas de agua clorada
- los dispositivos intrauterinos (DIU)
- la frecuencia del coito
- transmisión por coito
- transmisión por un reservorio de *candida* del intestino (véase más adelante).

Las infecciones bacterianas y de otro tipo en la vagina son dos veces más habituales que las úlceras. La única manera de estar seguros de que realmente se está frente a aftas y no frente a cualquier otro agente infeccioso es por medio de un análisis del frotis vaginal. Los síntomas de inflamación vaginal *alérgica* son muy parecidos a los de la inflamación *por infección*. Por esta razón muchas veces la alergia se pasa por alto o se confunde con la infección. El alivio transitorio que el tratamiento para *candida* produce en las mujeres alérgicas a la *candida* sólo aporta mayor confusión. Creen que existe infección porque los síntomas desaparecen con el tratamiento. La razón real de la mejora, sin embargo, es la reducción de la cándida vaginal como *alergeno* más que como *agente infeccioso*. La pista que nos conduce a pensar esto es la disparidad que existe entre los síntomas y la presencia de levaduras. Los síntomas alérgicos pueden ser graves en ausencia de flujo vaginal abundante, y en presencia solamente de una pequeña cantidad de *candida*. Las pacientes con infecciones vaginales repetidas tendrían que hacerse una prueba cutánea para excluir la alergia a la *candida*. ¡Y tendrían que leer el resto de este capítulo!

Candida *en el intestino*

Ya hemos dejado claro que la *candida* es un habitante normal de los intestinos y que su número se mantiene regular gracias a los otros microbios con que debe competir. Una vez más, existen varios factores que pueden alterar este equilibrio y facilitar un crecimiento desmesurado de la *candida*. Son los siguientes:

- se trata de personas de edad avanzada o muy jóvenes
- embarazos repetidos
- la píldora anticonceptiva oral
- tomar antibióticos
- consumir una dieta rica en azúcares
- una deficiencia vitamínica
- falta de ácidos en el estómago (hipoclohridia)
- tomar productos para la indigestión o para las úlceras de estómago (antiácidos)
- consumir esteroides
- el estrés.

Las infecciones de *candida* en el intestino, como en otro lugar, pueden presentar formas superficiales o profundas. Una vez más quiero resaltar que esta última sólo se presenta en las personas en estado muy grave. Los síntomas de la infección son: diarrea, flatulencia, dolor abdominal, hemorragia rectal y picores. No aparecen más síntomas, excepto en pacientes moribundos y por lo general hospitalizados, cuyas defensas inmunológicas son inexistentes. Sin embargo, necesitamos comprender que el sobrecrecimiento de la *candida* no es sinónimo de infección por *candida*. Esto es importante. Hay dos situaciones diferentes. La infección implica que haya un intento de invadir tejidos; el sobrecrecimiento se refiere simplemente a un aumento de la población sin invasión.

Estamos especialmente interesados en este fenómenos de sobrecrecimiento, porque da lugar a dos problemas. Al primero se ha aludido antes; es decir, el aumento de la población de *candida* significa que hay una reserva de microorganismos que pueden producir infecciones vaginales repetidas. Hay que fijarse en la secuencia de los acontecimientos. La distancia entre el recto y la vagina es tan corta que las imaginativas levaduras la superan con facilidad. Tratar la vagina repetidamente ignorando el reservorio intestinal es luchar en una batalla perdida, ya que tan pronto como se haya despejado la vagina vuelve a infectarse por el mismo camino. ¡Hay que tener en cuenta que la higiene tiene poco o nada que ver! Las infecciones repetidas no son una señal de «falta de higiene»; aparecen con la misma frecuencia en individuos meticulosamente limpios. La única precaución higiénica que pueden adoptar las mujeres en este aspecto es limpiarse de delante hacia atrás después de defecar.

El segundo problema en importancia referido al sobrecrecimiento de *candida* es el síndrome de fermentación del intestino. Éste afecta por igual a hombres y mujeres y puede presentarse con o sin infecciones genitales. Como veremos, la fermentación del intestino puede ser causada por varios microbios diferentes. La *candida*, por lo general implicada, no es más que uno entre muchos. Existen muchas otras levaduras y bacterias que pueden producir el proceso de fermentación.

SÍNDROME DE FERMENTACIÓN DEL INTESTINO: DISBIOSIS INTESTINAL

Hemos descrito la simbiosis como una relación de beneficio mutuo entre dos organismos, o entre varios organismos y un anfitrión. En este contexto, nos referimos a la relación amistosa entre nuestro cuerpo y la miríada de microbios que viven dentro. Se estima en cien mil millones de microbios en cada gramo de heces. En un estado de salud, estos residentes microscópicos se mantienen en equilibrio. Si este equilibrio se pierde, por cualquier razón, uno de los microorganismos crecerá a costa de los demás. Las relaciones diplomáticas entre el huésped y el organismo son menos armoniosas ahora que antes. A esta situación la denominamos estado de disbiosis. Es más, si el microbio que prospera es el responsable de la fermentación, se producirán síntomas. Existen muchas bacterias y levaduras que son de esa clase. Viven gracias a que fermentan los azúcares de nuestra dieta. Es decir, tienen el deber de «comerse» el azúcar y transformarlo en alcohol como subproducto.

Hay una determinada fermentación que tiene lugar dentro nuestro, por lo general sin mayores problemas. Pero si la población de fermentos pasa a ser inaceptablemente amplia, el proceso de fermentación –el frenesí alimenticio– también se incrementa espectacularmente. Ahora tenemos una situación en la que el alcohol y los otros productos de la fermentación, como los gases y toxinas, se liberan en el intestino, por lo que son absorbidos y pasan a la circulación sanguínea, donde producen muchos problemas. En casos extremos (y muy raros) algunos pacientes han llegado a autointoxicarse al comer alimentos con hidratos de carbono. Por ejemplo, ¡pueden emborracharse con los azúcares!

Los síntomas de fermentación del intestino son:

- dolor abdominal
- alteración de la frecuencia de las deposiciones
- alteración de la forma de las heces
- alteración de la defecación
- expulsión de moco por el ano
- inflamación del abdomen
- prurito anal
- flatulencia
- indigestión.

Como se puede apreciar, estos síntomas se solapan con los del síndrome del intestino irritable. Es debido al efecto directo del sobrecrecimiento microbiano y la fermentación en la función del intestino. Se trata de síntomas «locales». La absorción de alcohol y de otras toxinas hacia la sangre dan lugar a síntomas «distantes», como por ejemplo:

- fatiga
- dolor de cabeza
- dolores musculares
- dolores en las articulaciones.

Además, algunos pacientes atribuyen la depresión, los trastornos del sueño y los problemas de concentración a una fermentación excesiva. Aunque por lo general acepto que estos síntomas sean parte de un cuadro más amplio, es difícil separarlos de los efectos que puede producir sentirse enfermo durante mucho tiempo. Sin embargo, la noción de que la fermentación provoca «síntomas cerebrales» no es tan descabellada como podría parecer en principio. El acetaldehído, por ejemplo, es un subproducto de la fermentación, y se sabe que afecta a un receptor específico (dopamina) de las células cerebrales. En cualquier caso, estos síntomas tan complicados se eliminan en cuanto se trata la fermentación.

También puede comprobarse que muchos de estos síntomas pueden deberse a la intolerancia alimentaria o incluso a otras situaciones muy diversas. Antaño no teníamos más opción que poner a los pacientes bajo una dieta ligera si teníamos la sospecha de que padecían fermentación; y no había más remedio que esperar un tiempo considerable hasta que se comprobaba si la dieta era efectiva. Los recientes avances en los análisis de sangre han facilitado enormemente nuestro trabajo.

El análisis de sangre en la fermentación del intestino

Los microbios producen alcohol cuando fermentan azúcares. Específicamente, las levaduras producen etanol,* y las bacterias producen butanol y propanol. Podemos analizar la presencia de estos alcoholes en la sangre. Si los niveles aumentan, podemos deducir que se está produciendo una fermentación excesiva, y dependiendo del tipo de alcohol que se produzca podemos decir si la fermentación es de origen bacteriano o por levaduras. No se puede especificar qué bacteria o qué levadura es la responsable de la fermentación, pero no nos hace falta. Existe un tratamiento para la fermentación por levaduras, sea cual sea la levadura que la produzca; y otro para la fermentación bacteriana, sea cual sea la bacteria. Veamos algunos ejemplos.

Pauline es una persona muy ocupada y con un empleo muy importante. Es responsable de la dirección de una gran empresa. Du-

* Aunque sin saberlo, seguramente está usted familiarizado con este alcohol. ¡Se trata del componente de su bebida favorita!

rante los últimos cinco años ha sufrido infecciones vaginales repetidas. Los análisis de frotis confirmaban que tenía una infección por *candida albicans*. Ya estaba harta del escozor y el dolor vaginal. Los síntomas persistían a pesar de las frecuentes medicaciones a que la sometía su médico. A su marido también se le había tratado en varias ocasiones «por si acaso». Seis meses antes de acudir a la clínica de la alergia Pauline se había empezado a encontrar mal. Estaba exhausta. Le había aparecido dolor muscular y en las articulaciones de la espalda, los hombros y los brazos. En un momento determinado estaba tan enferma que había llegado a dormir dieciséis horas al día durante un período de unas tres semanas. Además presentaba diarrea, dolor abdominal, prurito anal e indigestión. Y había perdido seis kilos.

Durante todo este tiempo le continuaban las infecciones vaginales. De hecho ahora tenía síntomas vaginales crónicos. Un análisis de sangre nos indicó que Pauline sufría los efectos de un sobrecrecimiento de levaduras en el intestino. Le fue prescrita una dieta y antifúngicos orales.

Un mes más tarde, cuando ya se encontraba mucho mejor, se le recetó un tratamiento antifúngico para las infecciones vaginales. En las semanas y meses siguientes fue ampliando la dieta poco a poco. En el momento de escribir estas líneas sigue bien y sólo ha tenido un brote de aftas vaginales en los últimos ocho meses.

También Fred era una persona ocupada, con un trabajo muy exigente. Refería una fatiga que iba en aumento desde hacía tres o cuatro años. También tenía síntomas abdominales, como inflamaciones y diarrea. Pensaba que algunos alimentos le enfermaban. Había descubierto que le afectaban especialmente todas las formas de azúcar. El problema de Fred era lo mucho que le gustaban los alimentos que «le dejaban hecho polvo». Inició una dieta de bajo contenido alérgico y a los diez días se encontraba mejor, pero aún tenía síntomas. Estaba claro que no era un problema de intolerancia alimentaria. Se le practicó entonces un análisis de sangre especial para detectar fermentaciones. Era positivo. De hecho, su nivel de alcohol en la sangre era cuarenta veces más alto de lo que debería ser. Le recetamos una dieta y una medicación antifúngica.

Fred no podía creerse que su salud hubiera mejorado tanto una vez que la fermentación se había controlado. En su caso se tardó un poco más porque los niveles eran muy altos. Pauline y Fred padecían fermentación por levaduras. ¡No he dicho por *candida*! Quizá su fermentación haya sido causada por *candida*, pero también la puede haber causado cualquier otra levadura del intestino.

El caso de Andrea es diferente. Sufría infecciones urinarias repetidas. Había pasado por veinte tratamientos de antibióticos en otros tantos meses. Durante todo ese tiempo le habían aparecido muchos otros síntomas, como fatiga, dolores de cabeza, trastornos del sueño, problemas de memoria y concentración, dolores musculares y de articulaciones... Curiosamente no tenía problemas abdominales. Sin embargo, en vista de su desordenado consumo de antibióticos y de la duración de los síntomas, le practicamos un análisis de sangre para averiguar si se había producido una fermentación en su intestino. El análisis reveló la presencia de una fermentación bacteriana. Sus niveles de butanol eran diez veces más altos de lo normal. Se le recetó medicación antibacteriana (¡pero no un antibiótico!), junto con la dieta para la fermentación del intestino.

Al cabo de un mes se encontraba mejor, y a los tres meses se reencontró consigo misma. Al iniciar la ampliación de la dieta reaccionó al trigo y a otros alimentos. De este modo, Andrea padece una combinación de fermentación en el intestino e intolerancia alimentaria. Es una situación muy corriente. Y como verán en el próximo capítulo, la fermentación del intestino también está relacionada con la sensibilidad química.

El tratamiento del síndrome de fermentación del intestino

El propósito del tratamiento es restablecer el equilibrio entre los diferentes microorganismos del intestino. Con esa idea, debemos reducir el crecimiento fuera de lo normal de una colonia a niveles aceptables. No tenemos necesidad de erradicarla completamente, ni queremos hacerlo. Tenemos en cuenta que en los niveles adecuados nos proporcionan muchas ventajas. Además, no podemos deshacernos de ellos, ¡son demasiado versátiles! Bastará una simple matanza selectiva. Para ello, empleamos cuatro tácticas:

1. Limitamos el consumo de azúcares, privando al microbio de su alimento favorito (¡y el nuestro!).

2. Utilizamos medicación para reducir la población microbiana.
3. Reemplazamos el microbio de la fermentación por bacterias amigas.
4. Utilizamos suplementos nutricionales para ayudar a nuestro sistema inmunológico.

La única diferencia en el tratamiento de las fermentaciones por levaduras o por bacterias es el uso de medicación. Los principios de la dieta, el reemplazo de microbios y los suplementos alimentarios son los mismos.

La dieta para la fermentación del intestino

Existen variaciones sobre este tema en varios libros, algunos más estrictos que otros. Mi dieta es, en comparación, bastante más relajada. La dieta sirve tanto para la fermentación por levaduras como por bacterias.

Fase 1

Durante el primer mes hay que comer sólo los siguientes alimentos (preferiblemente frescos):

- Carne
  De toda clase: cordero, cerdo, ternera, conejo, carne de caza, etc.
- Aves
  De todas clases: pollo, pavo, pato, faisán, codorniz, etc.
- Pescado
  De todas clases, incluso marisco, pero tiene que ser fresco.
- Verduras
  De todas clases, excepto maíz y guisantes, que tienen mucho azúcar.
  Consuma muchas ensaladas y ajos (que tiene propiedades antifúngicas bien conocidas). Las patatas y el arroz son alimentos ricos en hidratos de carbono, así que hay que consumirlos con moderación, pongamos dos raciones al día. También pueden consumirse pasteles de arroz.
- Fruta
  Dos piezas a su gusto al día.

- Alubias y legumbres
  De todas clases, pero con moderación: lentejas, pipas de girasol, judías, etc.
- Queso
  Se permite el edam y el gouda, así como el queso de cabra.
- Yogur fresco
  Cuanto más se consuma mejor (véase más abajo).
- Huevos y mantequilla
- Utilizar aceite de oliva para cocinar
- Beber sólo agua mineral o filtrada, té de hierbas y leche de soja reforzada con calcio.
- Tomar la medicación, los suplementos nutricionales y las bacterias amigas tal como se prescribe hasta finalizar el proceso (véase más abajo).
- Obviamente, si conoce alguna alergia a alguno de los alimentos antes indicados, debe evitarlo.

Fase 2

Al final del primer mes ya habrá notado una mejoría en los síntomas. Ahora ya se puede empezar a ampliar la dieta. Sin embargo, parte de la mejoría puede deberse a que ha dejado de consumir alimentos ante los que quizá muestra intolerancia. Así que lo inteligente es ir introduciendo los alimentos uno a uno, para ir viendo la reacción a cada uno de ellos (véase la dieta de bajo contenido alérgico del capítulo 17 con más detalles sobre el particular). Siga consumiendo todos los alimentos del paso 1 durante esta operación y vigile cada nuevo alimento como se indica a continuación:

Día 1

Leche de vaca: beba un vaso en cada comida durante un día.

Días 2, 3 y 4

Trigo en forma de:
a) pasta integral
b) cereales para el desayuno
c) pan integral.
Hay que consumir alguna forma de trigo en cada comida durante los tres días. Lo ideal es que el pan esté hecho en casa, utilizando harina integral, sin añadidos de

harina blanca. Añada un huevo si lo desea. También puede utilizar mantequilla de leche si ésta no va a causar problemas.

Día 5

Cacahuetes en forma de
a) mantequilla de cacahuete (sin azúcar)
b) cacahuetes crudos
c) cacahuetes salados.
Evitar los cacahuetes tostados. Comer alguna forma de cacahuete en cada comida durante un día.

Días 6 y 7

Maíz en forma de
a) maíz en mazorca
b) palomitas de maíz caseras
c) harina de maíz para hacer una salsa.
Consumir alguna forma de maíz en cada comida durante dos días completos.

Días 7 y 8

Avena en forma de
a) gachas
b) pastel de avena.
Consuma alguna forma de avena en cada comida durante dos días.

Días 10 y 11

Centeno en forma de
a) pan de centeno
b) galletas de centeno.
Consumir una de estas formas en cada comida durante dos días completos.

Fase 3

En este momento ya tiene que encontrarse bien y en camino para una total recuperación. Si es así, haga la siguiente prueba durante el siguiente mes: todo tipo de quesos (incluyendo los mohosos), té y café, todo tipo de frutos secos y alcohol. Más adelante también puede aventurarse con los pasteles, galletas, chocolate, helados, salsas, etc.

Por favor, permítame hacerle dos recomendaciones antes de dejar la cuestión de la dieta. Primero, si no ha notado mejoras importantes y duraderas con este régimen es que *¡hay algo que no funciona!* En esos casos habría que reconsiderar el diagnóstico. Por favor, no inicie esta dieta, ni ninguna otra, a no ser que le sea prescrita por su médico/dietista. En segundo lugar, controle la posible reaparición de síntomas cuando comience a consumir alimentos ricos en azúcares. Estos síntomas aparecen de forma gradual, a medida que la fermentación va tomando cuerpo. Una vez más, recurra a un especialista si se encuentra en esta situación.

Creo que la amplia mayoría de pacientes con problemas de fermentación pueden acabar utilizando una dieta normal, o casi normal. En otras palabras, la fermentación intestinal es un problema que se trata y tiene un porcentaje muy alto de curaciones. Desde luego tienen que llevar una dieta sana el resto de sus días. Esto implica cierto grado de moderación en el consumo de azúcares, ¡pero se admite darse el gusto de vez en cuando!

MEDICACIÓN PARA EL TRATAMIENTO DE LA FERMENTACIÓN INTESTINAL

La elección de la medicina la dicta el microorganismo con el que tratemos. A las levaduras se les puede plantar cara con productos antifúngicos, en cambio hay que actuar con mayor precaución cuando se trata el crecimiento exagerado de bacterias.

Fermentación de levaduras

La medicina más efectiva para el tratamiento de levaduras es la nistatina, un fármaco antifúngico muy potente. Se aplica, preferiblemente en forma de polvo. Todas las demás preparaciones de la nistatina contienen azúcar. Afortunadamente, la nistatina es un fármaco muy seguro y puede consumirse en dosis importantes sin que produzca efectos no deseados. Su seguridad y eficacia son debidos a que la absorción en el interior del cuerpo es imperceptible. Y eso nos conviene. Queremos que se quede en el intestino.

Algunos pacientes se quejan de que la nistatina les hace daño. No hay duda de que algunas personas, una minoría, padecen una cierta intolerancia hacia el producto. Pero la mayoría de los síntomas que se atribuyen a la nistatina son producto de la desaparición de las colonias de levaduras. Las células de la levadura desgranulan cuando mueren y su contenido se derrama en el intestino. Algunas de estas sustancias son tóxicas y dan lugar a síntomas parecidos a los de la gripe, como dolor de cabeza, fatiga y dolores musculares. Estas reacciones, de destrucción de las levaduras, pueden minimizarse, empezando con dosis muy pequeñas de nistatina, con aumentos graduales hasta llegar a los niveles terapéuticos (efectivos). Comenzar la dieta una semana antes de la nistatina también puede ayudar, ya que reduce (levemente) la población de levaduras. La nistatina es una medicina que hay que utilizar sólo bajo prescripción médica, así que discútalo con su médico. Yo recomiendo el siguiente cuadro de dosificación.

Dosificación de la nistatina

Comenzar con:
  ⅛ de una cucharilla de té al día durante tres días: literalmente la punta de una cucharilla.

Entonces doblar a:
  ¼ de la cucharilla al día, tres días.

Entonces doblar a:
  ½ cucharilla al día, durante siete días.

Entonces doblar a:
  1 cucharilla al día. Suelo recomendar a mis pacientes que mantengan esta dosis durante tres meses. Sólo raramente he tenido que dar dosis mayores.

Unas líneas sobre otros antifúngicos

La nistatina es la medicación más adecuada para la fermentación por levaduras. aunque algunos pacientes (una minoría) no toleran el medicamento y padecen algún síntoma incluso observando las precauciones de dosificación que se han descrito, por lo que requieren antifúngicos alternativos. Estos tratamientos se realizan bajo prescripción médica. Actúan al ser absorbidos por la circulación sanguínea y, por lo tanto, son menos efectivos que la nistatina en el tratamiento de la fermentación. Sin embargo, son adecuados para el tratamiento de las infecciones. Consulte a su médico antes de utilizar estos productos. Algunas tiendas de alimentos sanos venden productos supuestamente antifúngicos. La verdad es que *limitan* la capacidad de crecimiento de las levaduras, pero no las eliminan. Si el problema es de crecimiento desmesurado hace falta un «eliminador», y no un «limitador». Una vez que el sobrecrecimiento se ha controlado entonces pueden utilizarse estos agentes limitadores para prevenir una repetición del problema.

Fermentación bacteriana

El crecimiento bacteriano exagerado no puede ser tratado con antibióticos, ya que esto ¡complicaría las cosas! Hay una excepción a esta regla: los niños pequeños con sobrecrecimiento intestinal superior grave que responden bien a los antibióticos. Todos los demás seguimos confiando en un antiguo producto, el bismuto. Esta medicina se utilizó mucho en el pasado para el tratamiento de la gastritis y las úlceras y aún se sigue utilizando. Se cree que funciona cubriendo el estómago con una capa de protección. Una vez que el bismuto cubre el estómago y el intestino, actúa como si fuera grasa en una piscina, a las bacterias les es muy difícil subir por la pared del intestino. Pierden su sujeción, resbalan, y son expulsadas del cuerpo junto con las heces. El bismuto no debe tomarse durante más de tres meses seguidos, ya que pasa a la circulación sanguínea. Dos pastillas tomadas media hora antes del desayuno y la cena es la dosis recomendada. Hace que las heces se vuelvan negras.

Bacterias amigas para restablecer el equilibrio

Una vez eliminados los organismos que provocan la fermentación hay que rellenar los espacios vacíos con bacterias amigas. Eso nos asegurará que los organismos de la fermentación sean los adecuados. La mejor manera de conseguirlo es llenar el intestino con bacterias amigas, como las que se encuentran en el yogur fresco. Responden a nombres maravillosos, como *bulgaricus, lactobacillus* y *bifidus*. Hay que escoger una marca que garantice bacterias vivas e ingerir una buena cantidad cada día. Algunas marcas ofrecen dos o más cultivos diferentes. Son los mejores, ya que la variedad facilita el equilibrio ecológico del intestino.

Hay que asegurarse de que el yogur escogido es verdaderamente fresco y contiene bacterias vivas. Para ello efectuaremos el análisis siguiente: Poner una cucharadita de leche encima de un yogur recién abierto y colocarlo luego en un horno tibio. A las cinco horas comprobar si la leche ha desaparecido. Si aún hay leche, el yogur no está «vivo», de hecho las colonias están «muertas». También pueden conseguirse suplementos de bacterias amigas. Uno de los más conocidos es el acidófilo. Sin embargo, hay que ir con cuidado: la mayoría de los acidófilos están muertos cuando llegan a los distribuidores locales.

SUPLEMENTOS NUTRICIONALES PARA AYUDAR A NUESTRO SISTEMA INMUNOLÓGICO

Las levaduras crecen mucho más rápido en ausencia de ciertas vitaminas, y también cuando no existe un sistema inmunológico efectivo. Las vitaminas B son importantes en esta cuestión, así que hay que tomar suplementos del complejo B en la dieta. También otros nutrientes pueden ser igualmente efectivos, pero hay que determinarlos individualmente.

¿SÍNDROME DE HIPERSENSIBILIDAD A LA *CANDIDA*?

Vuelvo al tema del párrafo inicial, en el que apuntaba que se han achacado toda clase de enfermedades a la *candida*. Algunos profesionales se refieren a esta plétora de síntomas como el síndrome de hipersensibilidad a la *candida*. La lista es mucho más extensa que los síntomas que he descrito antes, y hay dos elementos que se prestan a confusión. El primero es el interés comercial de personas no cualificadas que les dicen a sus clientes, convincentemente, que los síntomas inexplicables que padecen son debidos a la *candida*, para a continuación ¡venderles lo que sea para tratarlos! El segundo es: el tratamiento habitual utilizado con la *candida* es como matar varios pájaros de un tiro. Así, alimentos potencialmente «alérgicos» (como el trigo y las levaduras) se retiran; los que producen cansancio (azúcares) se evitan y se toman suplementos nutricionales en grandes dosis. Estas medidas *por sí solas* mejoran la salud de muchas personas.

Así, el «régimen para tratar la *candida*» puede ayudar a los que tienen intolerancia alimentaria, a los adictos a la cafeína y a los hipoglucémicos, a quienes tienen deficiencias nutricionales y a los que sufren fermentación intestinal. El hecho de que se mejore al seguir un «régimen para *candida*» no prueba necesariamente que los síntomas hayan sido causados por *candida*, pero se comprende la confusión que existe sobre el tema.

También verán que todos los otros síntomas atribuidos a la *candida* en este capítulo pueden ser verificados por análisis químicos y de laboratorio, así como por la inmediata respuesta al tratamiento. Animaría a todos aquellos que padezcan síntomas persistentes a que acudan al médico y se vuelvan a plantear el diagnóstico de *candida*. Cuando ya se ha dicho y hecho todo, la mayoría de los pacientes tendrían que acabar teniendo una clara comprensión de la verdadera naturaleza de sus síntomas. Es lo único que puede procurarles posibilidades de conseguir la curación.

Capítulo 15

Sensibilidad a los productos químicos

El hombre ha introducido incontables productos químicos en su medio ambiente desde la revolución industrial y sigue añadiéndolos a una velocidad de mil nuevos productos cada año. Al menos diez mil se utilizan con regularidad. Cada uno de nosotros tropieza con unos doscientos productos fabricados por el hombre en el transcurso de un día, y más de cuatrocientos si vivimos o trabajamos en un lugar especialmente químico. Esta proliferación del uso de productos ya es un problema medioambiental. Hemos arrojado indiscriminadamente miles de toneladas de desperdicios químicos al agua, el suelo y el aire.

En una escala más global, hemos abierto un agujero en la capa de ozono; y a un nivel nacional, descubrimos muchos países en situación desesperada con una polución incontrolada. No podemos creer de ninguna manera que podemos infligir todo ese mal a la naturaleza sin sufrir problemas de salud. Después de todo, somos parte integral del medio ambiente. Comemos la comida, bebemos el agua y respiramos el aire. Y en ese momento, si se me permite utilizar una frase prestada, *interiorizamos* el medio ambiente en el que vivimos.

No habría que pensar, por tanto, en términos de «el medio ambiente» y «nosotros», sino en nuestro medio ambiente interno y externo, como un continuo. No se puede dañar uno sin dañar el otro. Por ejemplo, durante los últimos veinte años, los países industrializados han sido testigos de un incremento alarmante de las enfermedades alérgicas, y se ha señalado a la polución atmosférica como uno de los factores que contribuyen más significativamente a ello.

Algunos elementos polucionantes se encuentran ya permanentemente en nuestro cuerpo. Por ejemplo, los BPD (bifenilos policlorados), que se utilizan mucho en la industria eléctrica, se han detectado en la leche materna de las madres. Se cree que contribuyen a aumentar los índices de infección de los recién nacidos. Igualmente, se han detectado elementos polucionantes en la sangre, el sudor y la orina. No hay duda de que nos vemos afectados colectivamente por todo lo que arrojamos al medio ambiente.

También sabemos de personas que han resultado afectadas de maneras muy diversas por productos químicos tóxicos: guerra química, negligencia comercial, accidentes profesionales o domésticos, etc. Conocemos el síndrome de la guerra del Golfo, por ejemplo, una situación de debilidad que afecta a muchos soldados veteranos de la operación Tormenta del Desierto. Se cree que está causado, al menos en parte, por la exposición a elementos químicos que sufrieron los soldados durante su etapa en el golfo Pérsico. El contacto con estos productos por negligencia también está perfectamente documentado, por ejemplo el caso de la aparición de una enfermedad en unas setenta personas que comieron pepinos contaminados con pesticidas. En contraste, los accidentes domésticos y laborales reciben menos atención. El granjero que cae dentro de un baño de desinfectante para ovejas o el jardinero que se rocía con herbicida ¡no aparecen en las noticias! Como puede imaginar, estas intoxicaciones pueden producir enfermedades muy complicadas.

Antes de seguir, hay que recordar las otras maneras en que los productos químicos pueden afectar a la salud individual. En los capítulos previos hablábamos de la alergia a los productos químicos como posible desencadenante de varias situaciones, como la dermatitis alérgica por contacto, la conjuntivitis, la rinitis, el asma, la urticaria y la anafilaxia. También describíamos los efectos no alérgicos (irritantes) de los productos químicos en esas enfermedades, así como la intolerancia química que aparece en ciertos casos de hiperactividad y migraña. En resumen, entonces, hemos dejado claro que los productos químicos pueden dar lugar a efectos irritantes, de intolerancia, alérgicos, tóxicos y contaminantes. En este capítulo, sin embargo, quiero tratar de algo bien diferente: ¡quiero hablar de canarios!

HISTORIA CLÍNICA

Rory es un granjero que criaba ganado. Un día, mientras estaba cuidando su rebaño, le ocurrió algo terrible. Un avión que había confundido la ruta, pasó por encima suyo rociándolo con pesticidas. De inmediato sufrió los efectos de la irritación química, así que salió corriendo hacia su casa para ducharse. Cuando llegó, tenía los ojos enrojecidos y le dolían, sentía una gran irritación en la nariz y tenía accesos de tos dolorosa. Algunos de los síntomas se le pasaron después de la ducha y tras cambiarse de ropa, pero en su lugar se presentaron otros diferentes. Tenía la cabeza a punto de estallar, sentía náuseas y le empezaron a doler los músculos. Lo ingresaron en el hospital. Aunque los síntomas más agudos remitieron al cabo de unos días, se sentía enfermo y muy cansado. Todo esto le había ocurrido hacía veinte años, y desde entonces Rory nunca había vuelto a encontrarse bien. Los doctores no habían tenido problemas para diagnosticarle su original enfermedad: padecía una intoxicación aguda por organofosfatados, aunque les resultaba más difícil comprender los síntomas crónicos y variados que había empezado a experimentar a partir de entonces. Por ejemplo, cada vez que notaba un poco de olor a pintura caía de inmediato al suelo con un colapso. Igual que si le hubiera caído encima una tonelada de ladrillos. Algunas veces empezaba a temblar incontroladamente con espasmos musculares. En situaciones así, habían llamado al médico para que le administrara un tratamiento de urgencia. Al pasar los años, Rory empezó a reaccionar de la misma forma ante otros olores, como perfumes, ambientadores, gases de los vehículos y similares. Esto le obligó a llevar una vida de aislamiento, porque no podía afrontar un colapso por culpa de los perfumes (o la loción de aftershave) de sus amigos. Rory sufre una sensibilización química múltiple. ¡Es como un canario!

En el pasado, los mineros llevaban canarios al fondo de las minas y colocaban las jaulas cerca de las vetas de carbón. La razón que tenían para hacerlo es simple, aunque un poco cruel. Los mineros corren siempre el riesgo de intoxicarse con los gases tóxicos que emanan de las vetas de carbón, y entonces no tenían ningún sistema para saber si los niveles eran demasiado altos. Los canarios, que son criaturas muy sensibles, reaccionan muy deprisa a los cambios del medio ambiente. Mueren en presencia de *cantidades relativamente bajas* de gases tóxicos. La muerte de un canario era la señal para los mineros de que estaban en peligro de intoxicarse y de que tenían que abandonar la mina inmediatamente. Rory, y otros como él, son sensibles a *cantidades relativamente pequeñas* de productos químicos en el medio ambiente, mucho menores de lo que hace falta para causar señales evidentes de intoxicación. Estos «canarios» químicamente sensibilizados tal vez nos estén enviando, por medio de su sufrimiento, una señal de advertencia a todos nosotros: «¡Sea limpio! ¡Cuidado con estos productos químicos! ¡No ensucie la naturaleza!».

Quizá les cueste un poco creer todo esto. «Después de todo», puede que alguno diga, «estamos hablando de perfume y productos de limpieza que seguro que no hacen daño.» Es más, se pueden citar tranquilamente las declaraciones que los responsables de la salud pública hacen con tanta seguridad. Nos dicen que los productos químicos de uso corriente son totalmente seguros y que, si tomamos las debidas precauciones, incluso los más tóxicos pueden utilizarse sin que produzcan efectos nocivos. Desde luego, todo eso es cierto, hasta ahí. Los mismos científicos, sin embargo, se apresuran a confirmar que sus afirmaciones se refieren exclusivamente a la toxicidad y no a las cuestiones de sensibilización individual. Nos pueden decir, por ejemplo, si un producto químico determinado es tóxico o seguro, o si causa o no cáncer. Cuando se trata de cuestiones relativas, nos pueden decir a partir de qué dosis un producto seguro se convierte en tóxico. Su seguridad se basa en el hecho de que los efectos tóxicos de los productos químicos pueden medirse con facilidad. En claro contraste, las quejas subjetivas de sensibilización química son mucho más difíciles de evaluar. No se puede hacer una comparación entre ellas. Igualmente, es difícil evaluar los efectos para la salud de una exposición prolongada a dosis bajas de productos químicos o a una mezcla de productos. Los que somos fuertes («mineros») no tendríamos que preocuparnos sin necesidad de este tema. Pero la mayoría de los sensibilizados («canarios») sí que lo están.

¿QUÉ ES LA SENSIBILIDAD QUÍMICA MÚLTIPLE?

La sensibilidad química múltiple es un término utilizado para describir a los pacientes que tienen reacciones de hipersensibilidad a varios productos químicos «de otro modo inofensivos» . También reaccionan ante productos químicos tóxicos incluso en dosis bajas, muy alejadas de las que se espera que causen síntomas a la población en general. Muchos de estos pacientes han pasado por alguna situación individual de exposición a alguna sustancia tóxica de la que nunca se han curado. Otros desarrollan el problema después de una exposición prolongada a niveles bajos, no tóxicos, de productos químicos. En todos los casos, los pacientes quedan con una extrema sensibilización a los olores químicos corrientes, incluyendo perfumes, loción para después del afeitado, desodorantes, gel para el pelo, maquillaje, ambientadores, humo del tabaco, gases de combustión, tinta de periódicos, tejidos nuevos, coches nuevos, fotocopiadoras, impresoras y plásticos. Los síntomas que sufren son variados:

- fatiga
- dolores de cabeza (incluyendo migraña)
- náuseas
- depresión e irritabilidad
- cambios de humor
- ansiedad
- pérdida de memoria y concentración
- dolor en músculos y articulaciones
- alteraciones del sueño

Además, alguno de estos pacientes tienen:

- el pulso acelerado
- la presión sanguínea alta
- la respiración acelerada (hiperventilación)
- la intolerancia alimentaria (véase más adelante)

¿Quién la sufre?

No tenemos manera de predecir quién va a tener una sensibilización química. Se dice que ocurre con más frecuencia entre las mujeres, pero la diferencia debe ser pequeña. Las intoxicaciones agudas con productos tóxicos o la exposición prolongada a productos químicos menos tóxicos son factores de riesgo claros; además, estos sucesos «sensibilizadores» son requisitos previos para que aparezca el problema. Sin embargo, no todos los pacientes que sufren una intoxicación van a desarrollar una sensibilización química. Esto sugiere que hay otros factores, aún desconocidos, que hacen que aumente el riesgo en determinadas personas.

¿Se cura?

La intoxicación química, si es grave, puede producir problemas de salud permanentes por sí sola. Son los efectos directos de la toxicidad y deben distinguirse de los síntomas de sensibilización (que pueden o no producirse después de la intoxicación). Una vez que se produce la sensibilización, es probable que estos pacientes sigan igual toda su vida. Sin embargo, el cuidado y los tratamientos adecuados pueden mejorar significativamente a muchos pacientes.

¿Cuál es su causa?

Todavía no estamos seguros de la causa que provoca la sensibilización química. Sin embargo, sabemos que la intoxicación química interrumpe seriamente los procesos nerviosos del cerebro. Además, reconocemos que muchos de los síntomas del síndrome, incluyendo la depresión y la ansiedad, son también el *resultado de disfunciones del cerebro.* Esto nos lleva a una teoría muy interesante y plausible. Es algo así:

1. Hay una exposición inicial a los productos químicos. Puede ser repentina o gradual.
2. Los productos químicos son transmitidos al cerebro a través del nervio olfatorio (olor) y/o por la circulación sanguínea.
3. Las personas sensibles no pueden superar la acometida química.
4. Sus cerebros se saturan o se sobrecargan de productos químicos.
5. Los procesos nerviosos del cerebro se sensibilizan a los productos químicos. Pierden su anterior tolerancia y desarrollan respuestas de hipersensibilidad a los niveles corrientes de exposición a productos químicos. Reaccionan incluso ante productos que no están relacionados con el ataque inicial.
6. Sus cerebros quedan en un estado de persistente hipersensibilidad, a consecuencia de la que aparecen los síntomas debidos a ese trastorno.
7. Muchos de los síntomas pueden comprenderse por las zonas concretas del cerebro afectadas, incluso los síntomas de depresión y ansiedad.

Esta teoría se llama de neurosensibilización o sensibilización crono-dependiente. En muchos casos, la exposición inicial es repentina y tóxica y requiere tratamiento médico de urgencia. En otros casos, la exposición es mucho más gradual y ligera.

HISTORIA CLÍNICA

Mark llevaba toda la vida trabajando en los negocios familiares. Era dueño de una gasolinera y arreglaba coches desde hacía muchos años sin problemas. Sin embargo, comenzaron a aparecerle síntomas cuando se acercaba a los cuarenta años: dolores de cabeza, en los ojos, musculares, cansancio general y una «terrible indigestión». Ahora los síntomas ya eran muy molestos y la vida le estaba resultando difícil. De hecho, estaba siempre muy malhumorado, tenía el sueño alterado y su capacidad de concentración era baja en todo momento. Cuando explicaba sus problemas, me dio una pista muy interesante: los síntomas mejoraban cuando no trabajaba. Podía ser únicamente producto del descanso, desde luego, pero también podía significar una sensibilidad química. Se recomendó a Mark que hiciera unas «vacaciones químicas» (véase pág. 308). Los síntomas mejoraron «espectacularmente» en ese período. Entonces planificamos un retorno escalonado al trabajo, vigilando cuidadosamente que limitara su exposición a los productos químicos. Descubrió que podía trabajar todo el día en la tienda y llevar los negocios desde allí sin problemas. Sin embargo, reaparecieron los síntomas en cuanto empezó a despachar gasolina. Había desarrollado una sensibilidad química, tras sufrir durante muchos años una exposición en dosis bajas a los vapores petroquímicos.

¿HAY COMPLICACIONES?

Las vidas de los pacientes químicamente sensibilizados están gravemente trastornadas por su necesidad de evitar olores químicos. Es más, se encuentran con un problema económico que afrontar, ya que un 70 % deja su trabajo por culpa de la enfermedad. También pueden sufrir inconvenientes familiares y con sus amistades, que encuentran difícil comprender esta enfermedad tan extraña y desconcertante. Además, la sensibilidad química suele verse complicada por una intolerancia alimentaria.

HISTORIA CLÍNICA

Vamos a tratar el caso de Abigail, una científica de treinta y dos años. Trabajaba en el departamento de investigación y desarrollo de una empresa multinacional. Un día se produjo una fuga química en su laboratorio y se empezó a sentir enferma inmediatamente. La ingresaron en un hospital con dolores de cabeza, náuseas y dolores musculares. Esto ocurrió hace un año y está sufriendo desde entonces. En especial se queja de fatiga, depresión, ansiedad, dolores de cabeza y espasmos musculares. También le apareció asma y rinitis. Algunos de sus síntomas se agravan cuando se expone a olores químicos, incluso aquellos olores que consideramos normales, como el jabón perfumado y el de flores.

Cuando acudió a la clínica de la alergia, varios especialistas del hospital le habían asegurado que no padecía nada «físico». Con esto querían decir que no encontraban ninguna razón física a sus síntomas. No tenía ningún tumor cerebral, la sangre estaba bien y no presentaba síntomas claros de enfermedad. Se le dijo que los síntomas eran «funcionales». En otras palabras, todo *parecía* estar bien y ocurría que no *funcionaba* correctamente.

Los medicamentos antidepresivos mejoraron considerablemente su estado de ánimo, pero seguía con los síntomas que más problemas le causaban. Como ya estaba descartada cualquier otra explicación para sus síntomas, y con cierta desesperación, Abigail inició una dieta de bajo contenido alérgico de diez días. Con gran alivio comprobó que los síntomas mejoraban. Fue identificando los alimentos problemáticos uno a uno, y ahora ya no tiene problemas, siempre que los vaya evitando. También tiene que tener cuidado con los olores químicos, a los que tolera mucho mejor desde que hace la dieta «adecuada». Abigail padece una sensibilidad química múltiple, pero la mayoría de los síntomas estaban provocados por la intolerancia alimentaria asociada.

Este caso nos lleva a otra cuestión muy importante, en concreto al concepto de «carga total». Vamos a explicarlo. Cuando sufrió el episodio de intoxicación, Abigail había comenzado a desarrollar una sensibilización química. A su vez, ésta le produjo una intolerancia alimentaria. Por lo tanto, estaba reaccionando negativamente a varios productos químicos y –aunque no lo supiera en aquel momento– varios alimentos. La carga total de su sistema era considerable. Cuando la redujo (al evitar los alimentos problemáticos y los olores químicos) ya era más capaz de soportar las exposiciones leves a los productos químicos.

¿Qué podemos hacer?

Si tiene la sospecha de que sufre una sensibilización química, haga unas «vacaciones químicas» (véase la página 308). El mejor tratamiento de la sensibilidad química es evitar los olores químicos. Se trata de una regla de sentido común: si huele, ¡evítelo! Reduzca la «carga total» por los siguientes procedimientos:

1. Construya un hogar libre de productos químicos
   - Véase el cuadro que sigue.
2. ¡Dígaselo a sus amistades!
   - Tendrán que ser conscientes del problema si quieren evitar la polución del ambiente que le ha costado tanto limpiar.
3. ¡Vigile sus otras sensibilizaciones!
   - Todos los pacientes con sensibilidad química múltiple tendrían que utilizar la dieta de bajo contenido alérgico para las intolerancias alimentarias (véase el capítulo 17).
   - También deben tener en cuenta la posibilidad de que pueden sufrir una fermentación intestinal (véase la página 251).
4. Considere la posibilidad de un tratamiento de desensibilización. Funciona muy bien en muchos pacientes (véase el capítulo 18).

Advertencia a los químicamente sensibles

1. Necesitará la ayuda de todos los miembros de la casa para lograr un medio ambiente de baja intensidad química.
   - Piense que los jóvenes se rocían dentro de sus habitaciones: ¡los vapores viajan!
2. No utilice cosméticos, especialmente si son perfumados.
   - Utilice zumo de limón como astringente.
   - Utilice aceite de oliva o para bebés como crema limpiadora.
   - Utilice como «refrescante» un pepino pelado hecho puré con una cucharada de yogur.
   - Elabore crema hidratante como sigue: una cucharadita de miel, una de agua y una de aceite de oliva, mezcladas con una cápsula de vitamina E.
   - Puede arreglarse con cosméticos hipoalergénicos sin perfume.
   - También puede servirse de un champú infantil.
   - Utilice desodorantes de barra no perfumados.

3. Minimice su exposición a jabones, limpiadores, lejías, etc.
   - Utilice soda de hornear o bórax como limpiador general.
   - Limpie las ventanas con vinagre (una cucharada) disuelto en agua (un vaso).
   - Limpie el frigorífico con agua de soda.
   - Quite el polvo con un paño húmedo.
   - Abrillante con cera de abejas.
4. No utilice ambientadores
   - Utilice vinagre o soda de hornear disuelta en agua; déjela reposar en una salsera en un rincón de la habitación.
5. También tienen que vigilar otras fuentes de productos químicos.
   - Las chimeneas y los fogones de gas son altamente contaminantes. Los eléctricos son mejores.
6. De forma parecida, las calderas dejan ir pequeñas cantidades de humos a la atmósfera.
   - Están mejor situados en una construcción separada, como una leñera en el jardín trasero.
   - Permita la entrada de aire en las habitaciones.
   - Si tiene garaje, selle la puerta de comunicación.
7. Controle su coche.
   - Deshágase de su viejo coche si huele a gasolina o gasoil.
   - Pero no se compre un coche nuevo, son demasiados olorosos: busque uno que tenga entre seis y doce meses.
   - Los turismos son mejores que las furgonetas.

¿Podría ser otra cosa?

Algunos dicen que la sensibilidad química múltiple es un problema psiquiátrico. Basan su afirmación en el hecho de que la situación desafía todas las doctrinas toxicológicas aceptadas. Señalan que ninguno de estos pacientes tiene una «patología de los tejidos» o cualquier otro efecto visible de intoxicación. También nos recuerdan que muchos de estos pacientes padecen depresión y ansiedad. Sin embargo, yo creo que estos argumentos se han tratado convenientemente en el texto anterior.

Hay, desde luego, pacientes ocasionales que atribuyen erróneamente sus síntomas a la sensibilidad química. Tomemos el ejemplo de la persona fóbica social. No quiere reunirse con la gente. Es demasiado tímida. Es mucho más fácil para esa persona decir: «No puedo salir porque tengo SQM» que admitir su verdadero problema. Conocer gente la hace sentirse terriblemente incómoda. Tiene una autoestima muy baja y no quiere que se lo recuerden. En la misma línea, el deprimido, puede sentirse infeliz o ansioso por cualquier razón, pero ha aprendido que los hombres son machos. Los hombres no lloran, y desde luego no pueden admitir una debilidad psicológica. Es mucho más fácil ir al médico con problemas físicos que emocionales.

La evaluación de cada paciente con indicios de sensibilidad química múltiple tiene que ser, por lo tanto, compasiva y desapasionada a la vez. Es un error decirle a los pacientes que sus síntomas son de origen físico cuando en realidad son psicológicos. Trataremos este tema en profundidad enseguida.

Capítulo 16

La alergia y la mente

Los médicos de antes tenían muy pocas posibilidades puramente científicas para tratar y diagnosticar las enfermedades. Estaban, desde nuestra perspectiva, en gran desventaja. Los avances recientes de la medicina nos ha proporcionado ventajas importantes que podemos aplicar a nuestros pacientes. Sin embargo, los enormes avances en investigación nos han traído otros problemas. Uno de éstos es nuestro gusto por el reduccionismo: la práctica de dividir las cuestiones en pequeñas porciones para luego estudiarlas. Comenzamos con nobles deseos de estudiar un ser complejo, como el cuerpo humano, pero es imposible estudiarlo en toda su complejidad. Para solventar el problema decidimos dividir el ser complejo en varias partes más pequeñas. Así, nos inventamos divisiones arbitrarias entre un órgano y otro, y entre un sistema y otro. Luego se descubre que el órgano o el sistema que estudiamos lo podemos a su vez dividir y reducir. De esta forma, ahondamos cada vez más profundamente en los misterios de la vida biológica, hasta que alcancemos, eventualmente, el nivel molecular. En ese momento, y a pesar de todo nuestro genio, sólo habremos tocado la punta del iceberg.

Hay, desde luego, muchos y buenos argumentos para un enfoque reduccionista en la investigación. Nos ha llevado a varios descubrimientos muy interesantes, y ha incrementado la base de nuestro saber más allá de lo imaginable. Por esta razón, se ha dividido la práctica de la medicina en diferentes especialidades; e incluso éstas se han dividido en subespecialidades. Una de las consecuencias de todo este conocimiento médico es que nosotros también, como sociedad, tendemos a pensar en términos reduccionistas. Pensamos en nuestro cuerpo como si estuviera dividido en órganos y sistemas separados y tendemos a olvidar que cada órgano y cada sistema del cuerpo está inextricablemente unido a los demás.

En este aspecto, no nos ayuda la popularidad del dualismo del filósofo René Descartes (1596-1650). Decía que la mente y el cuerpo eran distintos y estaban separados, y que todo en la vida podía ser reducido a la una o al otro. Está aceptado que su influencia en el desarrollo de la ciencia no es cuantificable. Una verdad que se refleja en la persistencia con que esta cuestión de mente/cuerpo nos ha rondado desde entonces. Irónicamente, el reduccionismo de la ciencia se ha convertido en dualismo. Hace muy poco tiempo, los científicos han descubierto interacciones *a nivel molecular* entre la mente y el cuerpo. Lo que ocurre en la mente tiene un efecto real en el cuerpo, sea positivo o negativo. Lo contrario también se cumple, es decir, el cuerpo ejerce un efecto directo sobre la mente. No hay nada nuevo en todo esto, desde luego. No hemos hecho más que redescubrir una vieja verdad. Sócrates (469-399 a.C.), por ejemplo, decía que «no hay que curar el cuerpo sin curar el alma». Este principio fue ampliado por Hipócrates, que les decía a sus discípulos que «para curar el cuerpo es necesario tener un conocimiento de la totalidad de las cosas». Estos hombres consideraban que el cuerpo y el alma eran inseparables. Y en el verdadero sentido de la palabra tenían un enfoque holístico de la salud y la enfermedad. Hemos completado el círculo, espero.

Vamos a echar una mirada más atenta a las interacciones moleculares entre el cuerpo y la mente. Nuestra atención se centrará en las relaciones que existen entre el cerebro y el sistema inmunológico. Pronto se verá que estos sistemas son inseparables uno de otro y de los otros sistemas del cuerpo. Todos son indivisiblemente un único sistema. A la luz de estas ideas, las constantes discusiones sobre la naturaleza psicológica (mente) o física (cuerpo) de los síntomas tienen que entenderse como un remanente estéril del dualismo.

INTERACCIONES ENTRE CUERPO Y MENTE

El siguiente diagrama muestra, de forma simplista, las interacciones que hay entre el sistema nervioso central (cerebro), el sistema endocrino (hormonas) y el sistema inmunológico. La zona sombreada central representa la naturaleza inseparable de estos sistemas.

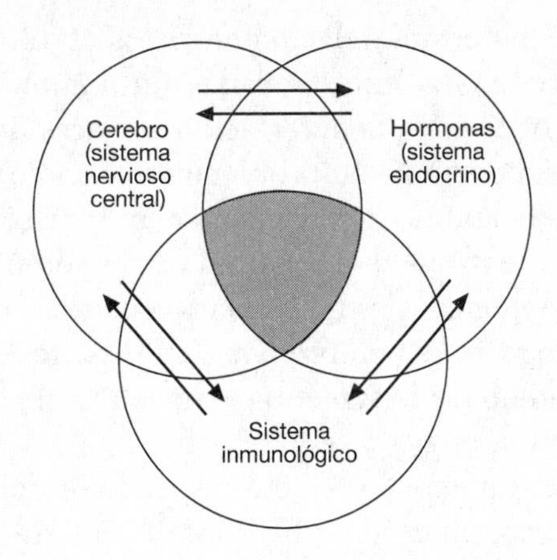

En el cuerpo los mensajes se transmiten de una célula a la otra por un sistema de mensajeros y receptores químicos. Hay varias clases de mensajeros que se sitúan en el espacio intermedio entre dos células adyacentes o viajan a través del flujo sanguíneo a los lugares más distantes del cuerpo. Existen varias clases de receptores en la superficie de las células. Son específicos y sólo responden al mensajero para el que fueron diseñados. Una célula puede comunicarse con otra si es estimulada por un mensajero químico adecuado. Ahora ya sabemos que por este sistema el cerebro interacciona con el sistema inmunológico. ¡Uno y otro se comunican en un nivel molecular! De la misma manera, existen procesos químicos para comunicar el sistema inmune y el endocrino, y el cerebro con el endocrino. Por ello, se aprecia con facilidad que un cerebro enfermo, por ejemplo, puede «enviar» mensajes al sistema inmunológico y viceversa.

Los efectos de la mente sobre el cuerpo

Los doctores de la antigüedad reconocían que existía una relación entre el estado psicológico de sus pacientes y las enfermedades que sufrían. Por ejemplo, en el siglo II d.C., Galeno sugirió que las mujeres deprimidas tenían más posibilidades de padecer un cáncer que las mujeres felices. Desde el principio de la historia de la medicina hasta ahora, las observaciones preliminares de Galeno han recibido un considerable apoyo: tanto los hombres como las mujeres pueden padecer un cáncer después de períodos prolongados de depresión.

También parece haber una relación entre los estados psicológicos y otras dolencias, como las enfermedades autoinmunes y las infecciones repetidas. Todas estas manifestaciones físicas de la enfermedad tienen un rasgo en común: son problemas inmunológicos. Como hemos tratado en el capítulo 2, el cáncer es un fracaso de la vigilancia inmunológica, las enfermedades autoinmunes son un fallo de enjuiciamiento inmunológico y las infecciones repetidas un fallo de la respuesta inmunológica. Es comprensible, por tanto, que algunos pacientes que llevan una vida sometida a mucho estrés la vean reflejada en su sistema inmunológico.

Antes de que tratemos los efectos específicos del estrés en el sistema inmunológico, quiero clarificar lo que entendemos por estrés. Una situación vital de estrés es la que requiere cambios en la persona. Los cambios exigen adecuarse, y adecuarse genera estrés. Nuestra capacidad para afrontar esas situaciones determinará en gran parte la manera en que sobrellevemos el estrés. Para hacer una escala de gravedad, la situación más comprometida es la muerte del cónyuge; le sigue el divorcio y la separación en segundo y tercer lugar respectivamente. También, y en orden decreciente, están: la detención (rehenes, prisioneros de guerra, detención policial, etc.), la muerte de un miembro de la familia, las lesiones físicas personales o la enfermedad, el casamiento, la pérdida del empleo y la jubilación. Hay desde luego, otras muchas situaciones de estrés en la vida, como problemas económicos, los hijos, el cambio de empleo o una mudanza. Finalmente también existen tensiones que no se hacen patentes de inmediato, como irse de vacaciones, reuniones familiares e incluso las fiestas de Navidad.

Como se puede apreciar, las situaciones de mayor estrés son las que por su propia naturaleza son prolongadas e incontrolables. La más importante es la que se produce por la muerte de un ser querido. El proceso de la aflicción profunda tarda tiempo, incluso años, en concluir. No puede acelerarse y no puede hacerse absolutamente nada para que nos devuelvan al ser querido. En ese sentido, no se tiene un control sobre el dolor. Esto contrasta con otras formas de estrés, por ejemplo la que se produce al preparar un examen. En este caso el estrés es limitado. Existe una fecha determinada para el examen, y pase lo que pase, el estrés se acaba ese día. Además es un estrés controlable. El estudiante puede hacer muchas cosas para relajar el estrés. Hay un plan de estudios, clases a las que acudir, tutores con los que hablar y documentos que consultar, actividades todas ellas que ayudan al estudiante a preparar el examen. El modo de vida también puede adaptarse para tener más posibilidades de éxito. Un programa en que se combine adecuadamente el tiempo de estudio, el sueño, el ejercicio y una dieta sana puede darle al estudiante la sensación de que domina la situación. Finalmente, hay una recompensa esperándole, no se trata de una situación definitiva.

Incluso un estrés controlable y momentáneo como éste ejerce un efecto adverso directamente en el sistema inmunológico: los estudiantes sufren una disminución de defensas cuando se acercan los exámenes. Este efecto se ha medido con análisis de sangre. Tienen mayores niveles de anticuerpos para contraer mononucleosis y los virus de las boqueras (herpes).

Vamos a echarle una mirada a los efectos inmunológicos de otras situaciones de estrés. Por ejemplo, sabemos que...

- La inmunidad es baja después de una gran aflicción y se normaliza al cabo de doce meses. Esto cuadra con las observaciones de que las personas que están en situaciones de dolor son más propensas a las infecciones, en especial durante el primer año.
- La separación y el divorcio también provocan una disminución de inmunidad.
- Los que cuidan de familiares enfermos también corren el riesgo de sufrir enfermedades relacionadas con el estrés. Por ejemplo, los niños que cuidan a padres enfermos de Alzheimer corren el peligro de sufrir depresión e infecciones.

Como puede verse, los efectos concatenados del estrés sobre el sistema inmunológico son de *supresión*. Por ejemplo, baja inmunidad. Incluso tiene un efecto acumulativo. No disponemos de una válvula de seguridad, por así decirlo, para que escape. De este modo, si soportamos varias situaciones de estrés al mismo tiempo o en rápida sucesión, estamos más expuestos a sufrir mayores niveles de inmunosupresión y a padecer enfermedades. Esto se cumple en todos los casos, no sólo en las personas «débiles» o vulnerables. Además, la vulnerabilidad al estrés y la depresión, por sí misma, es otra manifestación de la interacción entre mente-cuerpo-mente. Por ejemplo, los niños que pasan por la pérdida de un familiar muy cercano antes de los diez años tienen mayores posibilidades de padecer depresión cuando sean adultos. Ocurre lo mismo con los que han sufrido algún acontecimiento traumático en la infancia. De forma parecida, los adultos que han pasado una depresión muy grave tienen más posibilidades de padecer depresiones subsecuentes, incluso aunque el motivo inicial de estrés (la razón de la depresión) haya desaparecido.

Su vulnerabilidad nace directamente de los efectos biológicos del primer episodio de depresión o trauma. Los mensajes negativos se graban en el cerebro a nivel molecular, quedan codificados en los propios procesos bioquímicos de las células cerebrales. Los pacientes más jóvenes son especialmente vulnerables, porque todavía tienen el cerebro en proceso de desarrollo cuando se produce el estrés. Éste es otro ejemplo de sensibilización. Estas desafortunadas personas se sensibilizan a la depresión por la *misma depresión.* Una vez sensibilizados, corren el riesgo de padecer depresión incluso cuando se encuentran en situaciones de estrés poco importantes. Los afectados de manera más grave van a experimentar la depresión espontáneamente, en ausencia de cualquier forma de estrés. Para éstos, puede ser difícil mantener un visión optimista de la vida. En contraste, los que han tenido la fortuna de emerger relativamente ilesos de la infancia están mejor situados. Pueden superar mejor las dificultades de la vida cuando se les presentan. También tienen una ventaja inmunológica ya que sabemos que...

- las personas que soportan bien el estrés tienen una mejor inmunidad que aquellos que lo aguantan peor.
- las personas con actitudes positivas ante las tensiones tienen una mejor inmunidad que las más negativas.

«Bueno, todo esto es muy interesante», se puede decir, «pero ¿qué tiene que ver con la alergia?». Parece razonable que si el estrés psicológico puede afectar a todas estas funciones inmunológicas, también estará relacionado con las alergias. Recuerde, la alergia (hipersensibilidad tipos 1 a 4) es también una función del sistema inmunológico: en este caso, una respuesta inapropiada a una sustancia que «de otro modo sería inofensiva». La relación que se establece entre la mente y las alergias la demostró por primera vez sir James Mackenzie en 1886. Estaba hablando con una paciente que sabía que era alérgica a las rosas. Entonces le sacó una rosa artificial y, como se creyó que era auténtica, ¡comenzó a estornudar! No extraiga conclusiones todavía: era alérgica a las rosas, aunque *en aquella ocasión*, su respuesta había sido psicológica. Los síntomas eran muy reales, *eran síntomas de alergia,* pero se habían producido psicológicamente. Era una respuesta pavloviana.

¿Se acuerda de Pavlov? Hacía sonar un timbre cada vez que daba de comer a sus perros, así que pronto aprendieron a asociar el sonido del timbre con la llegada de la comida, de tal manera que comenzaban a segregar saliva cada vez que oían el timbre, incluso en ausencia de comida. Los había condicionado para que tuvieran esa respuesta. En las alergias se observa un fenómeno similar. Coja una cobaya, por ejemplo, y expóngala a un alergeno. El alergeno le provocará un aumento del nivel de histamina en la sangre. Cada vez que la exponga al alergeno hágale oler alguna cosa. En poco tiempo, la cobaya liberará histamina cada vez que note el olor *incluso en ausencia del alergeno.*

Volvamos ahora a sir James y su paciente. El cerebro le enviaba una señal a la nariz y se le producía la misma respuesta que si estuviera en presencia del alergeno. Se trataba de una manifestación clara de condicionamiento psicosomático. El síntoma se experimenta en el cuerpo (*soma*), pero se origina en la mente (*psycho*). Ya he mencionado un mecanismo por el que puede producirse esta reacción cuando he explicado la inflamación neurogénica de la rinitis no alérgica y no infecciosa: los nervios pueden transmitir la inflamación. Pero ahora también sabemos que la histamina puede liberarse a una señal del cerebro. Otros ejemplos de alergia «mental» son los agravamientos del asma, la urticaria, el eccema y la migraña, por citar algunos. No podemos, con los conocimientos de que disponemos, estar seguros de los mecanismos moleculares por los que se producen estas exacerbaciones, pero podemos tomar nota de los síntomas clínicos. No se trata de decir que las alergias son imaginarias, porque no lo son. Pero como se puede apreciar en la lista siguiente, tradicionalmente se ha creído que muchas situaciones de alergia tenían un componente psicosomático.

Afecciones con una base psicosomática:

Acné	Síndrome del intestino irritable
Alergias en general	Prurito anal
Angina de pecho	Úlceras pépticas
Angioedema	Enfermedades de la piel

Asma
Dolores de cabeza
(incluyendo migraña)
Presión sanguínea alta
Enfermedades inmunológicas
(por ejemplo, artritis reumatoide)
Tuberculosis
Urticaria
Muchas otras, demasiadas para enumerarlas todas

El hecho de que tantos síndromes alérgicos y de intolerancia estén influidos por la mente refleja la amplitud de las interacciones entre el cerebro y el sistema inmunológico. He incluido deliberadamente la tuberculosis en la lista anterior para destacar un punto muy importante: psicosomático no significa que «todo ocurre en la mente». Significa que la mente desempeña un papel importante en la enfermedad. En algunos casos la influencia psicológica es importante en los estados iniciales, cuando se contrae la enfermedad; en otros momentos tiene un efecto sobre el curso que seguirá la enfermedad, una vez estabilizada. Por lo que se refiere a la tuberculosis, sólo hace falta un bacilo para que aparezca la infección. Pero sólo una persona de cada diez expuestas al bacilo sufrirá la infección. Los otros la controlan. Esto indica que hay varios factores importantes a la hora de determinar si un paciente va a padecer una enfermedad o no. Uno de éstos puede ser, por ejemplo, el tipo de alimentación; y otro puede ser el estado emocional del paciente. Aunque está ampliamente aceptado que los factores psicológicos desempeñan un papel en todas y cada una de las enfermedades que los pacientes llevan al médico. Como puede verse, la alergia no es una excepción. La comprensión de la interacciones psicosomáticas sirve en la gestión general de las enfermedades alérgicas.

La culpa es del estrés: una nota de advertencia

Tal como se ha tratado en el capítulo 12.II, muchos pacientes nos cuentan que no se les ha tenido en cuenta por estar «con estrés» o «deprimidos», cuando saben perfectamente que no lo están y lo demuestran claramente. Es peligroso no tener en cuenta un síntoma simplemente porque no se comprende. Si se hace esto se contribuye al error más corriente de la medicina, es decir, la asunción de una enfermedad psicológica cuando (aún) no se localizan los indicios físicos.

Los síntomas como señales

Antes de dejar la cuestión de la mente sobre el cuerpo, quisiera ofrecer algún otro pensamiento provocativo. Se refiere a la expresión física de la enfermedad. Si la mente y el cuerpo están inextricablemente unidos, como creo que lo están, ¿los síntomas físicos simplemente reflejan los psicológicos? O por decirlo de otra manera, ¿son los síntomas físicos simplemente una manifestación del estado psicológico? Las náuseas, por ejemplo, son una manifestación física de la ansiedad con la que todos estamos familiarizados. Se trata de una experiencia tan común que hasta le hemos hecho un lugar en nuestra lengua. Decimos «Estoy preocupadísimo» (cuando estamos nerviosos y no podemos ni mirar la comida). ¿Y qué hay del simbolismo de esos otros síntomas menos evidentes? No quiero ir demasiado lejos (para hacerlo tendríamos que caer de nuevo en la trampa reduccionista), pero me he visto ante varios casos que me han hecho cavilar.

Uno de éstos era el de una mujer a la que visité cuando aún era médico en prácticas. Se quejaba amargamente de dolor de espalda. La traté como es habitual, sin ningún resultado. Volvió unos días después con su marido, todavía quejándose del mismo dolor. Le sugerí un nuevo tratamiento. Entonces empezaron a discutir los dos hasta que el hombre se empezó a poner grosero. Se intercambiaron un insulto tras otro y de repente la mujer se volvió hacia mí y me dijo: «Ya ve, doctor, ¡no me deja la espalda en paz!». Tuve la clara impresión de que cualquier tratamiento iba a fallar y que lo que había que hacer era tratar la relación que le estaba destrozando la espalda.

Otro caso que me viene a la memoria es bastante similar en unas cosas y completamente diferente en otras. Era una mujer de unos cuarenta años que presentaba asma y rinitis; era la primera vez que sufría estos síntomas. No podía respirar por la nariz y no podía aspirar adecuadamente. Era recatada, elegante y hablaba con suavidad, pero estaba tensa. Intentamos encontrar motivos alérgicos a la enfermedad, pero no los había. Entonces, comenzamos a hablar de la vida en general. Resultó ser que sus padres pasaban una crisis, con una salud endeble y un hijo díscolo. Habían estado presionándola para que volviera al hogar familiar «durante un tiempo, hasta que se arreglaran las cosas». Eso había ocurrido ocho meses antes y todavía seguía con ellos. Explicaba que cada vez se veía más implicada en la psicodinámica de su antigua familia, las relaciones insanas que habían marcado su niñez. «¿Y cómo se siente?», le pregunté. «Siento que no puedo respirar», me contestó.

También recuerdo un paciente ya mayor que había estado cierto tiempo detenido por un régimen cruel como prisionero de guerra. Le había aparecido una urticaria idiopática crónica poco después de su liberación, hacía ya bastantes años. Estaba preocupado «por las constantes heridas y el picor». No había manera de pararlo. «Me molesta cuando duermo y cuando estoy despierto», me decía. Cuando inquiría a ver si pudiera estar relacionado con el estrés de su experiencia de la guerra, me contestaba con acritud. No le había hablado del tema a nadie y no iba a empezar ahora. La expresión se le endureció con determinación, y se quedó mirándome, a la espera de una pregunta sobre otro tema. Estaba claro que lo había molestado, así que por lo tanto respeté su derecho al silencio. Pero sospechaba que toda esa carga de dolor no compartido estaba «constantemente» con él y que le hería y le frustraba en gran medida. También alteraba su sueño y cada momento del día.

Los efectos del cuerpo sobre la mente

Me maravillo de la eficiencia de los antidepresivos en el tratamiento de la depresión. Al menos, el efecto que tienen de levantar el ánimo cuando se utilizan juiciosamente muestra la naturaleza «física» de la depresión. Un agente físico, una droga, puede provocar un efecto beneficioso sobre la mente. La propia depresión a menudo es el resultado de tensiones de la vida diaria, y aunque las circunstancias adversas todavía sigan presentes, los tratamientos físicos no resultan contraproducentes. No estoy abogando por el uso indiscriminado de antidepresivos en cada momento de «tristeza»; es más, estoy a favor de la orientación psicológica para conseguir las mejores estrategias para superar el estrés, pero ahora ésta no es la cuestión. El asunto es que lo «físico» y lo «psicológico» parecen estar entrelazados. Hay muchos otros ejemplos de esto. De hecho, más de doscientas medicinas, desde los contraconceptivos orales a las pastillas para el estrés, pueden alterar el estado de ánimo de alguna manera. De forma similar, el alcohol, una droga social, tiene efectos inmediatos y bien conocidos sobre el estado psicológico; y las drogas ilícitas, como la marihuana y la heroína, además de los efectos de alteración del estado de ánimo, se sabe que provocan psicosis en las personas con propensión a padecerla.

Los síntomas psicológicos pueden ser provocados por una enfermedad física. No me refiero a la reacción psicológica del paciente a la enfermedad física, sino al hecho de que los procesos moleculares de la enfermedad pueden causar síntomas psicológicos. Hay muchos ejemplos:

- La depresión puede preceder varios meses a la aparición de la enfermedad de Parkinson o del cáncer, mucho antes de que el paciente sepa que está enfermo.
- La depresión puede estar causada por una glándula tiroidea poco activa.
- La ansiedad puede causarla un tiroides hiperactivo.
- La ansiedad puede ser el primer síntoma de la anafilaxia, etc.

¡Y podría seguir y seguir! Las enfermedades físicas pueden inducir falsas ilusiones, alucinaciones e incluso problemas de personalidad. Los denominamos síndromes cerebrales orgánicos, que no es más que otra forma de decir síndromes cuerpo-mente. Son síntomas psicológicos provocados por mecanismos «físicos». En concreto, son el resultado de interacciones cerebro/sistema inmunológico y sistema endocrino/cerebro. Recuerde, los síntomas psicosomáticos se originan en la mente y se sienten en el soma. Estos síntomas, en cambio, se originan en el soma y se notan en la mente, son somatopsíquicos. A la luz de todo esto, no podemos seguir diciendo que la depresión es una «cuestión de la mente».

A lo largo de este libro hemos podido ver varios casos de «alergia» somatopsíquica. Los niños hiperactivos y los adultos con depresión o fatiga que mejoran con una dieta de bajo contenido alérgico forman parte de esta categoría. La depresión y la ansiedad, que tan a menudo complican las sensibilizaciones químicas y la fermentación del intestino, también pueden considerarse del mismo grupo. Una vez más, tenemos que admitir que no hemos llegado a comprender los mecanismos moleculares precisos por los que se producen estas interacciones, pero respetamos las observaciones clínicas que los demuestran. Además, existen otros efectos somatopsíquicos todavía por considerar. Por ejemplo, ¿por qué una minoría de niños autistas mejoran con la dieta de bajo contenido alérgico? Las posibilidades son interesantes, por decirlo discretamente. Una está relacionada con el gluten. Las moléculas de este alimento son, verdaderamente, muy complejas. Cuando lo consumen personas sanas, se parte en pedazos más pequeños llamados péptidos, y luego en trozos aún más reducidos llamados aminoácidos. Los péptidos del gluten se comportan igual que los péptidos de los opiáceos, que son sustancias con una actividad parecida a la del opio. Si un niño autista carece de la enzima que desdobla estos péptidos opiáceos, éstos pueden correr por la sangre y ejercer un efecto directo en la función cerebral. *Hay* un grupo de autistas que tiene niveles altos de péptidos del gluten en la orina y bajos niveles de enzima en la sangre.

Quizá lleguemos a desentrañar los mecanismos de la fatiga o la depresión somatopsíquica si descubrimos defectos parecidos en éste o en otros mecanismos enzimáticos. Igualmente, quizá lleguemos a averiguar por qué algunos pacientes sufren ansiedad e hiperventilación cuando comen algo que su organismo no tolera. Sin embargo, y por interesante que sea, el lector avezado e imparcial querrá saber qué papel desempeña el efecto placebo en todo esto. Se trata de una cuestión razonable y tiene que tratarse con atención.

El efecto placebo

Un médico joven tenía una vez una paciente que estaba día tras día en cama, incapacitada por síntomas extraños. Se hizo todo lo posible por hallar la causa, pero no se descubrió nada. Una mañana, el médico se acercó a la enferma y le dijo que por fin había descubierto una cura. Le dio una inyección de agua esterilizada. Más tarde, ese mismo día, la mujer les decía a los médicos que hacían la ronda por las salas que no se había encontrado tan bien desde hacía muchas semanas, y que la inyección, fuera lo que fuese, había dado resultado. Se trataba de una respuesta placebo. La enferma mejoró simplemente porque se lo dijo el médico y porque ella se lo creyó. El médico pensó entonces que había descubierto la verdadera naturaleza de sus males, es decir, que «estaban en su cabeza». Aparte de que se podría cuestionar la ética de tal engaño, nunca había estado más lejos de la verdad. No comprendía las diferentes manifestaciones del efecto placebo. Sabía que, en efecto, toda mejora de la paciente se debía a una respuesta placebo, ya que no existe nada farmacológicamente activo en el agua esterilizada. Pero se equivocaba al sacar la conclusión de que todos los síntomas eran imaginarios. Se había equivocado al valorar en toda su amplitud el poder que la mente puede tener sobre el cuerpo, y que los síntomas físicos muy reales (al igual que los imaginarios) pueden mejorar gracias al placebo.

No sabía, por ejemplo, que el 30 % de los pacientes en postoperatorio experimentan una mejoría de los dolores cuando se les proporciona un placebo, y a nadie se le ocurre decir que estos pacientes no sufren dolores. Su dolor es tan real como el sufrimiento que provoca. La respuesta a un placebo (comprimidos de color a base de azúcar) demuestra el poder de la sugestión. Si me tomo algo que creo que me va a quitar el dolor, existen muchas posibilidades de que me lo quite, no porque sea un analgésico, sino porque *creo* que es un analgésico y eso tiene una respuesta directa y mensurable en mi cerebro. Una vez más, los procesos del pensamiento se relacionan con los procesos bioquímicos del cerebro. En esta situación de placebo mental, el propio cuerpo elabora sustancias parecidas al opio. Se denominan endorfinas (*endo,* que significa «dentro de» y *orfinas,* que se refiere al parecido con la morfina): si tomo una medicación que bloquea mis receptores de endorfinas, el efecto placebo falla. Por ello, el efecto placebo es otra manifestación de la indivisibilidad de la mente y el cuerpo. Otro famoso ejemplo del efecto placebo es la dosis increíblemente baja de analgésicos que necesitan los soldados heridos en una guerra. Tienen la felicidad de quien se sabe vivo y va de vuelta a casa. Ese abrumador sentimiento es superior a cualquier dolor.

Los placebos se utilizan en investigación para probar las ventajas de un tratamiento cuando está en experimentación. Se divide a los pacientes que tienen una enfermedad determinada de manera aleatoria en dos grupos. Uno recibe el principio activo; el otro, un placebo, por lo general una pastilla de azúcar. La doble prueba a ciegas es aquella en la que ni el médico ni el paciente saben lo que se les ha dado. La prueba sencilla es aquella en la que el médico sí conoce lo que se le ha dado al paciente. Estas pruebas son muy habituales, ya que constituyen la única manera de ver si un medicamento tiene efectividad real. Si es más efectivo que el placebo, vale. Si no lo mejora, no sirve. Los placebos también se utilizan para elaborar un perfil fiable de los efectos secundarios de las medicinas. Los pacientes que toman el placebo en estas pruebas suelen quejarse de efectos secundarios. Puede aceptarse, entonces, que los pacientes que toman el principio activo puedan sufrir también efectos secundarios; no sólo por el propio principio, sino debido a su preocupación por el medicamento.

Ahora hay que plantearse esta cuestión del efecto placebo en relación a las alergias y las enfermedades relacionadas con ellas. Sabemos, según hemos visto con sir James, que puede ocurrir y, de hecho, ocurre. En realidad puede pasar en cualquier especialidad de la medicina y en cualquier enfermedad. Los escépticos se van a interesar por la mejoría que se haya notado con la dieta de bajo contenido alérgico. ¿Es que efectivamente había una intolerancia alimentaria? De igual manera, la mejoría experimentada al evitar los productos químicos o seguir el régimen para la fermentación intestinal no prueba necesariamente que fueran la causa de los síntomas. La única «prueba» real, si es que hace falta, es que los efectos placebo no son duraderos. Se esfuman. Puede que duren unos días, unos meses, pero seguro que desaparecen. Ésa es la razón por la que los casos sólo se hacen públicos cuando el tiempo los ha comprobado. El propio hecho de que este libro esté lleno de historias clínicas es una demostración de la veracidad de las enfermedades descritas y de la eficacia de un tratamiento adecuado. Como médicos, nos gustaría someter nuestras teorías a las pruebas a doble ciego que antes mencionaba; pero está claro que las enfermedades son demasiado complejas y las respuestas a los tratamientos demasiado particulares como para llevar a cabo un reduccionismo de esa clase. Nos contentamos con seguir trabajando con la observación clínica y la experiencia.

Sexta parte

PRUEBAS DE ALERGIA Y TRATAMIENTO

Capítulo 17

Comprender las pruebas de alergia

Thomas Willis era el médico personal de Carlos II a mediados del siglo XVII. Era uno de aquellos hombres valerosos que tenía que practicar la medicina sin la ayuda de análisis de laboratorio y sin disponer de nada en que confiar, excepto su experiencia clínica. Tanto él como sus colegas fueron maestros en el arte de preparar historias clínicas, en la observación y el reconocimiento físico con técnicas que han llegado hasta nosotros. Un día hizo un descubrimiento: ¡la orina de un diabético era «dulce como la miel!». Ésa fue una de los primeras pruebas clínicas descritas, y se empezó a recomendar a los médicos que la usaran para formular un diagnóstico. Hoy en día, afortunadamente, no tenemos que probar la orina para diagnosticar la diabetes; utilizamos un inmaculado análisis químico para detectar la presencia de azúcar en la sangre y en la orina. También tenemos acceso a muchos otros análisis de laboratorio. Nos ayudan a confirmar o negar nuestro diagnóstico clínico.

Para que un análisis de diagnóstico sea útil debe ser suficientemente sensible y específico. El análisis ideal es el que tiene una sensibilidad del 100 %, y una especificidad del 100 %, pero lo ideal apenas existe en la medicina. Nos contentamos, por tanto, a la hora de comprobar una enfermedad, en utilizar un análisis que vaya a ser: 1) positivo en casi todos los casos en que la enfermedad se encuentra presente; y 2) negativo en casi todos los demás. En otras palabras, buscamos análisis que nos den pocos falsos positivos o negativos. En la práctica clínica, combinamos la historia clínica, la observación, el reconocimiento físico (y mental) y los resultados de los análisis *fiables* antes de hacer un diagnóstico. Repitiendo las palabras de un sabio colega, «los análisis de alergias no tienen que servir para decirnos lo que no sabemos, sino para confirmar nuestras sospechas clínicas».

Cuando aparece la alergia existen varios análisis de diagnóstico que nos pueden ayudar. Son:

1. Análisis de sangre para alergias de la IgE.
2. Pruebas de punción cutánea y de intradermorreacción para alergias de tipo 1.
3. Pruebas de parches para alergias de contacto.
4. Pruebas dietéticas para intolerancias alimentarias.
5. «Vacaciones» químicas para la sensibilización química.
6. Análisis de sangre para detectar la fermentación del intestino.

1. Análisis de sangre

Los únicos análisis de sangre fiables en las alergias son los que determinan la IgE. Pero incluso en ese caso hay que actuar con precaución antes de establecer un diagnóstico. Lo hemos visto y repetido una y otra vez a lo largo de este libro. El análisis de sangre más habitual se denomina RAST. No me pregunte lo que significan las iniciales, basta saber que es ciencia. El análisis puede determinar el nivel de IgE en la sangre y puede determinar los alergenos que reconoce la IgE. Aunque sea tan fiable, un RAST negativo no excluye la alergia.

2. Pruebas de punción cutánea

La primera prueba de punción cutánea, como tantos descubrimientos en la medicina, fue accidental. Un médico miraba a su gato mientras cruzaba el césped y se le acercaba. El gato le arañó e, inmediatamente, le apareció un habón en la zona. Su capacidad de observación le hizo ver que la causa de la reacción era el césped que el gato tenía en las uñas y no el mismo gato, ya que un arañazo limpio no le hubiera producido la reacción.

Las pruebas de punción cutánea son muy fiables. El procedimiento es relativamente sencillo y puede realizarse en la consulta, en menos de veinte minutos. Pueden comprobarse varios alergenos diferentes al mismo tiempo. Se deposita una gota de cada alergeno en la cara interna del antebrazo y se efectúa una puncion en la piel que queda debajo de cada gota con una lanceta muy fina (1 mm). Así, una mínima cantidad del alergeno se pone en contacto con los mastocitos de la piel. Si los mastocitos contienen la IgE de ese alergeno en concreto, la liberan y dan lugar a un habón de urticaria. Como ya sabemos, los antihistamínicos bloquean la respuesta en forma de urticaria, por lo tanto el paciente no debe estar medicándose con antihistamínicos para que el análisis sea fiable. En general, podemos decir que «cuanto mayor sea la reacción, más importante es el alergeno». Como las clínicas alérgicas están repartidas por todo el mundo, difieren considerablemente sobre lo que se busca: naturalmente esto refleja las diferencias alérgicas entre un país y otro. Yo suelo analizar:

Polen del césped
Polen de hierbas
Polen de árboles
Polen del ábedul
Ácaros del polvo doméstico
Plumas
Lana de oveja
Cladosporium, alternativa y otros mohos
Trichophyton (el hongo del pie de atleta)
Alergenos del gato
Caspa de perro
Pelos de caballo
Pelos de ganado
Cualquier otro alergeno que la historia clínica me sugiera.

Todos estos alergenos se transmiten por el aire, excepto la candida. *Incluso el alergeno del pie de atleta puede transmitirse por el aire, ¡especialmente al quitarse los calcetines!*

También podemos utilizar la prueba de punción cutánea para las alergias de tipo 1 a los alimentos. Sin embargo, hemos de ir con mucho cuidado cuando tratamos a pacientes que hayan tenido reacciones alérgicas graves o potencialmente graves. En estos casos, se hace la prueba con un único alimento o con pocos alimentos a la vez. También es necesario diluir estos alergenos, incluso en diluciones de 1 a 15.000. Eso limitará las posibilidades de que se provoque una reacción alérgica grave durante la prueba. Si la prueba con la dilución de 1 a 15.000 es negativa, se quintuplica la dilución, hasta que se produzca una reacción positiva en la piel. Si la dosis completa del alergeno resulta negativa, procedemos cuidadosamente con las pruebas intradérmicas.

Pruebas cutáneas de intradermorreacción

Una prueba de intradermorreacción implica la inyección del alergeno entre dos capas de la piel. Se trata de una alta dosis de alergeno que reciben los mastocitos, proporcionándoles las condiciones para que puedan reaccionar. Si aun así no se produce ninguna reacción, seguimos con un control dietético. Se le coloca al paciente una pequeña cantidad de alergeno en el labio y esperamos. Entonces, si no hay reacción, le hacemos ingerir un poco y esperamos. Vamos aumentando la dosis hasta que se produzca alguna reacción o bien hasta que el paciente ingiera lo que se considera una porción normal del alimento sospechoso. No hace falta decir que este procedimiento requiere mucho tiempo y es potencialmente peligroso. Sólo debe hacerse bajo control médico y teniendo a mano el adecuado tratamiento de urgencia.

3. Pruebas de parches para alergias por contacto

La prueba de parches es la que se realiza colocando cuidadosamente alergenos sospechosos sobre la piel de la espalda del paciente (o la cara externa del brazo). En la mayoría de los casos el parche se deja colocado por espacio de cuarenta y ocho horas. Durante ese tiempo, el paciente tiene que tener la precaución de no mojarlo mediante la transpiración o al lavarse. Por lo tanto, nada de duchas, baños o natación. ¡Tampoco trabajos que requieran esfuerzo físico! Entonces, se saca el parche y se obtiene el primer resultado. Una reacción positiva se caracteriza por el enrojecimiento de la piel, una inflamación y la aparición de ampollas. El alergólogo debe distinguirla de una reacción irritativa. El paciente debe volver a la clínica dos días después (noventa y seis horas) para hacerle una segunda lectura. Esta visita sirve para comprobar reacciones «tardías». A no ser que exista una buena razón que haga pensar en un alergeno infrecuente (profesional), se suele utilizar un panel de comprobación que contiene los alergenos más corrientes. Este panel se denomina batería europea estándar para pruebas de parches. Aunque la mayoría de los alergenos que aparecen en la lista que sigue puede que no sean muy conocidos, todos conocemos los materiales en los que se encuentran (y aquellos con los que tenemos mayor contacto).

1. *Dicromato potásico.* Posible contacto en todos los materiales y productos de la casa: tinta azul y negra, tintes, piel teñida, impregnación y corrosivo en telas y pieles, madera, cemento, industria de la pintura, sales de cromo (galvanizaciones), vapores de las soldaduras, productos químicos de laboratorio y fotográficos.
2. *Sulfato de neomicina.* Antibiótico aminoglucósido. Se encuentra en muchos medicamentos de uso externo: cremas, polvos, gotas para los ojos y el oído, etc. Puede reaccionar con otros aminoglucósidos (kanamicina, framicetina, gentamicina y estreptomicina).
3. *Tetrametiltiuram.* Acelerador de la vulcanización en la industria de la goma y en todos los productos de goma: botas, zapatos, guantes, cinturones, máscaras, cinta adhesiva, estetoscopios, catéteres, esponjas, vendas elásticas, nebulizadores antisépticos, neumáticos, juntas, sillas de montar y tiradores de goma. También aparece como conservante en insecticidas, repelentes, lubricantes, tratamientos para la sarna, tratamientos fúngicos, tratamientos antialcohólicos, antídotos contra la intoxicación por níquel.
4. *Parafenilendiamina.* Tintes del cabello, del cuero y las pieles, algunas fotocopiadoras, colores de imprenta.
5. *Níquel (y cobalto).* Bisutería, cierres de cremallera, monturas de gafas, hebillas metálicas de los zapatos, plata, oro blanco, cuchillos, tenedores, otros utensilios de la cocina, horquillas del pelo y rulos, soportes metálicos de los pintalabios, monedas, asas de puertas, dedales y agujas, tijeras, material de escribir, etc. También en lejías, tintes del pelo y el cemento.
6. *Benzocaína.* Utilizado habitualmente como anestésico local. Puede utilizarse para curar los resfriados, en las medicinas para la tos, analgésicos, astringentes, protectores solares, desinfectantes, antiverrugas, supresores del apetito, medicinas contra el pie de atleta...
7. *Formaldehído.* Producción de plásticos y resinas sintéticas utilizadas en la fabricación de aglomerados de madera, tratamientos de superficies y espuma aislante. Desinfectantes en hospitales, laboratorios y en la esterilización de instrumentos; solución para fijar y conservar preparados de histología y anatomía. Desinfectante y conservante en toda clase de cosméti-

cos, incluyendo champú, jabón de baño, desodorantes, pasta dentífrica, laca de uñas, jabón, cremas, etc. También en ungüentos, polvos, comprimidos, gargarismos, antitranspirantes de la industria farmacéutica, etc. En productos industriales como: pegamentos, aceites, líquidos de perforación; acondicionador y finalizador en tejidos, pieles y cueros; productos químicos de fotografía.

8. *Colofonia:* Consiste en diferentes ácidos de las resinas. Se encuentra en el papel, cartón, tiritas, cintas adhesivas y colas, abrillantadores y ceras, cosméticos (laca de uñas, productos de depilación, pintalabios, cosméticos, etc.), medicamentos de uso externo y componentes dentales. También en productos de goma sintética, pavimentos, barnices, pinturas, materiales selladores, secantes, soldaduras y fábricas de cerveza.
9. *Mezcla de quinolona.* Ungüentos y pomadas contra las infecciones fúngicas de la piel, preparaciones antiinflamatorias tópicas, cicatrizantes.
10. *Bálsamo del Perú.* En numerosos medicamentos por vía tópica; como fragancia en cosméticos, tabaco, materiales dentales y colores al aceite.
11. *Isopropil-fenil-parafenilendiamina.* En el caucho (neumáticos), guantes de goma, cintas, botas y máscaras.
12. *Alcoholes de lana.* Ungüentos tópicos, cosméticos, jabones, champú, pintalabios, tinta de imprenta, abrillantador de muebles, líquidos técnicos, selladores de metales, impregnaciones de tejidos y cuero, cera de esquíes, aislante para metales.
13. *Mezcla de mercapto.* Productos de goma de todas clases: neumáticos, goma dura, goma para tejidos, componentes de goma para zapatos y botas, etc.
14. *Resina epoxi.* Utilizada en la industria: electricidad, plásticos, materiales ortopédicos y dentales, componedores y gafas, vaciado de moldes, pegamentos, pinturas (en especial anticorrosivas, esmaltes, pinturas metálicas, cemento y piedras). Plásticos reforzados con fibra de vidrio, materiales de construcción.
15. *Parabencenos.* Utilizados principalmente como conservantes en farmacia y cosmética. Las medicinas tópicas u orales pueden contener parabencenos. Cremas, lociones, maquillaje, pintalabios, jabones, cremas para el sol, depilatorias, lociones

para después del afeitado. También aparece en los alimentos: escabeche, productos del pescado cocido o frito, mayonesa, salsas picantes, salsas para ensaladas, mazapán. También en aceites técnicos, pegamentos, betún.

16. *Resina p-BPF.* Como pegamento en zapatos, cueros y correas de reloj, cinturones, artículos de goma, sellado de mampostería, coches, uñas de porcelana, prótesis y lana de vidrio.
17. *Mezcla de olores.* Cosméticos (loción para después del afeitado, pomadas, enjuagues bucales, perfumes, pintalabios, vaporizadores, maquillaje, etc.); medicamentos, líquidos industriales y agentes limpiadores. También en los alimentos: helados, chicle, pan, pasteles, dulces, golosinas, chocolates.
18. *Dihidroclorato de etilendiamina.* Estabilizante en medicinas (por ejemplo en teofilinas). También en: la industria química, agente anticorrosivo en pinturas, revelador de color, endurecedor en resinas, gomas, fungicidas e insecticidas, ceras sintéticas.
19. *Cuaternarios.* Ungüentos, cremas y lociones; cosméticos de todas clases, abrillantadores y colorantes.
20. *Isotiazolinas.* Cosméticos, suavizantes, pegamentos, acuarelas, abrillantadores y tratamientos para la madera.
21. *Mercaptobenzotiazol.* Productos de goma, aceites técnicos, alambres, fungicidas, preparaciones médicas veterinarias.
22. *Primina.* El alergeno de *Primula obconica.* Aparece en las prímulas y reacciona con algunas orquídeas, jacarandas, la teca y las esponjas naturales.

4. La dieta de bajo contenido alérgico para la intolerancia alimentaria

Imaginemos una situación como la que sigue. Una persona se ve metida en un laberinto de constantes enfermedades. En un momento dado queda frente a frente con una puerta. Está cerrada, pero se puede ver la luz del día a través de una mirilla. Tiene que buscar la forma de abrirla, así que la va examinando con cuidado. Se ven cinco cierres pero no hay manera de saber cuál es el que mantiene cerrada la puerta. Decide probarlos uno a uno. Mueve el primero y empuja. Hay resistencia. Deja ir el primer cierre, porque cree que no es importante y va al segundo. Otra vez encuentra resistencia. Los prueba todos, pero la puerta sigue cerrada. Tiene entonces una idea brillante: quizá son dos o más cierres a la vez los que bloquean la puerta. Se saca la bufanda y con ella ata todos los cierres a la vez. Tira con fuerza y se abren todos los cierres. ¡Ya está libre!

Sólo hay una forma de escaparse del laberinto de la intolerancia alimentaria: hay que dejar de comer todos los alimentos habituales al mismo tiempo. No tiene sentido intentar controlar individualmente los alimentos, sólo se provoca confusión. Por ejemplo, si se excluye un alimento de la dieta y persisten los síntomas, se reintroduce ese alimento (en la creencia de que no es importante). Luego se excluye otro, persisten los síntomas, etc. Nunca se llega a abrir la puerta que provoca la enfermedad. El ayuno total podría ser en cierto modo el mejor tratamiento, pero produce por sí mismo algunos problemas. El ayuno le quita al sistema inmunológico su materia prima, por así decirlo, y no puede iniciar una respuesta inflamatoria con el estómago vacío. Los síntomas pueden mejorar, pero se recrudecen tan pronto como se vuelve a comer, sea cual sea el alimento. En la práctica, por tanto, lo que hacemos es permitir diez o doce alimentos de poco potencial alérgico, que el paciente no suele consumir regularmente.

Investigación dietética para la intolerancia alimentaria, 1ª etapa

Una advertencia. Los jóvenes con eccema moderado o grave no deberían utilizar esta dieta a no ser bajo la supervisión de un médico especialista. Corren el riesgo de sufrir reacciones graves durante la reintroducción de la leche, incluso en el caso de que no las hayan padecido antes. Los que sufren migraña y han perdido la movilidad de un brazo o una pierna o los que hayan sufrido problemas visuales graves durante un ataque, también tienen que vigilarse especialmente. ¡Podrían sufrir la peor migraña de su vida!

Finalmente, es obligatorio asegurarse de que todos los pacientes finalicen con una dieta que sea a la vez socialmente aceptable y nutricionalmente adecuada. No se tiene que obligar a nadie a utilizar una dieta con restricciones si los posibles beneficios no quedan claros. Si es necesaria una restricción en la dieta, busque ayuda médica previamente para asegurarse un consumo adecuado de calorías, calcio, etc.

Hay que tener presente que, una vez identificados los alimentos culpables del problema, existe un tratamiento efectivo para aumentar la tolerancia a éstos (véase el capítulo 18).

La dieta de bajo contenido alérgico típica se inicia con los siguientes alimentos (preferiblemente frescos): cordero, salmón, bacalao, trucha, platija, brécol, chirivía, nabo, peras. Hay que utilizar aceite de oliva para cocinar. Para beber, agua mineral con o sin gas.

Durante la 1ª etapa hay que recordar:

- Es preferible iniciar la dieta bajo supervisión médica.
- Se debe seguir la dieta de siete a catorce días, en función de los síntomas. Los que padecen artritis reumatoide, por ejemplo, tendrán que seguirla catorce días (y quizá más). También deben eliminar la carne.
- Si no está en la lista, no se puede comer. Queda claro que nada de pan, pasteles, salsas, cereales, ni helados ni leche, etc.
- De los alimentos permitidos se puede comer la cantidad que se desee, en cualquier combinación, en cualquier momento.
- Es aburrido, pero no se pasa hambre.
- Hace falta fécula que dé energía. Hay que comer ñame al menos tres veces al día.
- Todo tiene que ser fresco. Se puede congelar en casa si se desea, ya que así no se utilizan productos químicos en el proceso.
- No fumar, ni tomar té ni café.
- Si se utiliza sal, tiene que ser pura, sin aditivos químicos.
- Tomar de una a dos cucharaditas de sulfato de magnesio durante los dos primeros días, especialmente si se está estreñido. No tomarlo en casos de diarrea.
- Lavarse los dientes con bicarbonato sódico y agua. La pasta dentífrica contiene productos químicos y maíz. Echar una cucharadita de bicarbonato en un vaso de agua, remover con el cepillo de dientes y cepillar la boca a continuación.
- No humedecer sobres o sellos con la lengua. La cola contiene almidón de maíz y otros alimentos.
- ¡Vigile las medicinas! Muchos medicamentos salen de fábrica con maíz, patatas, trigo, azúcar, etc. Hay que evitarlos si es posible, pero no se debe dejar una medicación recetada por el médico sin consultárselo antes. **Es peligroso interrumpir una medicación sin consejo médico.**

- Ésta es una dieta de diagnóstico. Por lo tanto es muy importante limitarse *estrictamente* a los alimentos permitidos. Es *la única manera* de saber qué alimentos causan síntomas y cuáles no.
- Puede que durante los primeros días de dieta aparezcan dolores de cabeza, dolores musculares, fatiga y cansancio. Son los síntomas de la renuncia, muy parecidos a la gripe. Si son graves, se puede tomar paracetamol soluble y una bebida compuesta de dos cucharaditas de bicarbonato sódico disueltas en un vaso de agua caliente.
- Es apropiado, mientras dura la dieta, evitar las exposiciones a productos químicos, es decir, a todo lo que huela: lejías, flores, abrillantadores, perfumes, jabones de olor, etc.

Investigación dietética de la intolerancia alimentaria, 2ª etapa

La dieta de bajo contenido alérgico elimina los síntomas de la intolerancia alimentaria. El que los síntomas desaparezcan en el momento en que se dejan de consumir los alimentos habituales, es una indicación de que los causaba principalmente el consumo de esos alimentos. Por el contrario, cualquier síntoma que siga presente al finalizar la dieta de bajo contenido alérgico no se puede achacar a los alimentos que no se han consumido. Por lo tanto, si los síntomas persisten, hay que abandonar la investigación y buscar ayuda especializada. Las posibilidades:

1. El paciente no presenta intolerancia alimentaria y los síntomas tienen una causa completamente diferente.
2. El paciente tiene la mala suerte de acusar intolerancia a algún alimento de los autorizados en la primera etapa de la dieta.
3. Los síntomas se deben a la sensibilidad química o a una fermentación intestinal.

Si se produce una sustancial reducción de los síntomas se pasa a la segunda etapa. Es el momento de hacer la prueba de los alimentos uno a uno. El período de purificación de la primera etapa cumple dos funciones. Primero, desde luego, elimina los síntomas. Segundo, e igual de importante, prepara al sistema para reaccionar ante alimentos nuevos a medida que se introducen. En otras palabras, las reacciones de intolerancia a los alimentos serán mucho más evidentes porque se ha lavado el sistema. Cualquier cosa que altere este estado de mejoría tiene que considerarse como una reacción, a no ser que se compruebe otra cosa.

En la 2ª etapa (y en la 3ª y 4ª), intentaremos hacer reaparecer los síntomas. Se reintroducirán los alimentos uno a uno e identificaremos los causantes de los síntomas. La mayoría de reacciones a los que siguen aparecen a las cinco horas de la ingestión, aunque algunos, como la carne, pueden necesitar un poco más. Los alimentos que tardan más en producir una reacción se prueban al atardecer. Así tienen parte de la tarde y toda la noche para reaccionar (si es que reaccionan). De este modo, si el paciente se despierta por la mañana con algún síntoma, hay que culpar al alimento nuevo de la noche anterior. Las normas son:

1. Los alimentos nuevos tienen que probarse uno a uno.
2. Hay que dejar un intervalo de cinco horas antes de cada nuevo alimento.
3. Consumir cualquier alimento que sea seguro junto al que se introduce, o en el intervalo entre nuevos alimentos.
4. Cualquier síntoma que se experimente durante la prueba debe achacarse al último alimento introducido.
5. Controlar el dolor de cabeza, de articulaciones, los sofocos, el moqueo, el escozor en la piel, la depresión, la fatiga, la diarrea, el inflamación, las náuseas, etc. Hay que culpar siempre al alimento, no hay que racionalizar.
6. Si hay dudas con algún alimento, hay que eliminarlo. No tiene importancia si por error se considera causante de síntomas un alimento, porque puede volverse a probar (al cabo de cinco días). Lo que sí tiene importancia es que involuntariamente se reintroduzca un alimento problemático en la dieta.
7. Si no se produce reacción a un alimento, hay que considerarlo seguro, y se puede consumir tanto como se desee a partir de ese momento.
8. Si hay una reacción, *hay que dejar de probar nuevos alimentos*. Y no comer nada nuevo hasta que desaparezcan los síntomas. Hay que consumir exclusivamente alimentos seguros mientras se espera que remitan los síntomas.
9. Si la reacción es importante, hay que tomar paracetamol soluble y una bebida compuesta de dos cucharaditas de bicarbonato sódico disuelto en un vaso de agua caliente.
10. Hay que reintroducir los alimentos como se explica a continuación:

Día	Desayuno	Comida	Cena
1	Apio	Plátanos	Arroz
2	Tomates	Zanahorias	Cebollas
3	Melón	Coliflor	Ternera
4	Agua del grifo	Lechuga	Pollo
5	Naranjas	Setas	Haba de soja*
6	Leche de vaca, 1 vaso	Repollo	Pavo
7	Té, una taza	Manzanas	Levadura+
8	Mantequilla	Piña	Cerdo
9	Huevos	No introducir#	Patatas
10	Queso *cheddar*	No introducir#	Espinacas

* Poner en remojo las habas durante ocho horas, hervir noventa minutos, trocear y mezclar con carne y cebolla picada (si es segura) para hacer una hamburguesa.

+ Triturar tres pastillas de levadura en un alimento seguro.

Los huevos y el queso necesitan más de cinco horas para producir una reacción.

Hay que llevar un diario detallado de los alimentos consumidos y de los síntomas que se experimentan durante toda la investigación:

Nuevo alimento probado	Hora de consumo	Síntomas, si los hay	Lista de alimentos seguros
Apio	Lunes, 8,00	Ninguno	Apio
Plátanos	Lunes 13,00	Dolor de cabeza a los treinta minutos. Duró dos horas	—
Arroz	Lunes 18,00	Ninguno	Arroz

Investigación dietética para intolerancia alimentaria, etapa 3ª

Tratamos ahora de los cereales y el azúcar. Se diferencian de los alimentos de la 2ª etapa en que no siempre producen una reacción tan inmediata. Pueden tardar de dos a tres días en provocar síntomas. De este modo, se puede consumir trigo un lunes, un martes y un miércoles y despertarse el jueves con una migraña. Por esta razón se aplican reglas diferentes, especialmente en relación a la duración de cada prueba. Por cuestiones de variedad, se incluyen en esta lista alimentos que reaccionan a las ocho horas del consumo.

Día	Nuevo alimento	Notas
1 2 3	Trigo	Prueba en forma de pasta integral, cereales para el desayuno o pan integral hecho en casa (utilizar harina integral, sin añadir harina blanca, levadura, un huevo, si es seguro y mantequilla si la leche es segura). Hay que comer alguna forma de trigo en cada comida durante los tres días
4	Café Pimienta	Recién molido, sólo una taza con el desayuno Polvo de pimienta negra en la cena
5	Azúcar de caña	Azúcar moreno Tomar dos cucharaditas en cada comida durante un día
6	Coco Cacahuetes	Úsese desecado o en crema con el desayuno Consumir el cacahuete crudo con la cena
7	Azúcar de remolacha	Azúcar blanco normal de mesa Dos cucharaditas en cada comida durante un día
8 9	Maíz	Utilizar de dos maneras: en la mazorca y en glucosa en polvo. También en forma de palomitas caseras y harina pura si gusta. Comenzar cada comida con maíz fresco en mazorca y acabar con dos cucharaditas de glucosa en polvo
10	Coliflor Ajo	Para desayunar Con la cena
11 12	Avena	Probar en forma de gachas, pasteles y/o galletas de avena (copos de avena, azúcar si es seguro y mantequilla) Consumir alguna forma de avena en cada comida dos días completos
13	Malta	Utilizar el extracto, mezclar dos cucharaditas en una comida segura en todas las comidas del día
14 15	Centeno	Probar en forma de pan de centeno. Consumir un poco en cada comida los dos días

Observaciones: Recuerde, si al levantarse por la mañana nota algún síntoma, achāquelo al alimento introducido el día anterior. Abandone la prueba tan pronto como note alguna reacción.

Investigación dietética para intolerancia alimentaria, etapa 4ª

Ahora ya se sabe qué ingredientes son seguros y cuáles pueden causar problemas. Vamos a la cuarta etapa. No tiene un final claro y puede durar todo lo que se quiera. Durante los primeros siete días se pone una atención especial en los aditivos químicos que el hombre añade a los alimentos. A partir de ese momento se prueban los alimentos con múltiples ingredientes.

Ahora ya se puede comenzar con los alimentos que tienen múltiples ingredientes. Incluyen jamón, salsas, chocolate, pasteles, galletas, etc. Sin embargo, no hay que olvidar todas las otras posibilidades: pepinos, uvas, dátiles, espárragos, limón, lentejas, langostinos, coles de Bruselas, garbanzos, almendras, arenques, pipas de girasol, etc. Si algún alimento de múltiples ingredientes produce una reacción, hay que llegar a conocer la causa del problema (ya que se conoce el riesgo de los principales ingredientes).

Día	Nuevo alimento	Notas
1	Pan blanco	(Probar sólo si el trigo es seguro). Es una prueba para agentes antiendurecimiento, blanqueadores, etc.
2	Guisantes congelados	Están tratados con dióxide sulfuroso y otros productos químicos
3	Café instantáneo	Está torrefactado sobre una llama de etileno y contiene muchos productos químicos
4	Zanahorias en conserva	Si las zanahorias crudas son seguras, y se produce reacción con las conservadas en agua (hay resina fenólica cubriendo la lata), hay que tener cuidado con todos los alimentos enlatados
5	Glutamato monosódico	Se utiliza como potenciador del sabor, especialmente en la comida china
6	Sacarina	Es un endulzante que se esconde en algunos refrescos y pasteles. Tomar dos pastillas como prueba
7	Uva pasa	También se tratan con dióxide sulfuroso

Investigación dietética para la intolerancia alimentaria: solución de problemas

Este apartado es para los pacientes que disfrutan de una gran mejora con la dieta de bajo contenido alérgico y luego se quedan confusos. Los síntomas pueden haber reaparecido sin haber notado reacciones claras. Ante todo, no hay que perder nunca de vista que se sufre una intolerancia alimentaria. En estos casos lo mejor es buscar ayuda especializada. Hay muchas situaciones que provocan confusión:

1. *Se ha reintroducido un alimento problemático en la dieta.* Hay que volver al punto donde todavía no había síntomas y comer exclusivamente los alimentos de los que se está seguro. Esperar unos cuantos días hasta que desaparezcan los síntomas. Vuelva a comprobar los alimentos, pero esta vez *consuma mayor cantidad.*
2. *Las reacciones necesitan más de cinco horas.* Volver al punto donde todavía no había síntomas y comer solamente los alimentos de los que se esté seguro. Esperar unos cuantos días hasta que desaparezcan los síntomas. Vuelva a comprobar los alimentos, pero esta vez deles más tiempo para reaccionar. Por ejemplo, dejar un día completo para los alimentos de la 2ª etapa; probar el trigo durante una semana, etc.
3. *Existe un problema de fermentación intestinal.* En este caso, los síntomas reaparecerán lentamente cuando se vuelvan a introducir en la dieta alimentos con hidratos de carbono (azúcares y féculas). Hacer una prueba de fermentación del intestino (Véase más adelante).
4. *Consumo muy alto de cafeína.* No se detecta reacción a una taza de té (o café), y se le considera por tanto alimento seguro. Pero se empieza a consumir demasiado. Limitar a una taza de café y a una de té al día hasta que finalice la investigación. Después ya se puede incrementar su consumo.
5. *Los productos químicos son acumulativos.* Los síntomas se pueden deber a la acumulación natural y/o a aditivos que se consumen al ampliar la dieta.

Fin de la investigación dietética. ¿Ahora qué?

Ha concluido la investigación dietética para la intolerancia alimentaria. Ahora existen dos opciones:

1. Evitar los alimentos problemáticos. Puede pasar que se toleren pequeñas cantidades de los alimentos inseguros luego de un período prolongado de abstinencia, de entre seis a doce meses. Es cuestión de probarlo.
2. Se puede optar por un tratamiento de desensibilización reforzado con enzimas (véase el capítulo 18). Este tratamiento aumenta la tolerancia a los alimentos y permite consumirlos sin que se produzcan los síntomas. Si se han producido reacciones múltiples o si los alimentos en cuestión son social o nutricionalmente difíciles de excluir, hay que considerar seriamente la posibilidad de este tratamiento.

Entretanto...

- Hay que intentar variar la dieta tanto como sea posible. Eso ayuda a prevenir la aparición de nuevas «alergias».
- El ejercicio enérgico regular es beneficioso para el cuerpo en general y para el sistema inmunológico en especial.
- Cuidado con los antojos, indican la aparición de nuevas intolerancias.

5. Las vacaciones químicas

Los pacientes que creen padecer una sensibilización química deberían organizarse unas «vacaciones» químicas. Por ejemplo, quince días sin acercarse a productos químicos. Ello implica un considerable trastorno en nuestro mundo moderno. El propósito de las «vacaciones» es ver si los síntomas desaparecen o no. Si desaparecen, la sensibilización química es una posibilidad real. Las vacaciones ideales implican el ingreso en una unidad de control ambiental. Se trata de un hospital altamente especializado que asegura un medio ambiente químicamente limpio. Todos los materiales utilizados en la construcción de la unidad están libres de productos químicos y el aire se filtra para evitar la entrada de elementos polucionantes. La unidad se mantiene a una presión positiva, es decir, que existe paso de aire desde el interior al exterior más que a la inversa. La plantilla y los visitantes tienen cuidado de no introducir en la unidad zapatos recién lustrados, ropa lavada en seco, perfumes, loción para después del afeitado, crema para el pelo, etc. A las visitas que denotan olores químicos se les ofrece una ducha y ropa limpia antes de entrar. Y si se niegan se les pide que vuelvan otro día mejor preparados. Los síntomas de sensibilización química desaparecen rápidamente en estas unidades. Luego se hacen pruebas con los pacientes en una cabina especial para descubrir la sensibilización a productos concretos (esto forma parte de la investigación que se hizo con los veteranos para analizar el síndrome de la guerra del Golfo).

Sin embargo, estas unidades son caras y están reservadas a los que pueden pagárselas y a los que de verdad lo necesitan. En la práctica, la mayoría de los pacientes sensibilizados químicamente puede arreglárselas preparándose sus propias vacaciones químicas. El primer requisito es una casa no polucionada por vapores petroquímicos de la combustión: en otras palabras, una casa libre de gas, gasoil, queroseno, etc. Lo ideal es una casa que funcione exclusivamente con electricidad, o bien que tenga la caldera en una construcción aparte. Vaya a casa de algún amigo si hace falta (nosotros lo hicimos).* Elimine de la vivienda todo lo que huela. Hará falta la ayuda de todos los de la casa para conseguirlo. No utilizar cosméticos, ambientadores, abrillantadores, etc. Abrir puertas y ventanas para ventilar la casa mientras el tiempo lo permita. Si desaparecen todos los síntomas, vuelva otra vez a su casa y siga las instrucciones para los sensibilizados químicamente. Estas medidas aumentarán la tolerancia a pequeñas cantidades de productos químicos. Si todavía aparecen los síntomas con demasiada facilidad, hay que considerar la posibilidad de un tratamiento de desensibilización potenciado con enzimas. Hará aumentar aún más la tolerancia.

6. Pruebas de *candida* y fermentación intestinal

Si la prueba de punción cutánea es negativa, no hay alergia a la *candida*. La fermentación intestinal es una dolencia completamente diferente que puede confirmarse con facilidad por medio de un aná-

* La historia de Aoife está recogida en *Feeling Tired All the Time.*

lisis de fermentación positivo. El procedimiento es muy simple, pero debe interpretarlo un médico especialista:

1. Nada de alcohol durante las veinticuatro horas anteriores a la prueba.
2. Ayuno total tres horas antes de la prueba.
3. Tomar un gramo de glucosa en comprimidos junto con cuatro gramos de glucosa disuelta en agua.
4. Una hora después, todavía en ayunas, se toma una muestra de sangre que se remite al laboratorio.
5. Se mide el nivel en la sangre de varios alcoholes: etanol, metanol, propanol y butanol.
6. La fermentación se confirma si hay niveles altos.
7. El origen de la fermentación (bacteriana o por levaduras) se conoce por el tipo de alcohol producido.

7. El bueno, el malo y el feo

Pocas veces existe un análisis en medicina que sea absolutamente fiable, y todos los que se han nombrado tienen diferentes grados de detección y especificidad. Son buenos, pero no son perfectos ni tampoco un fin en sí mismos. Tienen que interpretarse siempre en su contexto. Esto se cumple en todas las pruebas médicas, pero especialmente en los casos de alergia. Las pruebas dietéticas y químicas, en especial, son subjetivas. Dependen de la experiencia que tenga el paciente en la aparición y remisión de los síntomas. Se encuentran, por tanto, a merced del efecto placebo y de todas las demás variables de la naturaleza humana. A pesar de todos estos inconvenientes, muchos pacientes encuentran una remisión duradera de los síntomas al utilizar estos métodos.

No podemos dejar este tema sin referirnos a la plétora de «pruebas de alergia alternativas» que se ofrece: prueba vega, electrónicas, péndulo, adivinación, kinestesia, pruebas del pulso, etc. Todas con la presunción de poder decir en un segundo cuál es la alergia. También se pretende conseguirlo mediante varios análisis de sangre. Estos últimos no presagian nada bueno, ya que se colocan bajo el disfraz de la pseudociencia. No existe ninguna base racional en estas pruebas; ni detectan ni son específicas, y en cambio dan pábulo a interminables falsos positivos y negativos. En resumen, son inútiles. Su atracción, desde el punto de vista del paciente, es que ofrecen una solución rápida y fácil, además de evitar la meticulosa investigación dietética.

A muchos pacientes con intolerancia alimentaria la medicina ortodoxa les ha asegurado que «no eran alérgicos», a pesar de que el paciente sabía que sí lo era. Y por esa razón, buscan a alguien que respete su inteligencia. ¿Quizá usted sea uno de éstos? «Pues yo me hice mirar las alergias de esa manera y me sirvió.» No hay problema. Se han eliminado determinados alimentos de la dieta y ahora se encuentra mejor. Seguramente hay una intolerancia alimentaria, pero eso no justifica el método de diagnóstico.

Permítaseme ilustrar lo que comento. Imaginemos que tenemos enfrente cien personas con intolerancia alimentaria y supongamos que todos consumen una dieta normal de Europa occidental. Colocamos una diana en la pared y cambiamos los números de la diana por los nombres de nuestros alimentos principales. Nos colocamos una venda en los ojos y lanzamos diez dardos a la diana. Entonces, les decimos a todos los pacientes que eliminen los siguientes alimentos de su dieta: trigo, levadura, azúcares, productos lácteos, cafeína, chocolate y cítricos. Y además, lanzamos unos cuantos dardos de más por aquí y por allá sobre una base individual para que quede mejor. El resultado está garantizado: el 25 % mejorará en quince días. Hemos inventado un nuevo método de diagnóstico para las alergias: la prueba de la «diana con los ojos vendados». Habría que irla variando un poco, desde luego. Si tratáramos a la población de Estados Unidos, por ejemplo, aconsejaríamos a los pacientes que no consumieran cacahuetes y maíz; y si fuera población asiática, les diríamos que dejaran de comer arroz y haba de soja. ¿Por qué? Pues porque como regla general, sufrimos intolerancia hacia los alimentos que más consumimos. Si se eliminan esos alimentos se producirá una mejora de los síntomas relacionados con la alimentación.

Sin embargo, la prueba de la diana presenta varios problemas:

1. No es lo suficientemente específica. Los pacientes no llegan a saber cuál de entre los alimentos eliminados le causa el problema. El «diagnóstico» es incompleto.
2. No detecta suficientemente. Deja sin atender a un 75 % de los pacientes que no mejoran, y que tienden a pensar que no son intolerantes a los alimentos cuando en realidad sí lo son.

3. Se produce un tratamiento incompleto. A algunos pacientes se les ha aconsejado seguir una dieta muy severa durante muchos años. Sufren inconvenientes sociales graves (como mínimo) y corren el riesgo de padecer un déficit nutricional.

En conclusión, entonces, nuestra nueva prueba es bastante inútil, a pesar de que algunas veces funciona.

Por favor, compréndase que no tengo interés en despreciar la medicina alternativa o complementaria. Al contrario, creo que tiene mucho que ofrecer, especialmente por su adhesión a los tratamientos holísticos de la medicina. Es más, los auténticos profesionales de las terapias de la medicina alternativa comparten el punto de vista que acabo de expresar. Y además, los inservibles análisis de sangre pseudocientíficos a los que aludía antes los promueven profesionales de la medicina ortodoxa.

Capítulo 18

Tratamiento efectivo de la alergia

Los principios del tratamiento efectivo de la alergia se resumen en:

1. Identificar todo aquello a que uno es alérgico.
2. Evitarlo.
3. Tomar medicación para eliminar los síntomas.
4. Desensibilización.

Los dos primeros principios son obvios y han ido apareciendo en diversos momentos del libro. El tercer principio, la medicación, es una cuestión que debe tratarse individualmente con el médico. Hubiera sido un error establecer un concepto general sobre la cuestión, y por esa razón he evitado especificar medicaciones y dosis. Quisiera dedicar este capítulo final al doctor Len McEwen, pionero en el desarrollo de un tratamiento específico y efectivo de la alergia, denominado desensibilización potenciada por enzimas, o DPE en iniciales.

La historia del DPE se remonta a 1959 y a la consulta de un cirujano otorrinolaringólogo llamado Popper. Estaba muy interesado en los pólipos nasales, esas estructuras parecidas a los racimos de uvas que pueden bloquear la nariz. Sabía que los pólipos consistían principalmente en una sustancia pegajosa denominada ácido hialurónico, así que razonó que si podía llegar a disolver el ácido el pólipo se contraería, y al paciente no le haría falta someterse a la cirugía. ¡Buena idea! Inyectó en los pólipos nasales de sus clientes una enzima (hialuronidasa) que esperaba que descompusiera el ácido. Cuando los pacientes volvían a pasar la revisión los pólipos seguían en su sitio, *pero algunos habían dejado de estornudar.* En otras palabras, la inyección los había desensibilizado. Ya no padecían rinitis alérgica.

Popper intentó entonces repetir su experimento con otra tanda de hialuronidasa y otro grupo de pacientes. Sin embargo, esta vez no se produjo desensibilización. Desafortunadamente, sus trabajos se interrumpieron por su inesperado fallecimiento.

Ahí hubiera acabado todo si no hubiera sido por el ingenio y la tenacidad del doctor Len McEwen. Ya sabía, por el trabajo de Popper, que la hialuronidasa no era la cuestión fundamental. Vio que la primera tanda tenía que estar contaminada con algún otro ingrediente activo. Analizó el material y descubrió seis contaminantes. Probando y equivocándose halló el tesoro, una enzima denominada beta-glucuronidasa. Entonces pudo comprobar la desensibilización tanto de animales como personas a diferentes alergenos, y sus descubrimientos aparecieron en las publicaciones médicas. Ha dedicado toda su vida profesional al ulterior desarrollo de este tratamiento.

¿QUÉ ES LA DPE?

La DPE es un tratamiento de desensibilización para las alergias. Consiste en una mezcla de betaglucuronidasa y alergenos. La enzima ya está presente en nuestro cuerpo y tiene un gran efecto sobre el sistema inmunológico. Las mezclas de alergenos suelen incluir alimentos, alergenos transmitidos por el aire, químicos y un poco de todo. Cada paciente recibe la mezcla de alergenos más adecuada a sus necesidades.

¿CÓMO FUNCIONA?

Una cantidad muy pequeña (0,05 ml.) de disolución de DPE se inyecta entre dos capas de la piel. La enzima estimula unas células especiales de la piel denominadas células de presentación de antígeno (CPA). Éstas «despiertan» al encontrarse bañadas en la mezcla alérgica. Se apartan de los alergenos y se trasladan hacia los «cuarteles generales» del sistema inmunológico. Su trabajo consiste en presentar un alergeno y solicitar una valoración: «¿Hay que ignorar a este alergeno o montamos una respuesta inmunológica en su contra?». Como las CPA son portadoras de betaglucuronidasa, el sistema inmunológico responde favorablemente al alergeno, ve que no hay riesgo para la salud y organiza una tregua. Por lo tanto, una nueva población de células parte con instrucciones de no reaccionar en presencia de esos alergenos. Estas células se denominan células de supresión T. Tienen el poder de una fuerza policial militar y eliminan otros componentes del sistema inmunológico que de otra forma reaccionarían al alergeno. Las células de supresión T eliminan las reacciones alérgicas.

¿Para qué se utiliza?

La DPE se ha utilizado con éxito en el tratamiento de la fiebre del heno, el asma, la rinitis perpetua, los pólipos nasales, la urticaria y el angioedema, así como la hiperactividad inducida por la alimentación, la migraña, en el síndrome de intestino irritable, en la enfermedad de Crohn, en la colitis ulcerosa, el eccema y la artritis. También ha servido con algunos pacientes que padecen el síndrome de fatiga crónica. La DPE todavía no se ha desarrollado para tratar las dermatitis alérgicas por contacto, las alergias a las medicinas o a las picaduras de insectos.

¿Es segura?

La cantidad de alergeno que se administra en cada dosis de DPE nunca es mayor que la que se recibiría en un diagnóstico de hecho con una prueba de punción cutánea. Por esta razón, la DPE es un tratamiento muy seguro. Los pacientes con una historia clínica de tratamientos de alergia de toda la vida tienen una seguridad adicional: una prueba cutánea. Consiste en un ligero raspado de la piel realizado con el filo despuntado de un escalpelo. Se coloca una «copa» de plástico esterilizada por encima de la rozadura y se llena con el tratamiento de la DPE. La solución puede filtrarse a través de la piel durante veinticuatro horas y luego se quita la copa. Puede haber algún líquido y una sustancia gelatinosa cubriendo la erosión. Se secan en unos treinta minutos, y la erosión se curará normalmente en unos diez días aproximadamente. No se han producido efectos colaterales graves con la DPE desde sus comienzos, hace treinta años.

¿Hay efectos secundarios?

Es muy normal que la zona de la inyección se inflame un poco inmediatamente después de aplicarla y remita enseguida. Puede aparecer una inflamación tardía entre las tres y las seis horas y puede durar unos tres días, pero comienza a remitir al cuarto día. Muy raramente puede producirse una inflamación de todo el antebrazo. No son reacciones graves y responden a los antihistamínicos en pastillas. Otros efectos colaterales pueden ser un agravamiento transitorio de las alergias que se tratan, con estornudos, moqueo, urticaria, etc. Por lo general desaparecen a los pocos días, aunque pueden llegar a persistir en algunos casos varias semanas y, muy raramente, algunos meses. A todos los pacientes que inician un tratamiento con la DPE se les informa adecuadamente. Así se aumentan las posibilidades de éxito y se reducen al mínimo los efectos secundarios.

¿Es efectiva?

Se ha demostrado, a través de pruebas clínicas, que la DPE resulta efectiva hasta en un 80 % de pacientes. En otras palabras, cuatro de cada cinco pacientes cuyas alergias hayan sido convenientemente identificadas pueden notar una mejoría con este tratamiento.

¿Cuánto se tarda mejorar?

Hacen falta veintiún días para que las células T recién estimuladas maduren. No va a haber una diferencia apreciable en los síntomas hasta que no haya pasado ese plazo. Las respuestas a la primera dosis de DPE son variables. Muchos pacientes experimentan alguna mejoría, otros no, y otros se encuentran peor. Los pacientes con eccema, hiperactividad y síndrome de fatiga crónica son los más propensos a sufrir un agravamiento inequívoco, aunque transitorio, de los síntomas después de la primera dosis de la DPE. Las dosis siguientes no tienen efectos negativos.

¿Cuántas inyecciones me harán falta?

Las alergias sencillas, como las de los ácaros del polvo, responden con dos o tres inyecciones. Se produce una mejora significativa en la fiebre del heno con una o dos inyecciones aplicadas bastante antes de que comience la temporada de la fiebre. Otras dolencias pueden requerir cuatro inyecciones (o más) antes de que se note una mejoría notoria. Las inyecciones se aplican en intervalos de ocho a doce semanas, hasta que se observa una respuesta positiva. Entonces, en función de la respuesta, las inyecciones se aplican en intervalos mayores. Una vez que los síntomas están completamente controlados, la mayoría de pacientes pueden dejar el tratamiento durante períodos muy largos. Pueden aparecer recaídas al cabo de cinco o seis años, pero se controlan con dosis de recuerdo.

No hay que confundir la DPE con la desensibilización bloqueadora (inmunoterapia por incremento)

La desensibilización por bloqueo es una técnica que implica la aplicación de inyecciones del alergeno en dosis cada vez más altas. La primera inyección es pequeña, la segunda un poco más fuerte que la primera, la tercera más que la segunda, etc. Este método de desensibilización inunda el sistema inmunológico con el alergeno y provoca la producción de un «anticuerpo bloqueador». Se trata de una inmunoglobulina que satura los mastocitos y los basófilos, que así previenen la desgranulación por la IgE. El sistema se desarrolló a finales del siglo XIX. Funciona bien y todavía se utiliza en la Europa continental y Norteamérica. Sin embargo, ha causado algunas muertes por anafilaxia, al igual que los desafortunados perros de Richet y Portier (véase el capítulo 9). Por esta razón, la desensibilización por bloqueo no se utiliza en Irlanda y únicamente la emplean centros altamente especializados del Reino Unido. La técnica se limita a alergenos específicos, como el polen de hierbas, veneno de insectos y ácaros del polvo doméstico. La inmunoterapia por incremento es el único tratamiento de desensibilización efectivo para la anafilaxia por veneno de insectos.

La DPE utiliza dosis mucho más reducidas que la desensibilización por bloqueo, y por esa razón es una técnica mucho más segura. Tiene también un abanico mucho más amplio, por lo que puede utilizarse contra varios alergenos al mismo tiempo.

¿Dónde se puede encontrar más información sobre el DPE?

Visite la página web http://www.epdallergy.com/epd/epdhome.

Apéndice

Unas líneas sobre el ácaro del polvo doméstico

Es oficial: la Organización Mundial de la Salud ha declarado formalmente que el humilde ácaro del polvo doméstico es un problema de salud universal. Causa problemas en los pacientes con asma, rinitis y eccema. El ácaro es un minúsculo pariente de las arañas y las garrapatas. Habita en la ropa de cama, alfombras, tapicerías, ositos de peluche y parecidos. Vive a costa de las células cutáneas que eliminamos, y eliminamos muchas. Prefiere una gama de temperaturas entre los 22 y los 26 °C y una humedad relativa superior al 55 %. Así, los herméticos edificios que hemos construido en occidente favorecen bastante a los ácaros. Moquetas, calefacción central, cristal doble en las ventanas y lujosas ropas de cama proporcionan al ácaro doméstico un medio ideal para medrar. En realidad no es el ácaro el que nos causa problemas, sino lo que deja tras de sí. En concreto son las enzimas digestivas de las pellas fecales las que causan la alergia. Puede haber varias libras de heces de ácaros en un solo colchón. Estas pellas son microscópicas y pueden llegar a ser transmitidas por el aire. Al limpiar con aspirador se arroja el alergeno al aire y queda en flotación varias horas. Reducir la exposición al alergeno del ácaro dará lugar a una disminución de los síntomas. Así, los síntomas del asma pueden limitarse un 50 %. También mejora el eccema y la rinitis. Obviamente no tiene sentido meterse en gastos para evitar el contacto si no se es alérgico a los ácaros, así que es mejor hacerse una prueba cutánea antes de adoptar las siguientes medidas:

- Concéntrese en el dormitorio. Un tercio de la vida se pasa ahí.
- Dormir con la ventana abierta, o considérese el uso de un filtro de aire.
- Utilizar un sistema de eliminación del alergeno de la ropa de cama, como el Alprotec.*
- Airear la ropa de cama cada día
- Lavar las sábanas a más de 55 ºC. Así se elimina el ácaro.
- Utilizar un nebulizador antiácaros del polvo (en farmacias).
- Utilizar pavimentos lisos, como linóleo, corcho o madera. Las alfombras son una fuente de ácaros y son difíciles de limpiar. Un suelo liso se puede fregar.
- Fregar el suelo con regularidad; no utilizar mopas.
- Las cortinas finas son más apropiadas y fáciles de lavar. Hay que hacerlo a intervalos regulares.
- Reducir la cantidad de libros, adornos y plantas. Son depósitos de polvo (y moho).
- Utilizar una aspiradora de filtro especial o colocarlo en la aspiradora corriente. El filtro debe indicar «retiene el 99,5% de las partículas mayores de 0,3 micras». Así se puede pasar el aspirador sin miedo de arrojar el alergeno al aire.
- Cuidado de ositos (y otros juguetes de peluche): congelar por las noches y lavar cada semana.

* Advanced Allergy Technologies Ltd., Freepost ALM1541, Altrincham, Cheshire, WA15 0BR

Bibliografía

Anthony, H., Birtwistle, S., Eaton, K. y Maberly, J., *Environmental Medicine in Clinical Practice*, Southampton, BSAENM Publications, 1997.

Behan, P. O., Goldberg, D. P. y Mowbray, J. F. (comps.), «Postviral Fatigue Syndrome», *British Medical Bulletin*, vol. 47, n.° 4, octubre de 1991.

Brostoff, J. y Challacombe, S. J. (comps.), *Food Allergy and Intolerance*, Londres, Balliere Tindall, 1987.

Brostoff, J. y Gamlin, L., *The Complete Guide to Food Allergy and Intolerance*, Londres, Bloomsbury, 1989.

David, T. J., *Food and Food Additive Intolerance in Children*, Oxford, Blackwell Scientific Publications, 1993.

Fitzgibbon, J., *Feeling Tired All the Time*, Dublín, Gill & Macmillan, 1993.

Francis, D., *Diets for Sick Children*, Oxford, Blackwell Scientific Publications, 4ª ed., 1987.

Hyde, B. M., *The Clinical and Scientific Basis of ME/CFS*, Ottawa, The Nightingale Research Foundation, 1992.

Jenkins, R. y Mowbray, J. F. (comps.), *Post-Viral Fatigue Syndrome*, Chichester, Wiley, 1991.

Kay, A. B. (comp.), *Allergy and Allergic Diseases*, Oxford, Blackwell Science Ltd, Osney Mead, 2 vols., 1997.

Klimas, N. y Patarca, R. (comps.), *Clinical Management of Chronic Fatigue Syndrome*, Nueva York, The Haworth Medical Press, 1995.

Korenblat, P. E. y Wedner, H. J. (comps.), *Allergy: Theory and Practice*, Filadelfia, W. B. Saunders Company, 2ª ed., 1992.

Leonard, B. E. y Miller, K. (comps.), *Stress, the Immune System and Psychiatry*, Chichester, Wiley, 1995.

Mansfield, J., *Arthritis: Allergy, Nutrition and the Environment*, Northamptonshire, Thorsons, 1995.

Mansfield, J., *The Migraine Revolution*, Northamptonshire, Thorsons, 1986.

Metcalfe, D., Sampson, H. A. y Simon, R. A. (comps.), *Food Allergy: Adverse Reactions to Foods and Food Additives*, Oxford, Blackwell Scientific Publications, 1991.

Miller, K., Turk, J. y Nicklin, S., *Principles and Practice of Immunotoxicology*, Oxford, Blackwell Scientific Publications, 1992.

Moschella, S. L. y Hurley, H. J. (comps.), *Dermatology*, Filadelfia, W. B. Saunders Company, 3ª ed., 2 vols., 1992.

Patterson, R., Grammer, L., Greenberger, P. A. y Zeiss, C. R., *Allergic Diseases: Diagnosis and Management*, Filadelfia, J. B. Lipincott Company, 4ª ed., 1993.

Rietschel, R. L. y Fowler, Jr., J. F., *Fisher's Contact Dermatitis*, Baltimore, Williams and Wilkins, 4ª ed., 1995.

Thomson, N. C., Kirkwood, E. M. y Lever, R. S., *Handbook of Clinical Allergy*, Oxford, Blackwell Scientific Publications, 1990.

Waldron, H. A., *Lecture Notes on Occupational Medicine*, Oxford, Blackwell Scientific Publications, 4ª ed., 1990.

Índice analítico y de nombres